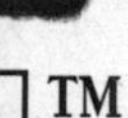

¡Soluciones Prácticas para Todos!

¿Le intimidan y confunden las computadoras? ¿Encuentra usted que los manuales tradicionales se encuentran cargados de detalles técnicos que nunca va a usar? ¿Le piden ayuda sus familiares y amigos para solucionar problemas en su PC? Entonces la serie de libros de computación...Para Dummies® es para usted.

Los libros ...Para Dummies han sido escritos para aquellas personas que se sienten frustradas con las computadoras, que saben que pueden usarlas pero que el hardware , software y en general todo el vocabulario particular de la computación les hace sentir inútiles. Estos libros usan un método alegre, un estilo sencillo y hasta caricaturas, divertidos iconos para disipar los temores y fortalecer la confianza del usuario principiante. Alegres pero no ligeros, estos libros son la perfecta guía de supervivencia para cualquiera que esté forzado a usar una computadora.

"Mi libro me gusta tanto que le conté a mis amigos; y ya ellos compraron los suyos".

Irene C., Orwell, Ohio

"Rápido, conciso, divertido sin jerga técnica".

Jay A., Elburn, Il

"Gracias, necesitaba este libro. Ahora puedo dormir tranquilo".

Robin F., British Columbia, Canada

Millones de usuarios satisfechos lo confirman. Ellos han hecho de *...Para Dummies* la serie líder de libros en computación para nivel introductorio y han escrito para solicitar más. Si usted está buscando la manera más fácil y divertida de aprender sobre computación, busque los libros *...Para Dummies* para que le den una mano.

/99

por Andy Rathbone

IDG Books Worldwide, Inc.
Una Compañía de International Data Group

Foster City, CA ◆ Chicago, IL ◆ Indianapolis, IN ◆ New York, NY

Actualizar y Reparar PCs para Dummies,® 5ta Edición

Publicado por
ST Editorial, Inc.
Edificio Swiss Tower, 1er Piso, Calle 53 Este,
Urbanización Obarrio, Panamá, República de Panamá
Apdo. Postal: 0832-0233 WTC
Correo Electrónico: jtrejos@trejos.co.cr
Tel: (507) 264-4984 • Fax: (507) 264-0685

Impreso en Costa Rica por Trejos Hermanos Sucesores, S.A. Para mayor información acerca de ventas y distribución, comuníquese al teléfono (507) 264-4984, o por correo electrónico a la siguiente dirección: jtrejos@trejos.co.cr

Distribuido mundialmente por ST Editorial, Inc.

Distribuidores locales: Infoguía en Puerto Rico; ST Distribución S.A. de C.V. en México; Distribooks, Inc. en los Estados Unidos; IDG Venezuela en Venezuela; Instituto Guatemalteco Americano en Guatemala; Gamboa Distribución en El Salvador, Honduras y Nicaragua.

ST Editorial, Inc.

Sobre el Autor

Andy Rathbone empezó a jugar con computadoras en 1985 cuando compró un CP/M Kaypro 2X con letras de verde pálido. Como otros sabelotodos "principiantes", rápidamente empezó a jugar con adaptadores de módem-nulo, conectándose a "buletin boards" de computación y trabajando medio tiempo en Radio Shack.

Cuando no estaba jugando con juegos de computadora, funcionó como editor del periódico el Daily Aztec, en la Universidad de San Diego State. Después de graduarse con un título de Literatura Comparativa, empezó a trabajar en una revista que desde entonces ha desaparecido.

Andy empezó a combinar sus dos intereses, palabras y computadoras, vendiendo artículos a una revista de computación local. En los próximos años, Andy empezó a escribir libros de computación para autores más famosos, además de escribir cienes de artículos acerca de computadoras para publicaciones técnicas como Supercomputing Review, la revista Compuserve, ID Systems, DataPro, y Shareware.

En 1992, Andy y el autor de DOS para Dummies, Dan Gookin se unieron para escribir PCs para Dummies. Luego, Andy empezó la serie Windows para Dummies, y el libro Windows 3.1 para Dummies ganó el Mejor Libro Introductorio de la Asociación de Prensa de Computación en 1994.

Andy ha escrito la serie Mejoras y Arreglos para Dummies, y la serie MÁS Windows para Dummies, la serie Dummies 101: Windows, MP3 para Dummies, y muchos más libros ...para Dummies. Con más de 11 millones de libros impresos, ha llegado a la lista de los mejor vendidos del New York Times.

Andy vive con su esposa, Tina, y su gato en el sur de California. Cuando no está escribiendo, juega con sus juguetes MIDI y intenta quitar el gato de encima de sus teclados.

ACERCA DE IDG BOOKS WORLDWIDE

¡Bienvenidos al mundo de los libros IDG!

IDG Books Worldwide, Inc., es una compañía subsidiaria de International Data Group, la casa editorial más grande del mundo en el campo relacionado con la computación y un proveedor líder a nivel mundial de servicios relacionados con la tecnología informática. IDG se fundó hace más de 30 años por Patrick J. McGovern y actualmente da empleo a más de 9.000 personas en el mundo entero. Produce más de 290 publicaciones sobre computación en 75 países y más de 90 millones de personas leen una o más publicaciones de IDG cada mes.

IDG Books, que inició sus actividades en 1990, es en la actualidad la editorial especializada en libros sobre computación en los Estados Unidos. La compañía se siente orgullosa de haber recibido ocho premios de la Computer Press Association como reconocimiento a su excelencia editorial y tres de Computer Currents' Firts Annual Reader's choice. For Dummies, que cuenta en este momento con más de 50 millones de ejemplares en prensa y que ha sido traducida a más de 31 idiomas. IDG Books, por medio de un acuerdo mutuo reciente con Hi-Tech Beijing de IDG, se convirtió en la primera casa editorial de los Estados Unidos en publicar un libro de computación en la República Popular de China. En un plazo sin precedentes, IDG Books ha logrado convertirse en la editorial preferida de millones de lectores alrededor del mundo que desean aprender cómo manejar sus empresas de una manera más eficiente.

Nuestra misión es sencilla: cada libro de IDG está diseñado para proporcionar al lector un valor agregado y herramientas que le ayuden a mejorar sus destrezas. Estos libros están redactados por expertos que entienden y se preocupan por sus lectores. El acervo de conocimientos que posee el personal de la editorial se ha construido a través de años de experiencia en el mundo de las publicaciones, la educación y el periodismo. Esta es una experiencia que la compañía ha capitalizado y utilizado para producir los libros de la década de los 90. En pocas palabras, IDG ha atraído el personal más competente porque su mayor preocupación es la calidad de los libros.

Se ha dedicado una atención especial a la presentación del producto en todos sus detalles, poniendo particular énfasis en aspectos como la audiencia, diseño interior, uso de iconos e ilustraciones para realizar la estética del libro. Igualmente, al hacer un uso más eficiente de los procesos electrónicos como lo proponen los autores, los diagramadores y los editores, se puede dedicar más tiempo a trabajar en la elaboración de un contenido mejorado y menos en las tecnicidades de la producción editorial.

Usted puede contar con que IDG se compromete a proveerles libros de alta calidad con temas de interés y a precios competitivos. IDG pone especial énfasis en la calidad y lo ha demostrado durante más de 30 años. Usted no encontrará nada mejor que un libro publicado por IDG, porque son los mejores.

John Kilcullen
Presidente Ejecutivo Principal
IDG Books Worldwide, Inc.

Eighth Annual Computer Press Awards 1992

Ninth Annual Computer Press Awards 1993

Tenth Annual Computer Press Awards 1994

Eleventh Annual Computer Press Awards 1995

IDG es el líder en medios IT, empresas de investigación y de exposición. Fundada en 1964, IDG tuvo ingresos en 1997 de $2.05 billones y cuenta con más de 9.000 empleados alrededor del mundo. Ofrece el más amplio rango de opciones que alcanzan los compradores de IT en 75 países, lo cual representa el 95% de los gastos de IT en el mundo entero. El diverso portafolio de productos de IDG cubre seis áreas clave incluyendo impresión, edición, publicación en línea, exposiciones y conferencias, investigación de mercado, educación y entrenamiento, y los servicios de mercadeo global. Más de 90 millones de personas leen una o más de nuestras revistas y periódicos, incluyendo las marcas globales líderes -Computerworld, PC World, Network World, MacWorld y la familia de publicaciones de Channel World. IDG Books Worldwide es uno de los editores de libros de computación con más rápido crecimiento en el mundo, con más de 700 títulos en 36 idiomas diferentes. Solo la serie "...For Dummies" tiene más de 50 millones de copias impresas. IDG le ofrece a los usuarios en línea los más grandes sitios de la Web específicos de tecnología a través de IDG.net (http://www.idg.net), la cual incluye más de 225 sitios de la Web en 55 países del orbe. International Data Corporation (IDC) es el proveedor más grande de información, análisis y consultoría tecnológicos, con centros de investigación en más de 41 países y más de 400 analistas en todo el mundo. IDG World Expo es el productor líder de más de 168 conferencias y exposiciones con marca global en 35 países incluyendo E3 (Electronic Entertainement Expo), MacWorld Expo, ComNet, Windows World Expo, ICE (Internet Commerce Expo), Agenda, DEMO y Spotlight. La subsidiaria de entrenamiento de IDG, ExecuTrain, es la compañía de entrenamiento de computación más grande del mundo, con más de 230 locaciones alrededor del mundo y 785 cursos de entrenamiento. Los servicios de mercadeo de IDG le ayudan a las compañías de IT líderes en la industria a construir un reconocimiento mundial de la marca, al desarrollar programas de mercadeo integrales por medio de los productos impresos, en línea y exposición de IDG en el mundo entero. Podrá encontrar información adicional acerca de la compañía en www.idg.com.

1/24/99

Dedicatoria

A ese sentimiento de satisfacción que se experimenta cuando reparamos algo con nuestras propias manos.

Agradecimientos de los autores

Un agradecimiento especial al gato, por haberse mantenido alejado del teclado al menos por esta vez.

Reconocimientos de la Editorial

Algunas de las personas que colaboraron para publicar este libro son las siguientes

Director del Proyecto y Gerente General:
Joaquin Trejos C.

Editora:
Karina S. Moya

Editor Gráfico:
Cristian Loría

Traducción:
Tatiana Arce

Corrección de Estilo:
Alexánder Hernández A.

Asistente Editorial:
Adriana Mainieri

Impreso por: Trejos Hermanos Sucesores, S.A.

◆

Los editores extienden un agradecimiento especial a las siguientes personas:

Elieth Díaz Mejía, Adriana Chan, Adriana Rodríguez, Andrea Chan,Emilio Chan, Viveca Beirute, Mario Quintana, David McCrea, John Kilcullen, Brett Fechheimer, Karin Leite, David Hill,
Carlo Alvarado y a todo el personal de
Trejos Hermanos sin los cuales este libro no hubiera sido posible.

Un vistazo a los Contenidos

Un Vistazo a las Caricaturas

Por Rich Tennant

página 7

The 5th Wave

By Rich Tennant

"OYE. PAPÁ: ADIVINA CUÁNTOS CHOCOLATES CABEN DENTRO DE TU DISCO DURO"

página 109

página 179

página 275

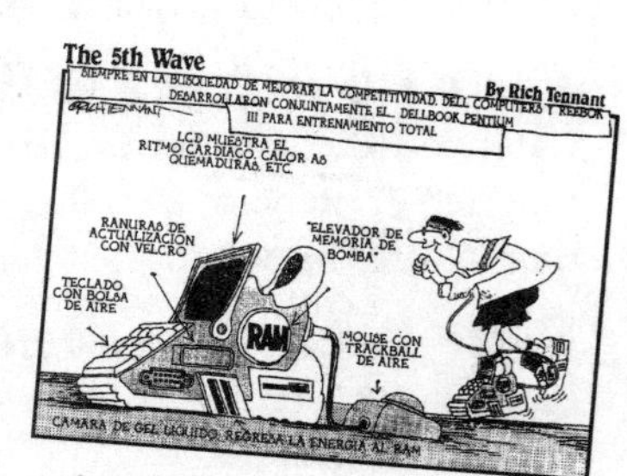

página 329

E-mail: richtennant@the5thwave.com

World Wide W eb: www.the5thwave.com

Tabla de Contenidos

Capítulo 7: Módems Dañados 131

Capítulo 8: Afinar el Monitor 149

Capítulo 9: Impresoras (Esas gastapapel) 163

Introducción

Usted no es un dummy; ambos sabemos eso. Pero hay algo referente a las computadoras que lo hace sentir así. Y eso es perfectamente comprensible. A diferencia de los niños de hoy, usted no empezó navegando por Internet en un Centro Infantil.

Pero no se ha perdido de mucho. Las computadoras siguen siendo tan enigmáticas como la primera vez que las vio. Tampoco se han vuelto más amigables. Los cajeros automáticos le recompensan con dinero cuando usted presiona las teclas correctas. Las computadoras solo toman su dinero.

De hecho, su computadora probablemente esté pidiendo más de su efectivo en este momento y es por eso que usted está volteando las páginas de la Introducción de este libro.

La mayoría de los dueños de las computadoras de hoy enfrentan al menos uno de los siguientes problemas:

- Alguien dice que "necesita más RAM".
- Usted no puede enfrentar el costo de cambiar su Pentium, pero tienen demasiado miedo de cambiar la tarjeta madre. Necesita otra forma de acelerar las cosas.
- Es tiempo de unirse a la Internet y enviar correos electrónicos a sus parientes.
- Usted sabe que necesita una unidad de CD-ROM más rápida, pero no sabe si una unidad de lectura/escritura o una unidad de DVD sería un cambio más versátil.
- Continúa perdiéndose de los juegos porque su tarjetas de gráficos es muy lenta. ¿Necesita una CPU con MMX? ¿Una tarjeta de video AGP? ¿Ambas?
- Se pregunta ¿por qué debe pagar $75 la hora al taller para instalar una parte que cuesta la mitad?

Acerca de este Libro

Ahí es donde este libro es útil. Con el en una mano y un destornillador en la otra, puede reparar su propia computadora o agregarle partes nuevas. Y lo que es mejor, este libro no lo obliga a aprender nada durante el proceso.

En cambio, este libro es una referencia llena de piezas de información — algo así como una enciclopedia. Por ejemplo, si su unidad de disco flexible empieza a actuar extraño, sólo vaya a la sección ¨tratar con unidades de disco flexible que actúan de manera extraña¨. Ahí encontrará instrucciones sencillas para llevar a su unidad de disco flexible de nuevo a la acción.

¿Aun no funciona su unidad de disco flexible? Entonces siga los pasos claramente numerados para extraer su unidad vieja y colocar una nueva. No encontrará léxico técnico que le obstruya el camino. En cambio, puede ir solo a los detalles que necesita saber: ¿Cuáles tornillos necesita remover?, ¿Cuáles cables se unen a cada conector?, ¿Cómo armar de nuevo la computadora? y ¿Qué pasa si pierde un tornillo importante?

A diferencia de otros libros similares, este libro se guía por encabezados como "Puertos Multifunción Integrados a la Tarjeta Madre" o "Procedimientos para Medir la capacidad de Flujo" ¿A quién le importa?

¿Cómo Utilizar este Libro?

Suponga que su teclado está dañado. ¿No sabe cómo debe actuar un teclado saludable? Vaya al capítulo 3 para un reporte rápido (Ese capítulo explica todas esas cosas de la computadora que todo el mundo cree que Usted ya sabe)

Cuando esté listo, vaya al Capítulo 5, el capítulo del teclado, para que escuche de las fallas comunes de estos, así como trucos para hacer que funcione de nuevo. En ese capítulo, encontrará reparaciones para problemas como estos:

- ¡Cuando enciendo mi computadora, la pantalla dice `Keyboard not found — Press <F1> to continue` o algo igual de deprimente!"
- ¡Algunas de las teclas se trabaron después de que las bañé con jugo de moras!"
- ¡Mis teclas de cursor no mueven el curso — solo ponen números!"
- ¡Mi teclado no tiene las teclas F11 y F12, y Microsoft Word para Windows usa esas teclas!"

Si su teclado en realidad está más allá de toda reparación, vaya al Capítulo 5, a la sección "¿Cómo instalo un nuevo teclado?" Ahí descubrirá cuales herramientas necesita (si es que necesita) y cuanto dinero le costará. Finalmente, verá una lista de pasos claramente numerados explicando todo lo que necesita hacer para instalar ese teclado y ponerlo a trabajar.

Digite Esto Aquí

Si necesita digitar algo en su computadora, verá el texto que necesita digitar desplegado así:

```
C:\> TYPE THIS IN
```

Aquí, usted digitó las palabras **TYPE THIS IN** después de `C:\>` y luego presionó la tecla Enter. Si las cosas se ven extañas, verá una descripción de lo que se supone que debe digitar, así que no habrá confusión (bueno, en la medida de lo posible).

Las palabras o comandos que aparecen en la pantalla, en este libro aparecen así: `These words appear on the screen.`

Lea Estas Partes

Si tiene suerte (y si su computadora está saludable), no tendrá que leer mucho de este libro. Pero, cuando algo raro suceda, este libro puede ayudale a descubrir lo que pasó, ya sea que pueda repararlo o si tiene que cambiarlo.

En el camino encontrará comentarios útiles o advertencias explicando el proceso en detalle.

Encontrará signos de trucos como este en todo el libro. Lea estos primero. De hecho, algunos de ellos pueden evitarle leer más de un párrafo del libro — ¡de verdad vale la pena!

No Lea Estas Partes

Bien, mentí solo un poco. Sí incluí algo de léxico técnico en este libro. Después de todo, soy un nerd de la computación (Cada vez que me siento en un restaurant mi computadora de bolsillo se sale de mi pantalón y cae al suelo). Para suerte suya, he clasificado todas las tonterías técnicas.

Cualquier detalle técnico particularmente odioso es separado y señalado con este icono para que puede evitarlo fácilmente. Si algún nerd se detiene a ayudarlo con su problema, solo entréguele este libro. Con estos iconos, él sabrá exactamente en cual sección buscar.

Como Está Organizado Este Libro

Este libro tiene cinco partes principales. Cada parte está dividida en varios capítulos. Y cada capítulo cubre un tema principal, que a la vez está dividido en secciones específicas.

¿El punto? Bueno, el índice de este libro organiza toda la información detalladamente, facilitándole encontrar la sección que quiera, cuando la quiera. Además, todo tiene referencia cruzada. Si necesita más información sobre un tema, puede encontrar el capítulo exacto.

He aquí las partes y sus contenidos:

Parte I: Mordisquear sus Uñas

Aquí encontrará lo básico. Un capítulo explica la anatomía básica de su computadora para que sepa cuales son las partes que se supone que hacen ruido. Otro capítulo le ayuda a encontrar la parte de su computadora que no está funcionando. Además, el primer capítulo ofrece algunos trucos que elevarán su ego. Si, puede actualizar y reparar su computadora Usted mismo.

Parte II: Las Partes de la PC que se pueden Ver (Periféricos Externos)

Aquí encontrará información de las partes de su PC que están a la vista: su monitor, por ejemplo, así como la impresora, teclado y otras cosas que debe limpiar y desempolvar de vez en cuando. Cada capítulo empieza con trucos de reparación y — si la parte aun no funciona — instrucciones detalladas de como remover las partes viejas y colocar las nuevas.

Parte III: Las Partes Ocultas en su PC

Las partes más misteriosas de su PC están dentro de su cubierta, ocultas a la vista. Sujete su sombrero de safari conforme se adentra en las entrañas de su PC para cambiar sus unidades de disco flexible, agregar chips de memoria, o agregar divertidos juguetes como unidades de disco compacto de lectura/escritura.

Parte IV: Indicar a su Computadora lo que usted ha Hecho

Si hay alguien dummy aquí, es su computadora. Aun después de que le ha colocado una parte nueva, su PC frecuentemente no nota que la parte está ahí. Esta a la del libro explica cómo informar a la computadora que ha recibido una parte nueva y que debería empezar a usarla.

Parte V: Las Diez Mejores

Alguna información se desvanece cuando ha sido enterrada en lo profundo de un capítulo, o aún dentro de un párrafo muy grande. Por eso es que estos datos han sido extraídos y colocados en listas de diez (más menos). Aquí encontrará listas como "Diez reparaciones baratas que debe intentar primero", "Diez formas de Habilitar una Pentium que Envejece", "Las Diez Actualizaciones más Fáciles" y otros datos divertidos.

Iconos Utilizados en este Libro

Las partes más excepcionales de este libro están marcadas con iconos pequeñas imágenes en los márgenes para atraer su atención

Este icono le advierte de la presencia de información técnica a la orilla del camino. Siéntase en libertad de esquivarla. La información es probablemente una discusión más complicada de lo que ya fue explicado en el capítulo.

Deténgase en este icono. Probablemente este marque un párrafo muy útil que vale la pena anotar.

Si ha olvidado lo que se supone que debe recordar, manténga este icono a la vista.

Tenga cuidado cuando hace algo que esté marcado con este icono. De hecho, usualmente advierte cosas que no debería estar haciendo, como rociar WD-40 en su unidad de disco flexible.

Algunas veces, las partes de la computadora no se llevan bien entre sí. Las actualizaciones que algunas veces llevan aun más reparaciones o compras están marcadas con este icono.

¿Sigue golpeando las teclas de uno de los primeros teclados de la historia?, ¿Compró un vejestorio en una venta de garaje? Este icono embandera reparaciones y trucos específicos para los dueños de estos viejos monstruos.

Los mecánicos de autos pueden encontrar las secciones más útiles en sus manuales solo buscando las páginas más grasosas. Así que, dibuje sus propios iconos junto a las cosas que encuentra particularmente útiles. Agregue algunas de sus propias observaciones.

¿Donde Ir desde Aquí?

No lo voy a engañar. Usted no será capaz de reparar o cambiar todas las partes de su PC. Por ejemplo, muchos de los talleres no reparan monitores rotos o fuentes de poder. Estos artículos son demasiado complicados (y peligrosos) de manipular. Casi siempre se deben comprar unos nuevos.

En cambio, este libro le indica cuales partes de su PC puede reparar usted mismo (la mayoría de ellas) y cuales partes están más allá de su control. De ésta forma, Usted sabrá cuales reparaciones confiar a los técnicos del taller. No tendrá que preocuparse de intentar reparaciones que simplemente están más allás de sus habilidades como mortal.

Finalmente, su camino será más fácil si está familiarizado con su PC. Vaya al Capítulo 3 por las explicaciones básicas de las partes de ella, como se comunican entre sí y cómo puede inmiscuirse en sus conversaciones para averiguar lo que está pasando.

¿Necesita más información sobre su software Windows? Primero, revise el Capítulo 17 para el análisis de las herramientas de depuración incorporadas de Windows. Si necesita más información básica, busque una copia del libro *Windows 98 para Dummies* o *Windows 95 para Dummies* (ambos escritos por mí). Estos le ayudarán a descubrir si su problema está en Windows — *y no en su computadora.*

¿Listo? Entonces tome este libro y un destornillador. Su computadora está lista cuando Usted también lo esté. Buena Suerte.

Parte I

Mordisquear sus Uñas

"UN MOMENTO AQUI DICE, LA ELECTRICIDAD GENERDA POR EL PROTECTOR DE PICOS ES, USUALMENTE, MAS LIMPIA Y SEGURA QUE LA QUE ENTRA A ESTE, A MENOS, QUE USTED SE ENCUENTRE DENTRO DE UNA CUBETA CON AGUA"

En esta parte . . .

 Emocionado por los capacitadores electrolíticos?

¿Ansioso por los Circuitos Integrados?

Entonces devuélvase y siga leyendo estas dos frases. No encontrará estas palabras en el resto de este libro.

Capítulo 1

¿Es lo Suficientemente Inteligente para Hacerlo Usted Mismo?

En este capítulo

- Por favor, haga esto de inmediato
- Las computadoras son difíciles de destruir
- Las PCs son más fáciles de reparar que los autos
- ¿Se puede ahorrar dinero con una actualización en lugar de comprar una PC nueva?
- Las PCs no asustan tanto después de que haya reparado una
- ¿Cuándo debe hacer actualizaciones?
- ¿Cuándo no debe hacer actualizaciones?
- ¿Qué sucede si hay partes que no funcionan cuando están juntas?

Aquí está el secreto. Si puede abrir un paquete de papas tostadas, entonces puede hacer una actualización y reparar su PC. No tiene que ser un genio de la tecnología con un poco de tiempo libre.

De hecho, hacer una actualización en una PC es casi siempre más sencillo que tratar de utilizar una. Conozco a un muchacho que puede convertir una caja de partes de repuesto en una PC completa en menos tiempo del que toma imprimir una página de tres columnas en WordPerfect.

¿Todavía no está convencido? Pues entonces permita que este capítulo le sirva para dar un poco de empuje a su confianza. Recuerde, no tiene que ser un sabio de las computadoras para hacer una actualización o para reparar su PC.

¡Por Favor, Haga Esto Primero!

Por favor, por favor haga un disco de inicio de Windows de inmediato. Si se espera hasta que necesite uno, será demasiado tarde. El disco de inicio de Windows es su salvación cuando este se niega de repente a despertar.

Cuando Windows deja de funcionar, inserte su disco de inicio en la unidad de disco flexible y encienda su computadora.

Windows se auto carga desde el disco de inicio y así ya puede acceder una variedad de ambientes Windows. Esto le ayuda a hacer lo necesario para poner Windows de vuelta en operación. Antes de continuar leyendo, siga los pasos que se detallan a continuación para crear el disco de inicio y así los dos vamos a estar más tranquilos:

1. **Busque un disquete vacío.**

   Busque en su colección de disquetes hasta que encuentre uno vacío o que tenga archivos que ya no necesita.

2. **Presione la tecla de Inicio y seleccione el Panel de Control en la opción de Configuraciones.**
3. **Presione dos veces Agregar/Remover Programas en el Panel de Control.**
4. **Cuando aparece la ventana Agregar/Remover Programas, presione la casilla titulada Disco de Inicio**
5. **Presione el botón de Crear Disco y siga las instrucciones.**

Windows toma sus archivos importantes y le pide que inserte su disquete en la unidad A (Esa es la única unidad disponible en la mayoría de las computadoras). Cuando presione el botón OK, Windows copia esos archivos importantes en su disquete.

¡Qué alivio! Cuando su computadora se niegue a cargar Windows, inserte el disquete de inicio y reinicie la computadora; Windows 98 se cargará automáticamente desde ese disco (Aunque Windows 95 no es lo suficientemente sabio para cargarse automáticamente desde el disquete, por lo menos inicia el respaldo de su computadora, de manera que usted mismo o un gurú de las computadoras pueden ajustar las configuraciones).

Probablemente no Matará a su PC por Accidente

¿Le da miedo descomponer algo si retira la cubierta de su computadora? En realidad, muy pocas cosas pueden salir mal. Siempre que no deje un tornillo suelto, bailando por las entrañas del aparato, no tiene mucho de que preocuparse (Y en el Capítulo 2 le digo la manera de eliminar ese tornillo suelto).

¿La preocupación por la seguridad le inhibe de urgar por el interior de su PC? Pues no solo la computadora está segura con sus dedos, sino que sus dedos también lo están con la computadora. Después de desconectar a la bestia, la computadora es ahora más segura que una licuadora desconectada. Tampoco va a tener un peinado estilo Don King por tocar la parte equivocada accidentalmente. Además, usted puede reparar muchos de los problemas de su computadora sin tener que quitarle la tapa.

¿Le da miedo poner el cable equivocado en el lugar incorrecto por accidente? No se preocupe. La mayoría de los cables de su PC están codificados con colores y fácilmente puede decir cuál va a dónde. Los diseñadores de computadoras trabajaron incluso para facilitar el trabajo a los ingenieros. La mayoría de los cables calzan de una sola manera – la manera correcta.

Si puede cambiar un filtro de café (incluso uno de los caros, con revestimiento dorado) entonces puede cambiar las partes de su computadora.

- La PC fue diseñada para ser modular – todas las partes se pueden sacar y volver a insertar en sus propios espacios. No podría, ni accidentalmente, instalar su disco duro donde se supone que va el cable de corriente. El disco duro simplemente no calza (Solo para estar seguros, yo lo acabo de intentar y no funcionó).
- Aunque la mayoría de las computadoras se conectan a un tomacorriente de 110 voltios – igual que cualquier otro electrodoméstico –, no utiliza en realidad tanta electricidad. El sistema que alimenta la computadora convierte eso a 3.3 o 5 voltios, que es menos de lo que utilizan algunas linternas baratas de Radio Shack. Esta cantidad hace que las computadoras sean mucho menos peligrosas.
- Su PC no va a explotar si instala una parte incorrectamente; la PC simplemente no funcionará. Aunque una computadora que no funciona puede provocar serios dolores de cabeza, no se hace necesario poner ningún vendaje. Simplemente, remueva la parte mal instalada y trate de instalarla de nuevo, desde el principio. Luego siga paso por paso las instrucciones de este libro (Y ponga atención a los trucos para resolver problemas de los párrafos siguientes).
- Cuando IBM hizo su primera microcomputadora PC, hace más de una década, los ingenieros la diseñaron para que rápidamente pudiera ensamblarse con partes comunes. Y todavía es así. Puede instalar actualizaciones con solo un destornillador, y las otras partes calzan como bloques de un Lego costoso.

Así como a las brujas malas no les gusta el agua, los chips de la computadora le tienen terror a la electricidad estática. Un poco de estática le puede asustar y deja caer su lápiz, pero esa estática puede ser una muerte instantánea para un chip de la computadora. Asegúrese de tocar algo de metal, el borde de un escritorio de metal, un archivero o incluso la base de la computadora – antes de tocar cualquier cosa dentro del aparato. ¿Vive en un ambiente que se caracteriza por la estática? Algunas tiendas venden unas tiras que sirven de tierra para la estática, pequeños brazaletes que se colocan en la base de la computadora para mantener la tierra en todo momento.

Información Sorprendente sobre la Estática

Las personas que viven en áreas que se caracterizan por la estática necesitan mayor protección. Para purgar la estática de su cuerpo, antes de tocar su computadora, compre una alfombra antiestática y colóquela frente a su área de trabajo. Esta se ve como una alfombra de hule común, pero está hecha con un material especial que atrae la estática de su cuerpo y la envía a tierra a través de un cable especial. Para cuando toque la computadora, estará libre de estática. Aunque Radio Shack vende varias alfombras antiestática, la mayoría están disponibles solo por órdenes especiales. Revise por el número de parte 910-4888 de Radio Shack. Es una alfombra de 3 por 5 pulgadas que se coloca en el piso, frente a la computadora. Desafortunadamente, las alfombras antiestática no son baratas y el modelo de Radio Shack cuesta cerca de $100.

Para ver una descripción de los productos antiestática de Radio Shack, vaya a www.radioshack.com y busque la lista de productos para la palabra antiestática.

Actualizar una PC es más Sencillo que Reparar un Auto

Olvide los trabajos de mecánica; las computadoras son mucho más sencillas para trabajar en ellas que los autos por varias razones. Noventa por ciento de las veces, hacer una actualización en una PC con solo un destornillador que encuentra en el armario de chucherías de su cocina. No necesita herramientas caras, guantes protectores o sierras bulliciosas. Ni siquiera tiene que gruñir, escupir o limpiarse las manos en su pantalón, a menos que ya hayas hecho eso de todas maneras.

Además, las partes de la computadora son más fáciles de comprar que las de un auto. Cada año, los autos usan un tipo de parachoques diferente o un nuevo filtro de aire. Pero con una PC, muchas partes son iguales. Usualmente puede tomar el mouse de la computadora de un amigo y conectarlo en la suya sin ningún problema (a menos que su amigo lo vea).

Al reparar la PC, nunca tendrá que levantar objetos pesados y nunca tendrá que deslizarse debajo de ella tampoco, a menos que pretenda usar su laptop en la playa.

- Si tiene un auto viejo, probablemente tendrá que comprar los repuestos en un taller difícil de encontrar. Pero si tiene una computadora vieja, simplemente compre la parte de remplazo en una de las miles de tiendas de cómputo, tiendas en línea o por correspondencia. Con muy pocas excepciones, no tendrá que buscar en cajones viejos de IBM una unidad de disco flexible del 87 para una TurboChunk 286.
- Tampoco hay tubos donde pueda dejar caer tornillos, como hice yo cuando traté de remplazar el carburador de mi microbús VW 65. Después de ver la grúa llevándose mi auto, decidí quedarme con las PCs: Las computadoras no tienen tubos abiertos, no usan pernos y huelen mucho mejor que el limpiador

de carburadores. Además, las PCs no tienen tantas partes móviles que atrapen la manga de su camisa y le arrastren peligrosamente hacia los abanicos.

- Aquí hay otra diferencia: Los mecánicos de autos reparan las cosas. Si falla algo en el motor, ellos cuidadosamente lo desmontan, reemplazan la parte mala con una buena y vuelven a montar el motor. Pero con las PCs, remplaza las cosas. Si la tarjeta de vídeo de su PC expira, bótela y coloque una nueva. Mucho menos complicado. Y siempre sale más barato también.

Finalmente, a menudo puede reparar su PC sin siquiera abrir el cajón. Algunos softwares revisan automáticamente las entrañas de su computadora, encuentran la falla y la reparan.

¿Realmente Puede Ahorrar Mucho Dinero?

Mucha gente piensa que puede construir su PC desde cero y ahorrar un montón. Pero esto no funciona así. Nadie puede ahorrar en un Corvette si compra todas las partes a un vendedor de Chevy y trata de armarlas. Lo mismo ocurre con una PC.

Hoy día, los vendedores de computadoras compran cantidades de partes al por mayor (con descuento), las tratan de encajar en su propio taller y ponen el producto terminado en la ventana de la tienda 20 minutos después. Sin embargo, sin todos esos descuentos en las partes, una computadora hecha por uno generalmente cuesta igual que una nueva, a veces incluso más.

Además, la mayoría de las computadoras nuevas vienen con las últimas versiones de software preinstalado y comprar todo ese software para su PC recién ensamblada, requiere de varios cientos de dólares de acuerdo con los precios establecidos.

- Si su computadora es tan vieja que quiere remplazarlo todo, hágalo. Pero remplácelo todo comprando una computadora nueva. Así ahorrará tiempo y dinero, además recibirá software gratis y actualizado, y una nueva garantía. Es difícil encontrar un mejor negocio.
- Casi siempre es más barato remplazar una parte que tratar de repararla. La mayoría de los talleres cobran hasta $75 por hora y un trabajo de reparación largo puede costar más que la misma parte. Muchos talleres ni siquiera se molestan en reparar partes. Es más barato (y más fácil) para los talleres venderle partes nuevas.
- Entonces,¿por qué molestarse en actualizar su computadora usted mismo? Bueno, porque puede ahorrar dinero en facturas de reparación y su computadora estará funcionando más rápidamente: No se quedará almacenada en un taller mientras que usted se encuentra acorralado sin computadora. ¡Qué Horror!

Las PCs No Causan tanto Miedo después de haber Reparado Una

Cuando yo era niño, mi mamá llevó su auto al taller porque hacía un ruido extraño al girar en las esquinas. Ella no tenía ni idea de qué podía estar provocando el problema. Los ruidos del auto provocaban temor y misterio. El mecánico no encontró nada malo y mi mamá lo llevó a conducir para que probara el auto. Cuando giró en una esquina, apareció el ruido. El mecánico afinó su oído por unos segundos y luego abrió el cenicero de metal del panel. Sacó de ahí una canica redonda y el ruido desapareció.

Por supuesto, mamá estaba apenada y, por suerte, el taller no cobró nada por la reparación. Pero esta anécdota prueba un punto: si mi mamá hubiera sabido un poco más sobre su auto, el ruido nunca la hubiera asustado y hubiera podido ahorrarse un viaje al taller.

Se preguntará, "Entonces, ¿cuál es el punto?" Bueno...

- Después de abrir el cajón de su PC y ver lo que hay dentro, verá que no es tan misterioso ni asusta tanto. Verá que es simplemente un conjunto de partes, como cualquier otra cosa.
- Después de jugar con su PC, se sentirá más confiado para trabajar con su computadora y su software. Jugar con la computadora no se debe convertir en un pasatiempo, Dios libre. Pero no se debe asustar si presiona la tecla incorrecta, el monitor no va a explotar como lo hizo en *Star Trek* hace unos días (y se pensaba en ello hace unos días también).
- Si va a traer pequeñas piedras del desierto, colóquelas en la guantera; ahí no suenan tan fuerte.

¿Cuándo se Debe Hacer una Actualización?

Su computadora le dirá cuándo necesita actualización. Quizá ya haya visto algunas de las siguientes señales de alerta:

- **Cuando su sistema operativo lo exija:** Todo el mundo está utilizando la última versión de Windows o por lo menos eso dicen en Microsoft. Y la última versión de Windows funciona mejor en una de esas nuevas computadoras que son grandes y deportivas, con "sexisonidos" en el CPU (unidad central de proceso), un gran disco duro y grandes tubos de escape. Si quiere actualizar al último sistema operativo, Windows 2000 o la última versión de Windows 98, entonces también actualice las partes de su computadora.

- **Cuando sigue en espera de que su computadora se apresure:** Presiona una tecla y espera. Y espera. O está utilizando Windows y presiona una tecla y mira el pequeño reloj de arena que se queda casi estático en la pantalla. Cuando está trabajando más rápidamente que su computadora, es hora de dar a nuestra amiga un empujón con algo de memoria extra, un CPU más rápido y tal vez una tarjeta de vídeo más acelerada. Por supuesto, también deseará un disco duro más grande, lo que le hace preguntarse si será más bien hora de deshacerse de los chips y comprar una computadora nueva.
- **Cuando no puede comprar una computadora nueva:** Cuando no tiene dinero y no puede comprar una computadora nueva, compre las partes una a la vez. Por ejemplo, agregue esa memoria adicional ahora y otras partes dentro de unos meses, cuando su tarjeta de crédito no esté anémica. Además, los precios fluctúan. Programe sus compras para lograr los precios más bajos.
- **Cuando su equipo viejo se cansa:** ¿Está la flecha del mouse saltando por toda la pantalla? ¿Se están pegaaaando los botones del teclado? ¿Están las unidades rechazando los disquetes? ¿Le está enviando mensajes locos su viejo disco duro? ¿Le deja su computadora mensajes extraños de saludos en la pantalla algunos días? Si es así, existe la probabilidad de que las partes estén diciendo "Rempláceme rápido, antes de que yo empaque, tome todos sus informes, hojas de trabajo y calificaciones de sus juegos y me vaya de aquí".
- **Cuando le urge una parte nueva:** Los talleres de reparación no son tan lentos como los que reparan equipos de sonido. Aun así, ¿realmente quiere esperar cuatro días para que le instalen esa nueva tarjeta de vídeo que es excelente, especialmente cuando tiene la leve sospecha de que usted lo puede hacer en menos de 15 minutos?

  Además, si está comprando las partes por correspondencia para ahorrar dinero, instálelas usted mismo: Las partes que ordena por correspondencia no incluyen un gurú de la computación para que las instale.
- **Cuando no hay espacio para software nuevo:** Cuando cinco amigos se dirijen a un restaurante en auto, tres de ellos se apuñan en el asiento trasero, manteniendo hasta sus rodillas en el aire. El software no puede ser tan amistoso. Cada programa requiere su propia porción de disco duro y no la comparte. Cuando se le acaba el espacio del disco duro para programas nuevos, tiene tres opciones: 1) borrar el software que ya no usa; 2) comprar un disco duro suficientemente grande para tener todos sus programas cómodamente o, 3) comprar uno de los muchos sistemas portátiles de almacenamiento disponibles, que funcionan como garaje para los archivos de repuesto (Puede utilizar software de compresión para colocar más software en un disco duro, pero eso es buscarse problemas a largo plazo).

¿Cuándo No se Debe Hacer una Actualización?

Algunas veces no debe trabajar usted mismo en la computadora. Manténga sus manos alejadas de las siguientes circunstancias:

- **Cuando se descompone una parte y todavía la computadora tiene garantía:** Si su computadora tiene garantía, deje que ellos reparen la parte. De hecho, si repara la parte usted mismo podría anular la garantía en el resto de la computadora.
- **Cuando el vendedor dice "Yo le instalo la parte gratis en 15 minutos":**¿Quince minutos? Definitivamente, tome la oferta del vendedor antes de que se arrepienta y comience a cobrar, como otros vendedores (Sin embargo, asegúrese de comparar precios con otros vendedores, pues una parte muy costosa puede compensar la instalación gratis).
- **Un viernes:** Nunca trate de instalar una parte nueva en la computadora un viernes por la tarde. Cuando descubra que la pieza necesita también un adaptador izquierdo, la mayoría de los talleres de reparación van a estar cerrados y se va a quedar con un escritorio lleno de partes sueltas hasta el lunes por la mañana.

- **Cuando su computadora es vieja:** No todas las computadoras se pueden actualizar Si está utilizando una XT, AT, 386 o 486 (todas se describen en el Capítulo 3), probablemente es más barato comprar una computadora nueva que invertir más dinero en barcos que se hunden. De hecho, si está pensando actualizar a una computadora que tiene más de tres años, intente esto primero: Totalice la cantidad de equipo que necesita (actualización de CPU, más memoria, un disco duro más grande, una tarjeta de vídeo y un monitor más rápidos, un módem más rápido, una unidad de CD-ROM más rápida y software actualizado), y compara esto con el costo de una computadora nueva, es muy posible que la computadora nueva cueste mucho menos (El Capítulo 26 describe qué tan viejas son las computadoras que se pueden salvar o actualizar, si es que no tiene suficiente dinero).
- **Cuando necesite que su computadora esté lista y funcionando en 90 minutos:** Así como la remodelación de cocinas, la actualización y la reparación de computadoras toma al menos el doble de tiempo de lo que pensaba originalmente. No intente trabajar en su computadora con presiones de tiempo o terminará lanzando humo por sus oídos y con su cabeza a punto de estallar.
- **Cuando no ha optimizado el software de su computadora:** Verá, puede que su computadora no necesite hardware nuevo y costoso para funcionar mejor. Tal vez pueda correr un software de "prueba y reparación" que encuentre cualquier problema de software y lo repare por usted (El Capítulo 19 describe algunos de estos).

Cuidado con la Reacción en Cadena

Una actualización por lo general conduce a otra. Al igual que trabajadores de oficina en conflicto, algunas partes de la computadora se niegan a trabajar juntas, aunque hayan sido diseñadas para computadoras IBM compatibles.

Por ejemplo, compra un módem, lo instala y se pregunta ¿por qué no funciona con Internet?. Entonces descube que necesita afiliarse a un servicio de Internet, que permita que su módem se conecte a la Red.

Afortunadamente, los Proveedores de Servicios de Internet (PSI) son relativamente baratos y fáciles de encontrar en estos días. Cuando vea el icono de Reacción en Cadena en este libro, tiene que estar conciente de que tal vez tenga que comprar otra parte antes de que la actualización funcione.

- Las reacciones en cadena pueden surgir casi con cualquier actualización, desafortunadamente. Por ejemplo, a veces tiene que remplazar sus chips de memoria en lugar de solamente conectar unos cuantos nuevos, como hubiera esperado.
- Sin embargo, nada de esto es su culpa. La misma reacción en cadena puede surgir incluso si deja que en el taller hagan la actualización de su computadora. La única diferencia es que ahí puede escuchar las malas noticias por teléfono, como cuando el mecánico llama a su oficina y le dice que necesita un radiador nuevo, cuando le llevó el auto para que le cambiara los compensadores. Sí, eso es impactante, está bien.
- Si una parte no funciona en su computadora, no pierda la esperanza. Todavía puede devolver la parte para que le reembolsen el dinero, como si las partes fueran abrigos que no quedaron bien. Si no se siente bien como para remplazar todas las partes incompatibles, simplemente devuelva la parte nueva para que le reembolsen. Siempre y cuando la devuelva dentro de un tiempo razonable, no debería tener problemas (Sin embargo, como precaución, verifique las políticas de devoluciones antes de comprar una pieza).

Capítulo 2

La Forma Correcta de Reparar Su PC

En este capítulo

- Diez pasos para actualizar su PC
- ¿En qué parte de su PC debería trabajar?
- Las herramientas que necesita
- ¿Cómo hacer un disco del sistema?
- Cosas que debe hacer cuando trabaja en su PC
- Cosas que NO debe hacer cuando trabaja en su PC
- ¿Cómo rescatar tornillos que se la han caído dentro de su PC?

Cuando era pequeño, mi hermana y yo conocimos un sujeto que vivía en la playa y le gustaba jugar con aparatos. Un día, él cortó el cable de una lámpara vieja y amarró un clavo grande en el extremo de cada alambre.

Luego, metió cada clavo en los extremos de una salchicha y conectó el cable al enchufe de la pared. Claro, la salchicha se cocinó. Chisporroteó e hizo muchos sonidos. Pero no nos comimos esa salchicha. De hecho, como que evitamos a ese señor después de esto.

Mi hermana y yo sabíamos que había una forma correcta y una forma incorrecta de hacer las cosas. Este capítulo señala las diferencias entre las dos mientras trabaja en su computadora.

Los Diez Pasos para Actualizar su PC

Esos técnicos le cobran $75 la hora por cambiar una parte, pero ellos solo siguen pasos simples que aprendieron en la escuela de cómputo. ¿No le importa la escuela o no cree que puede recurrir a estas páginas cuando las necesita? Entonces recurra solo a la Referencia Rápida al inicio de este libro. Ahí se resumen estos diez pasos:

1. **Haga un respaldo de su disco duro para que no pierda información.**

   Cada vez que introduce una parte nueva en su PC, corre el riesgo de molestar su estómago. Su PC probablemente no quiera borrar información por venganza, pero ¿no se sentiría mal si algo pasará? Asegúrese de contar con un respaldo de su disco duro. Por supuesto, usted ha estado haciendo respaldo de su información todos los días, así que esto no debe ser mucho trabajo (Usted ha estado respaldando su disco duro, ¿verdad?).

   Si está cansado de copiar todo en disquetes, considere comprar uno de los varios tipos de unidades de respaldo en cinta. Son aparatos especiales que graban toda su información rápida y automáticamente, en cintas, casetes discos o hasta en discos compactos especiales. Algunos pueden respaldar su disco duro automáticamente al final del día, de manera que usted no tenga que recordar todo (¿Listo para instalar una? Entonces vaya al Capítulo 13).

2. **Lea las instrucciones que vienen con la parte.**

   Después de abrir la caja, lea las instrucciones de instalación. Puede que el manual contenga una página titulada “Al menos lea esta parte”. Esta página es para las personas demasiado emocionadas con su nueva parte como para leer todo el manual.

   Luego, busque algún disquete especial incluido en la caja. ¿Lo encontró? Entonces colóquelo en su unidad de disco y busque un archivo llamado README.TXT, README.COM, o algo similar. Los fabricantes usualmente actualizan su equipo más frecuentemente que sus manuales, así que quédese con la información más actualizada, la del disquete (Presione dos veces el nombre del archivo desde los programas Windows o Windows Explorer para traer el archivo a la pantalla).

   ¿Ve alguna información que pueda serle útil en el camino? Entonces anótela o imprímala. De lo contrario, continúe con el siguiente paso.

3. **Encuentre su disco de Inicio Windows, abandone cualquier programa, apague la PC y desconéctela de la pared.**

   Nunca apague la PC mientras tenga algún programa corriendo en la pantalla. Eso es como sacar a un niño del carrusel antes de que deje de dar vueltas — potencialmente peligroso y ciertamente difícil para sus oídos.

   Entonces, asegúrese de cerrar todos los programas — especialmente Windows. Cuando Windows indique que puede apagar su PC, proceda al interruptor de apagado y desconecte el cable de poder de la pared solo por precaución adicional.

   ¿No sabe apagar su PC en Windows 95 y Windows 98? Presione el botón de Inicio y escoja el botón Apagar de la lista que aparece. Luego escoja el botón Apagar o Apagar la Computadora para hacer que Windows se apague así mismo.

Windows, que es un poco quisquilloso, algunas veces se rehusa a regresar a la pantalla, después de que lo han alimentado con una parte nueva. En este caso, necesita un disco oficial de Inicio Windows, descrito más adelante en este capítulo.

4. **Despeje el área del escritorio junto a la computadora.**

   Tire la basura y guarde cualquier disquete. Necesita un área despejada y vacía para colocar las cosas, de manera que no tenga que apilarlas una encima de la otra.

   No mantenga líquidos cerca del área de reparación donde pueda derramarlos dentro de su cubierta. Una bebida derramada puede que no destruya su PC, pero tampoco le hará ningún bien.

5. **Tenga las herramientas a mano.**

   Después de empezar a instalar una parte nueva, la adrenalina empieza a fluir. No querrá perder momentos emocionantes buscando un destornillador, así que asegúrese de que todas las herramientas estén a su alcance. ¿Cuáles herramientas? Revise la sección "¿Cuáles herramientas Necesita?", más adelante en este capítulo.

6. **Remueva la cubierta de su PC.**

   Los modelos más viejos requieren destornillador. Debe retirar tornillos a ambos lados o en la parte de atrás de la PC. Las cubiertas de los modelos más nuevos se remueven solo con sus dedos: Dé vueltas a los cerrojos redondos grandes que sostienen la cubierta. Si tiene suerte, esta se deslizará como mantequilla sobre un panqueque caliente. Otras veces, la cubierta se adhiere como con pegamento a la mesa. Revise la Referencia Rápida de este libro para más detalles.

   Toque una parte despintada de la cubierta de la PC para descargar cualquier electricidad estática que pudiera formarse. Esto evita que la estática dañe las partes internas sensitivas de su PC. Considere comprar un cinturón o una alfombra para hacer tierra, si trabaja en una área propensa a la estática.

7. **Retire la parte vieja y coloque la nueva.**

   Mejor tome nota de cuáles cables van en cada lugar. Los cables y los conectores usualmente calzan de solo una forma, pero puede sentirse más confiado si anota sus propios comentarios (También siéntase libre de escribir en este libro).

   ¿Tiene una cámara instantánea o digital? Tome fotos de la parte interna de su PC cuando recién retira la cubierta. Esa foto ayudará a corroborar que los cables están bien colocados.

8. **Conecte su computadora y ponga a trabajar esa parte recién instalada para ver como lo hace.**

   ¿Qué? ¿Conectar y encender la computadora sin la cubierta? Sí. Solo no toque nada dentro de la computadora y estará seguro. Por ejemplo, si cambió una tarjeta de vídeo, puede asegurarse de que el monitor despliega cosas cuando encienda la PC.

Si la parte nueva funciona, continúe con el Paso 9. Si la parte no funciona, apague la computadora, desconéctela y empiece la resolución de problemas. Tal vez olvidó conectar un cable. O puede que necesite mover un interruptor en algún lado, lo que describo en el Capítulo 18.

9. **Desconecte la computadora y ármela de nuevo.**

   ¿Listo? Entonces asegúrese de no tener tornillos sobrantes o, lo que es peor, ningún agujero sin tornillos. Si un tornillo ha quedado en el lugar incorrecto dentro de la cubierta de la PC, su computadora puede freírse como la salchicha electrocutada.

   Encontrará trucos de cómo rescatar tornillos, más adelante en este capítulo.

10. **Conecte la computadora y sométala a una revisión final.**

    La parte está instalada, la cubierta está en su lugar y todos los cables están conectados. ¿Aun funciona la computadora? Si no, revise los cables para asegurarse de que están bien conectados.

Sea cuidadoso al seguir estos diez pasos, puede evitarse problemas. La clave es proceder metódicamente, paso por paso. Además, no ver televisión mientras realiza esta tarea también puede ayudar.

¿Cuáles Herramientas Necesita?

Todas las herramientas que necesita para reparar una PC caben en un solo estuche: Un destornillador Phillips pequeño realiza el 80% de las tareas, aunque otras pocas herramientas son útiles ocasionalmente (como un destornillador plano).

¿Se siente de buen humor? Pase por la tienda de cómputo y compre un juego de herramientas de reparación. Incluye la mayoría de las herramientas mencionadas en esta sección y un estuche negro con cierre de cremallera para guardarlas. La mayoría de los juegos cuestan menos de $20.

Los documentos de su computadora

¿Usted guardó toda la documentación que venía con su PC, verdad? ¿Todas esas cosas con letras pequeñas y dibujos raros? Desafortunadamente, puede necesitarlas cuando actualiza su PC. Los documentos describen las partes y números de modelos de los componentes internos de su PC y cómo reparar ciertas cosas. Conserve los manuales en un lugar seguro, preferiblemente sellados en una bolsa. Aun la factura puede ayudar. Usualmente contiene el número de modelo y la marca de los componentes de su PC.

¿No encuentra nada? Entonces visite la página Web del fabricante. Algunas veces las PC tienen una etiqueta adhesiva numerada en la cubierta. Si digita el número en la página Web del fabricante, podrá saber los datos vitales de su PC. ¿Tienen una Dell? Busque el número de serie de la PC y visite www.dell.com, donde encontrará una lista de partes de computadora y unidades (Hasta le indican si su PC todavía está en Garantía).

Destornillador Phillips pequeño

El destornillador Phillips necesita ser capaz de manipular tornillos del tamaño mostrado en la Figura 2-1 (Los destornilladores Phillips son los que tienen una pequeña cruz en la punta, no una cuchilla plana).

Destornillador de cabeza plana

Los cables de impresora, monitores y las colas de los mouse, todos se conectan en la parte de atrás de su PC. Algunos cables pueden ser asegurados girando una perilla. Otros cables tienen tornillos diminutos para evitar que se salgan de sus enchufes. Necesita un destornillador para manipular tornillos del tamaño mostrado en la Figura 2-2.

Destornillador Phillips mediano

Algunas veces, encontrará que los tornillos que sostienen la cubierta de su PC son un poco más grandes. En este caso, necesitará un destornillador ligeramente más grande. Revise el tamaño de los tornillos de la parte de atrás de su PC para que sepa cual destornillador comprar.

Sujetapapeles

Aunque usted no lo crea, unos duendes diminutos diseñaron y construyeron muchas de las partes de su PC. Esa es la razón por la que los interruptores DIP son tan pequeños. Un sujetapapeles doblado ayuda a mover estos interruptores de un lado a otro. Frecuentemente necesita mover un DIP cuando agrega una parte nueva a su computadora. Los interruptores son en realidad tan pequeños como se muestra en la Figura 2-3.

Encontrará un agujero minúsculo en la parte de enfrente de muchos CD-ROM — un agujero mucho más pequeño que el enchufe de los audífonos. Si el disco se atasca, trate presionando su sujetapapeles doblado dentro del agujero. El agujero sirve como Sistema de Expulsión de Emergencia que extrae discos compactos tercos.

Figura 2-1: Muchos de los tornillos de su PC son de este tamaño.

Figura 2-2: Los tornillos que sostienen los cabes de su PC son así de diminutos.

Figura 2-3: Un sujetapapeles doblado es útil para mover interrptores muy pequeños.

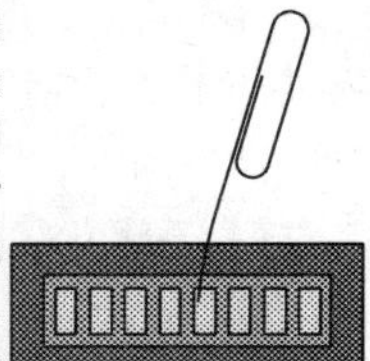

Internet

Un conocimiento básico en Internet puede ayudarle a trabajar en su PC, no hay duda al respecto. Internet contiene información facilitada por millones de usuarios de PC. Y algunos de ellos probablemente han enfrentado los mismos problemas que usted. Cuando algo anda mal con una parte, visite la página Web del fabricante. Ahí encontrará un software que corregirá la situación. ¿No sabe lo que está pasando? Visite los grupos de noticias de Internet — ahí, grupos de personas colocan mensajes sobre los problemas de sus computadoras y la forma en que los resolvieron.

Diagnosticar y reparar su computadora a través de Internet es uno de los temas del Capítulo 4.

Otras herramientas útiles

Los siguientes artículos no son cruciales, pero puede comprarlos en una venta de garaje o en alguna ferretería.

Foco pequeño

Algunas cosas de su computadora están es espacios demasiado reducidos. Un foco ayuda a leer las etiquetas importantes o a divisar un tornillo perdido. También le ayuda a leer las etiquetas de la parte de atrás de su computadora cuando esta se ubica muy cerca de la pared.

Destornillador imantado

Un destornillador magnetizado facilita el alcanzar tornillos caídos que acaba de divisar con su foco. Solo toque el tornillo con la punta del destornillador y sáquelo suavemente una vez que se adhiera a él.

Cualquier cosa imantada puede borrar información de su unidad de disco flexible. Para evitar problemas, no mantenga el destornillador imantado cerca de su área de trabajo. Solo tómelo cuando necesite buscar un tornillo perdido y devuélvalo a su lugar, al otro lado de la habitación (Por cierto. los discos compactos no tienen este problema).

Cartón de huevos vacío

La mayoría de las persona utilizan tazas de café para guardar tornillos. Pero un cartón de huevos vacío es más divertido, porque puede colocar los tornillos de las diferentes partes en las diferentes cavidades del cartón. Las personas olvidadizas rotulan cada cavidad con el nombre de la parte a la que pertenecen los tornillos.

Recipiente de aire comprimido

El abanico de su computadora sopla aire fresco constantemente a través de las rejillas de su PC. Eso significa que también sopla polvo y pelusas. Los expertos en computación pueden saber rápidamente cuales personas tienen gatos simplemente viendo las capas de pelos dentro de la cubierta de su PC. El humo de cigarrillos luce aun peor.

Los talleres de reparación de PC y las tiendas de arte venden recipientes de aire comprimido para que usted pueda soplar todo el polvo y suciedad de su PC. Los bromistas también puede utilizarlo para atomizar a sus compañeros de trabajo por la espalda.

No sople con su propio aliento dentro de su PC para quitar el polvo. Aunque esté soplando aire, también está soplando saliva o humedad, que puede ser mucho peor para su computadora que el polvo.

Cada cierto tiempo, retire las pelusas que obstruyen las rejillas de salida del aire en la parte de atrás de su PC. Entre más fría pueda mantener su PC, más tiempo de vida útil tendrá (Una aspiradora también puede ayudar).

Lápiz y papel

Un bloque de notas y un lápiz son útiles para anotar los números de las partes — o escribir un poema de frustración cuando las cosas no salen de acuerdo con lo planificado.

Partes de computadora como repuesto

Una colección de partes de repuesto es algo que puede alcanzar con los años. Los talleres de reparación están repletos de computadoras y cajas llenas de partes. Si una parte no funciona en una computadora, los técnicos la retiran y la prueban en otra computadora. A través de este proceso de eliminación, los talleres descubren cuales son las partes defectuosas.

¡¡Usted no tiene esa cantidad de cajas repletas de partes… todavía. . . .!!

Hacer un Disco de "Arranque" o de "Sistema"

Siempre que está trabajando en su disco duro, necesita un disco de inicio, también llamado disco de sistema o disco de arranque. Cada vez que enciende su PC, ella busca la información de "¿Quién soy, qué soy y dónde estoy?" oculta y almacenada en su disco duro.

Si hay un disquete en la unidad de disco flexible cuando usted enciende su PC, Windows no puede encontrar la información oculta y envía un mensaje de error como este:

```
Non-System disk or disk error
Replace and press any key when ready
```

Su computadora está diciendo que no encontró la información oculta en el disquete, así que se rinde y deja de funcionar (En realidad la información está en el disco duro, pero la mayoría de las PC son muy perezosas para buscar más allá del disquete).

Sin embargo, puede copiar la información importante del sistema en un disquete normal. Así podrá utilizarlo para iniciar su PC, aun si su disco duro está en huelga.

Windows 95 y Windows 98 pueden crear un tipo especial de disco de inicio para corregir problemas. Para crear una de estas herramientas de reparación/actualización, siga estos pasos:

1. **Inserte un disquete en blanco (o un disco con información que pueda eliminar) en la unidad A y cierre su cerrojo.**

   En las unidades 31/2 pulgadas, el cerrojo usualmente se cierra automáticamente. Asegúrese de que el disquete corresponda a la capacidad requerida por la unidad — ya sea alta o baja. Finalmente, use solo la unidad A. Su computadora nunca se preocupa por buscar la información oculta en la unidad B, a menos que usted realice un cambio de configuración interna extraño.

2. **Presione el botón de Inicio de Windows y escoja Panel de Control del menú de Configuraciones.**

3. **Escoja el icono Agregar/Remover programas y presione la lengüeta de Disco de Inicio .**

4. **Presione el botón Crear Disco y siga las instrucciones.**

   Ahora, cruce los dedos. Eventualmente la computadora se sacudirá las manos en sus pantalones y termina — sin siquiera informarle que lo ha hecho.

5. **Retire el disquete y utilice un lapicero para etiquetarlo con el nombre Disco de Sistema.**

- ¿Utiliza más de una versión de Windows? Entonces haga un disco de sistema para cada sistema operativo y anote la versión de Windows en cada disco. De esa forma, no intentará iniciar su computadora en Windows 98 con el disco de sistema de Windows 95.
- Ahora, si su computadora se rehusa a arrancar en una mañana fría, usted tiene un arma: Inserte el disco del sistema en la unidad A y presione el botón de Reinicio de la computadora. Con suerte, eso hará que ella inicie sus labores.

Lo que se Debe y No se Debe Hacer en Actualizaciones

Con los años, conforme los técnicos en reparación de computadoras intercambiaban enojados sus historias de estrés ocupacional, gradualmente crearon una lista conocida como: "Lo que se debe y no se debe hacer en actualizaciones". Las siguientes sugerencias han sido rescatadas de esta lista:

Actualice una cosa a la vez

Aun cuando haya regresado de la tienda con más memoria, una actualización de CPU, un disco duro nuevo y un monitor, no trate de instalarlos al mismo tiempo. Instale una parte y asegúrese de que funcione antes de instalar la siguiente parte.

Si instala las cuatro partes al mismo tiempo y su computadora no funciona cuando la enciende, no será capaz de saber cuál es la que está dificultando las cosas.

Cuidado con la estática

Escuchará esta advertencia varias veces, ya que es así de importante. La electricidad estática puede destruir las partes de su PC. Por eso es que las partes de computadoras vienen envueltas en esas bolsas plateadas que reflejan la luz, como el visor del casco de un astronauta. Esa cosa plástica de alta tecnología absorbe cualquier estática almacenada antes de que alcance la parte.

Para asegurarse de no golpear una parte con electricidad estática, debe descargarse usted primero — sin importar que tan grosero suene eso — antes de empezar a trabajar en su computadora. Toque una pieza de metal, como el borde metálico de su escritorio o silla, para hacer tierra. También debe hacer tierra cada vez que mueva sus pies, especialmente cuando está sobre una alfombra, con pantuflas o después de quitar al gato de su camino.

Conserve las cajas, manuales, garantías y facturas.

Cuando tenga que cambiar la computadora de lugar, nada funciona mejor que su propia caja. Yo guardo la mía en la última repisa en el garaje, por si acaso debo mudarme de casa. No guarde las cajas pequeñas, como las de tarjetas de vídeo o mouse.

Conserve todos los manuales , aun si no entiende ni una palabra de lo que dicen. Algunas veces una parte nueva inicia una discusión con una parte vieja y los manuales, con frecuencia, proveen pistas de cuáles interruptores mover para separar la pelea (En el Capítulo 18 encontrará aun más pistas).

No fuerce ninguna parte

Todas las cosas en su PC están diseñadas para ajustarse en su lugar suavemente y sin mucho problema. Si algo no calza, deténgase, rasque su cabeza y trate utilizando una táctica diferente.

Cuando intente conectar el cable de su monitor en el enchufe de la parte de atrás de su PC, por ejemplo, observe detenidamente el extremo del cable y analice el enchufe donde se supone que debe calzar. ¿Puede ver cómo los pines están organizados de cierta manera? ¿Puede ver cómo los extremos de un enchufe tienen formas diferentes? Seleccione el extremo del cable que se ajusta al enchufe y presione suave pero firmemente. Algunas veces ayuda mover el conector de un lado a otro suavemente.

Las cosas que se conectan directamente a la tarjeta madre parecen necesitar mucha más fuerza. Las cosas que se conectan en la parte externa de su PC, por el contrario, se conectan fácilmente. También se desconectan fácilmente, así que la mayoría de los cables tienen pequeños tornillos para sujetarlos en su lugar.

No doble las cosas que vienen en las tarjetas

Muchos de los órganos internos de su PC están montados en tarjetas de fibra de vidrio. Esa es la razón por la que existe la siguiente advertencia.

No doble estas tarjetas, no importa cuan tentador sea. Doblar esta tarjeta puede quebrar sus circuitos y dañarla. Y lo que es peor, las fisuras son tan pequeñas que puede que usted nunca descubra lo que está fallando.

Si escucha un suave sonido como de algo quebrándose mientras hace algo con una tarjeta — conectándola a su enchufe o conectando algo en ella — lo está haciendo mal.

No use disquetes para limpiar cabezas

Muchos de los dueños de computadoras nuevas reciben disquetes para limpieza de cabezas, como regalo de Navidad de parientes bien intencionados. Los disquetes para limpieza de cabezas son iguales a los normales, pero tienen papel de arroz dentro. Se supone que estos limpian cualquier suciedad o depósito de óxido de las cabezas de su unidad de disco flexible.

Desafortunadamente, estos disquetes usualmente hacen más mal que bien. Si su unidad de disco flexible no está funcionando bien, intente con uno de estos disquetes para ver si se soluciona el problema. Pero no utilice uno para limpiar cabezas regularmente.

No se apresure

Tómese el tiempo que necesite. Si se apresura o se pone nervioso, es mucho más probable que quiebre algo, lo que puede causarle aun mucho más nerviosismo.

No abra monitores o fuentes de poder

No hay nada dentro de su monitor o fuente de poder que usted pueda reparar. Además, las fuentes de poder almacenan voltaje, aun cuando están desconectadas.

No abra su fuente de poder o monitor. Estos aparatos pueden almacenar electricidad que pueden causarle un terrible choque eléctrico.

¿Cómo Recuperar Tornillos Caídos?

Cuando un tornillo cae dentro de la cubierta de su PC, usualmente es en algún lugar inaccesible a los dedos humanos. Los siguientes trucos deberían llevarlo a casa:

- ¿Está a la vista? Trate de tomarlo con unas pinzas largas. Si esto no funciona, coloque un trozo de cinta en la punta de un lápiz. Con algunos intentos, puede que logre pegarlo a la cinta. Un destornillador imantado también puede ser de ayuda (No coloque los destornilladores imantados cerca de los disquetes, los imanes pueden borrar la información en estos).
- Si no puede ver el tornillo en fuga, incline la computadora suavemente de un lado a otro. Tal vez el tornillo ruede y quede a la vista. Si puede escucharlo rodar, frecuentemente podrá descubrir donde se oculta.
- ¿Aun no lo encuentra? Tome la cubierta de la PC con ambas manos y muy cuidadosamente vuélvala al revés e inclínela de un lado a otro. El tornillo debería caer.

- Si aun así no logra encontrar el tornillo y este no está haciendo ruido alguno, revise si no ha caído al suelo. Algunas veces pueden estar ocultos en la alfombra donde solo los pies descalzos pueden encontrarlo.

¡No encienda su computadora hasta que no haya encontrado todos los tornillos!

Capítulo 3

¿Dónde va esta Pieza? (Anatomía Básica de Computadoras)

En este capítulo

- Determinar la era y posibilidad de rescate de su PC
- Identificar las partes de su PC: la cubierta, teclado, mouse, escáner, módem, monitor e impresora
- Conocer los cables y enchufes de su PC
- Entender las partes internas de su PC: la tarjeta madre, CPU, memoria, unidades de disco, tarjetas y fuente de poder

Este capítulo señala el lugar donde viven las diferentes partes de su PC y lo que se supone que hacen. No hay nada de "manos a la obra", aquí no hace nada que requiera pensar demasiado como para ser tema de conversación durante una cena. En cambio, trate este capítulo como un mapa de Disneylandia — algo que se guarda en el bolsillo y se usa solo como referencia si se pierde en "Frontierland".

Ah, y así como los visitantes de Disneylandia exploran más de una de las muchas propiedades de Los Ratones, puede que se encuentre pasando páginas atrás y adelante a través de las secciones de este capítulo. Eso es porque todo término confuso, como tarjeta madre o CPU tiene su propia sección dentro de este capítulo, lo que permite una explicación más detallada.

De hecho, he aquí un truco: Si se encuentra brincando de un lugar a otro en este libro, buscando la definición de alguna parte confusa, piense dos veces: Esa parte en particular influencia muchas otras de su PC que probablemente sea muy complicada o cara de remplazar o reparar.

La Cubierta de su Computadora

Las entrañas de su PC viven dentro de la cubierta, que por mucho tiempo fue de color beige hasta algunos años atrás. Ahora, algunos ejecutivos tienen computadoras con cubiertas negras que hacen juego con sus sillas de cuero. Otros tienen modelos cartuja con líneas suaves. ¿Trabaja en el Departamento de Arte? Retire la cubierta (como se describe en la Referencia Rápida, al inicio del libro) y rocíela con pintura en aerosol del color que guste.

Para conocer más de su PC, visite la sección del CPU, más adelante en este capítulo. Ahí se muestra cómo identificar el CPU de su PC, descubrir sus características y saber si puede ser actualizado.

Una cubierta grande y vieja

Igual que los televisores se han encogido para poder ser colocados en el tablero de los taxis, las computadoras también se han encogido. Si aun tiene una computadora antigua con una cubierta enorme (y un horrible monitor que no despliega colores), no se moleste en actualizar esa antigüedad. Comprar una computadora nueva es mucho más barato.

Además, muchas computadoras viejas no pasan la prueba del Y2K. Eso no significa que explotan o no funcionan del todo. Con frecuencia, significa que no mantendrán registro correcto de la fecha. Algunas personas pueden vivir con eso o lo encuentran solo una molestia menor. Para otros, es intolerable: No solo están atascados con una computadora lenta que es una reliquia, sino que además no pueden ni siquiera llevar control de los días.

Aunque el año 2000 inició sin mayores problemas, el Capítulo 4 explica los pasos a seguir para asegurarse de que su PC siga corriendo sin ningún problema Y2K.

Done la computadora vieja a la caridad. Aunque muchas instituciones de beneficencia no aceptan algo menor a una 486 que funcione — con un monitor que funcione — trate en las escuelas públicas locales o en `www.microweb.com/pepsite/Recycle/recycle_index.html`, donde hay una lista de organizaciones sin fines de lucro. La reducción de impuestos puede valer la pena.

Cubiertas pequeñas (o huellas pequeñas)

Mucho más pequeñas que sus ancestros, estas cubiertas se sientan planas en su escritorio con el monitor encima, como se muestra en la Figura 3-1. Aunque más pequeñas, la cubierta alberga la misma cantidad de partes, ya que estas también se han achicado. Cualquier computadora más vieja que una Pentium, tiene esta forma.

Figura 3-1: Las PC viejas vienen con cubiertas planas largas con el monitor encima.

Torre

Muchas de las computadoras de hoy se levantan como torres — una cubierta diseñada para colocarse al lado (mire la Figura 3-2). Las cubiertas de torre requieren menos espacio y aun así tienen más campo interno para agregar algunas extras. Estas cubiertas son populares en PC de nivel Pentium.

Figura 3-2: Las PC más nuevas vienen con cubierta de torre.

¿Quiere comprar e instalar una tarjeta madre? Compre la cubierta al mismo tiempo, de manera que pueda estar seguro de que su tarjeta calzará cómodamente dentro. Las cubiertas son baratas.

Computadoras metidas en monitores

Los monitores de computadoras son grandes. Si a eso le agregamos la computadora misma, ya estará corto de espacio. La serie Gateway Profile, Figura 3-3, y el modelo Packard Bell NEC Z1 solucionan el problema construyendo la PC dentro de la base de un monitor *LCD.* Introducida en 1999, la PC "ahorraespacio" funciona bien en escritorios pequeños. Conecte el mouse y el teclado al puerto USB del monitor y listo.

El diseño nuevo luce genial, pero tienen el mismo problema de las lcomputadoras portátiles: Son difíciles de actualizar. La mayoría solo tienen puerto USB y muchas de las partes de computadoras todavía utilizan puertos seriales.

La serie Gateway Profile tiene ranuras de tarjetas PC para agregar algunas extras. Pero nunca será posible actualizar esta pequeña cosita como una computadora grande.

La Gateway Astro tiene la computadora dentro de un monitor normal, facilitando el manejo de la máquina una vez fuera de la caja.

Cuando compre una computadora nueva "todo-incluido" asegúrese de que tenga tanto poder como le sea posible. Esa será la única vez que pueda actualizarla sin tanto problema. Después de unos años, las partes serán mucho más difíciles de encontrar.

Figura 3-3: La serie Gateway Profile empaca todas las partes internas de la PC dentro de un monitor.

Botones y Luces de la Cubierta

Como el tablero de un carro, el frente de la cubierta de su PC viene con luces y botones (pero sin sujetador de tazas de café). La Figura 3-4 y la Figura 3-5 muestran varias luces y botones que podría encontrar en su modelo en particular; todas descritas en las siguientes secciones.

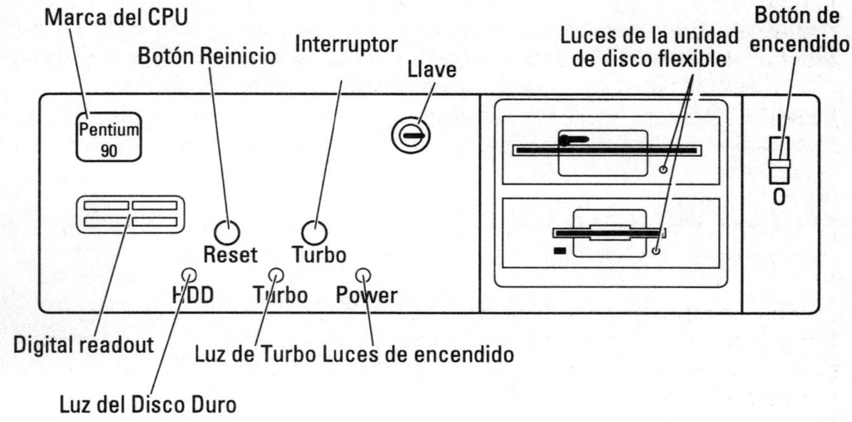

Figura 3-4: Las luces, botones, interruptores, ranuras y etiquetas de una PC nueva.

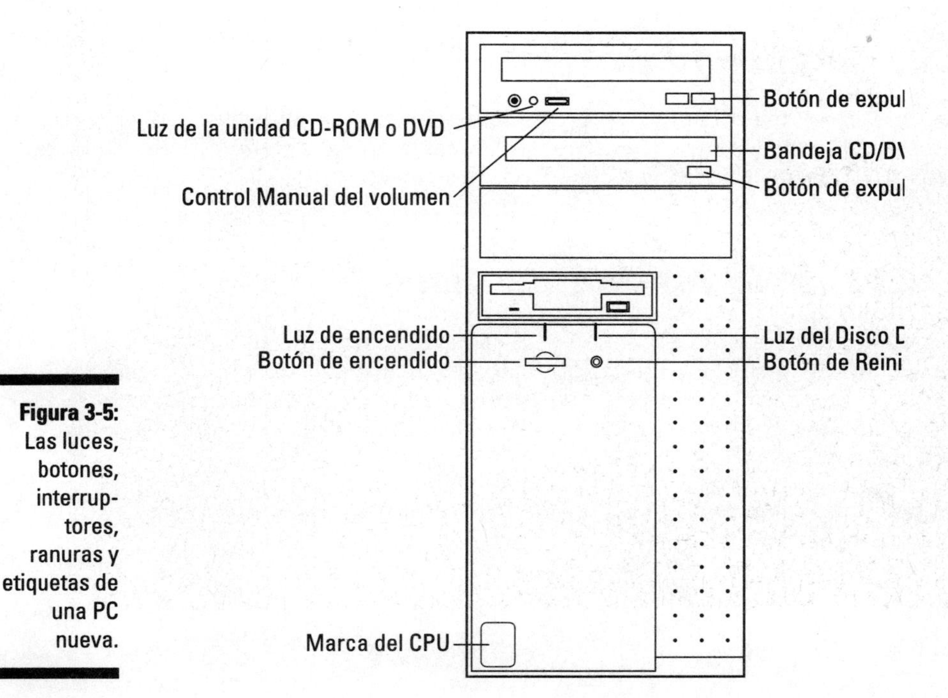

Figura 3-5: Las luces, botones, interruptores, ranuras y etiquetas de una PC nueva.

Botón de encendido

Las computadoras solían encenderse y apagarse con un interruptor rojo grande, montado en la parte de atrás de la cubierta de la PC, donde nadie podía alcanzarlo. Unos cuantos años después, algunos ingenieros cambiaron el interruptor de encendido a un lado de la PC, lo que fue un gran paso. Después de tres años más, otro grupo de ingenieros montaron el interruptor en la parte del frente de la PC, para un fácil acceso.

El interruptor de encendido rara vez viene etiquetado Encendido y Apagado. En cambio, una pequeña línea significa Encendido y un círculo significa Apagado. Muchas no tienen ningún indicador: Si la luz está encendida, la PC también. Los usuarios más listos escuchan la PC: El zumbido significa Encendido, el silencio significa Apagado.

Botón de reinicio

El botón de reinicio es uno de los más utilizados y recibe la atención de una PC congelada. Desafortunadamente, cuando la PC resucita, borra todo en lo que estaba trabajando, lo que significa que usted podría perder el trabajo que no salvó en un archivo. Presione el botón de reinicio solo como último recurso. ¿Su PC no tiene botón de reinicio? Entonces tiene que apagarla, esperar 30 segundos y encenderla de nuevo.

Luz de encendido

Algunas luces de encendido tienen un dibujo de un bombillo junto a ellas; otras simplemente dicen Power. De cualquier forma, la luz se enciende cuando la PC se prende (Y las luces se apagan cuando la PC se apaga).

Luces de la unidad de disco flexible

Las unidades de disco flexible son esas ranuras al frente de su PC donde usted inserta los disquetes. Casi todas las unidades de disco flexible tienen una pequeña luz amarilla o verde al frente. Esa lucecita se enciende cuando su PC lee o escribe cualquier información en el disquete, lo que facilita saber si la unidad está funcionando.

Nunca remueva un disquete de la unidad si la luz está encendida, pues podría eliminar la información.

Luz de disco duro

Como sus primos los disquettes, los discos duros también encienden una pequeña luz cuando envían o reciben información desde o hacia el cerebro de la PC. *Algunas veces la luz está marcada con las letra HDD;* otras computadoras utilizan un dibujo como el de una lata de frijoles.

Si la luz de su disco duro no está funcionando, se repara muy fácilmente. Vaya al Capítulo 13 para aprender cuales cables necesita conectar (Las luces de la unidad de disco flexible no se reparan tan fácilmente, si es que se pueden reparar).

Luz de Disco Compacto o DVD

Si la luz se enciende, su PC está leyendo el disco. Si la unidad está girando con la luz apagada, no se preocupe. La unidad gira en caso de que la PC quiera leer partes del disco de nuevo. Si la PC no lee el disco dentro de los próximos segundos, este deja de girar.

Conecte sus audífonos en el pequeño agujero de la línea metálica. Finalmente, gire la pequeña perilla para ajustar el volumen manualmente — en caso que no encuentre el control de volumen en Windows.

Luces de Módems y tarjetas de red

Las tarjetas de red y los módems, quienes viven dentro o fuera de la PC, también tienen luces pequeñas . La luz de un módem parpadea cuando se comunica con computadoras distantes a través de cables o líneas telefónicas. La luz de una tarjeta de red parpadea cuando se comunica con otras computadoras en la red (Las computadoras en red usualmente no están tan lejos unas de otras).

Las computadoras con módems y tarjetas de red internas obligan a quienes buscan las luces, a inclinarse y mirar detrás de la PC, donde se conectan todos los cables

Cerradura y Llave

La llave no arranca la PC. Ni siquiera abre un área secreta de almacenamiento donde encontrará meriendas ocultas. La llave solo deshabilita el teclado, de manera que nadie pueda travesear su PC mientras usted almuerza. No se preocupe si pierde su llave pocos meses después de comprar su PC. Muchas personas las extravían. Algunas llaves solo cierran la cubierta y muchas de las PC más recientes han abandonado el concepto de "PC con Cerradura".

Cables y Conectores de su PC

La parte del frente de su PC es agradable y limpia. Algunas esculturales rejillas del abanico podrían agregarse al panorama. La parte trasera de una PC vieja, Figura 3-6, es una fea aglomeración de cables, conectores y polvo. Una computadora más nueva organiza mejor sus puertos, Figura 3-7. Probablemente deba separar la PC de la pared para ver cual cable sale de cual conector.

Algunas personas llaman a estos agujeros puertos. Otras los llaman conectores. La parte trasera de una PC vieja luce como en la Figura 3-6. Las PC más nuevas utilizan una organización diferente, como se muestra en la Figura 3-7.

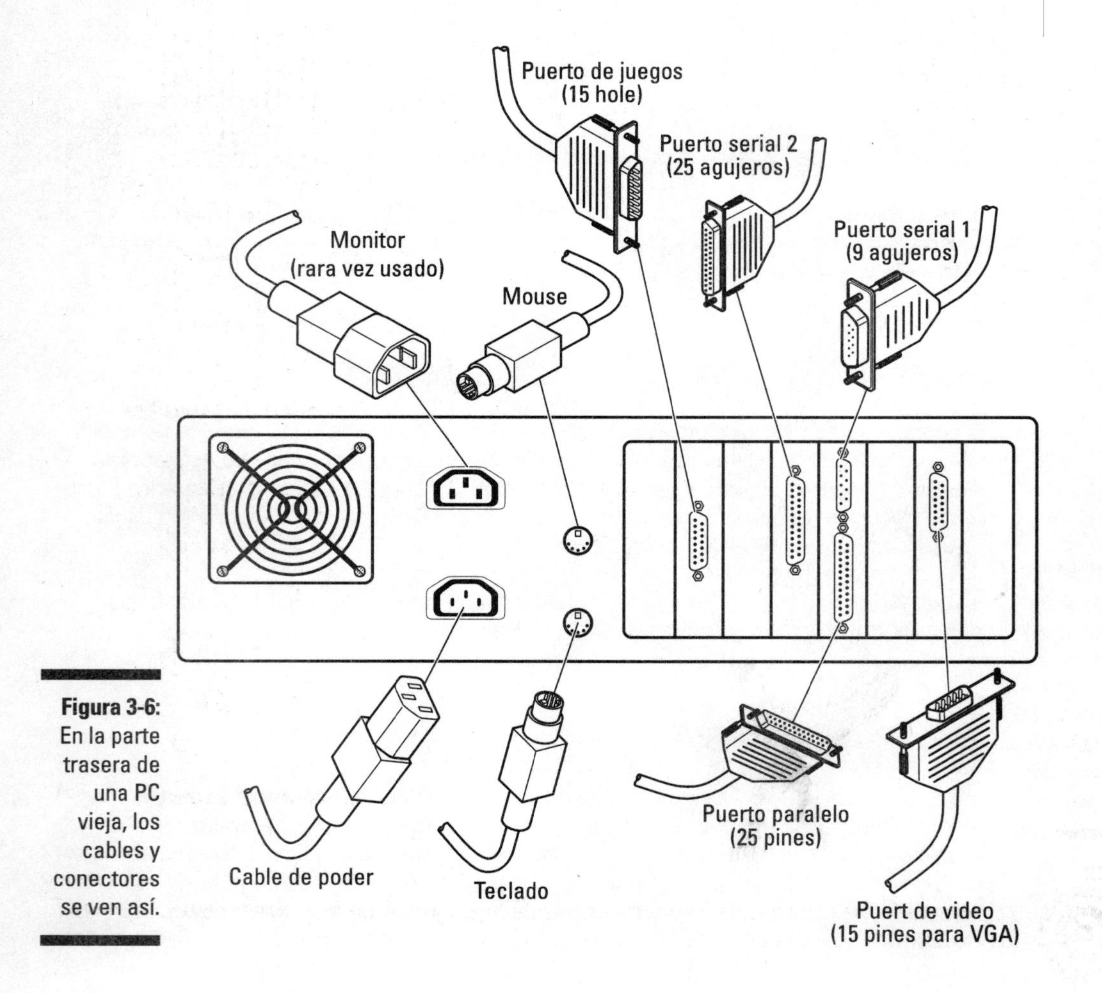

Figura 3-6: En la parte trasera de una PC vieja, los cables y conectores se ven así.

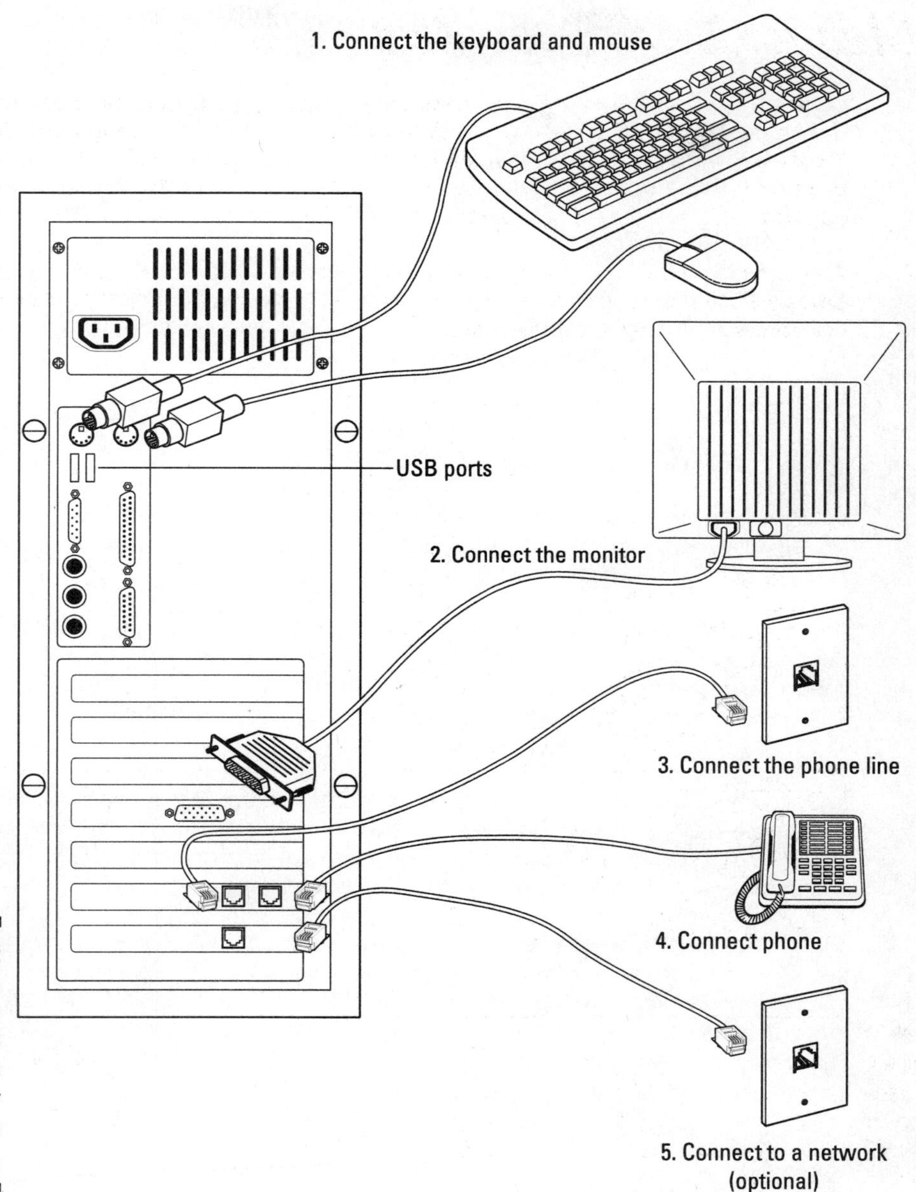

Figura 3-7: En la parte trasera de una PC nueva, los cables y conectores se ven así.

Es normal que una computadora tenga puertos vacíos en la parte trasera. No todos los puertos necesitan un cable para que la PC funcione.

Todos los cables de la parte trasera de su PC se conectan de una sola forma. Si un cable no calza bien, trate moviéndolo suavemente atrás y adelante hasta que calce.

Las siguientes secciones le muestran como lucen estos conectores y examinan lo que hacen allá atrás.

Cable de poder

El cable de poder casi siempre se enchufa al conector grande, en forma de D con tres pines, en la parte de atrás de su PC (El cable de poder es usualmente el más grueso que sale de su PC). Luce como en la Figura 3-6 o en la Figura 3-7.

Puertos de Teclado y mouse

El cable de su teclado se conecta a un agujero pequeño y redondo en la parte trasera de la PC. Algunas computadoras renegadas tienen el conector al lado o hasta en la parte de enfrente.

El cable de su mouse se conecta a un agujero similar llamado puerto *PS/2,* que usualmente se encuentra junto al puerto del teclado (Vea la Figura 3-6 o Figura 3-7). Los cables de mouse pueden variar, así que vaya a la sección "Mouse, Escáneres y Módems", más adelante en este capítulo. (En realidad los mouse tienen su propio capítulo, el 6; y los teclados el 5).

La mayoría de la computadoras de hoy utilizan el mismo tipo de puertos para los teclados y el mouse. Busque etiquetas, dibujos o códigos en color cuidadosamente, antes de conectar el teclado o mouse a estos puertos. Conectarlos equivocadamente no solo evita que su PC funcione sino que puede fundir partes sensitivas.

Busque una protuberancia plástica u ondulación en uno de los lados del enchufe del teclado y el mouse. En muchas PCs, esa protuberancia se conecta hacia arriba, hacia la parte superior de la cubierta, cuando conecta el teclado o el mouse. En una computadora de torre, sin embargo, la protuberancia puede apuntar a la izquierda o derecha. Observe con cuidado y nunca fuerce un conector en un puerto, ya que calza solo de una forma y esa pequeña marca señala la forma correcta.

Puerto serial

¿Ve un pequeño conector en la parte de atrás de la PC que tiene pequeños y atemorizantes pines que se asoman desde adentro? Eso es un puerto serial y muchas PC tienen dos. Encontrará dibujos de estos en las Figuras 3-6 y 3-7.

Los puertos seriales están donde se conectan los cables de los aparatos que alimentan de información a la PC — aparatos como módems, escáneres y hasta mouse. Los puertos seriales son extremadamente populares; docenas de partes quieren utilizarlos (Su PC puede escuchar solo a dos puertos seriales al mismo tiempo, creando un poco de pánico, lo que se cubre en el Capítulo 18).

Algunos manuales se refieren a los puertos seriales como puertos COM. Otros manuales los llaman puertos RS-232 o hasta puertos RS-232c. Aunque se reirá si los llama puertos seriales.

Algunas partes internas de su computadora pueden utilizar un puerto serial sin estar físicamente conectadas a este. Los módems internos son famosos por esta práctica y, por lo tanto, causan mucha confusión y rechinar de dientes. Mi dentista me obligó a agregar una sección especial sobre los puertos COM en el Capítulo 18.

Puerto paralelo

Conecte el cable de su impresora a la cosa que parece el puerto paralelo de las Figuras 3-6 y 3-7. El extremo del cable que parece la boca horrible de un robot se conecta a su impresora y el extremo que tiene pines que sobresalen, se conecta al puerto paralelo.

Las computadoras pueden aceptar hasta tres puertos paralelos, pero eso rara vez sucede, por una razón: Cada puerto requiere una interrupción, un concepto complicado descrito en el Capítulo 18. Su computadora tiene un número limitado de interrupciones y muchos otros dispositivos luchan por ellas.

¿Es su puerto paralelo un bi?

Por años, los puertos paralelos simplemente lanzaban información a la impresora. Ya que no hacían nada más, los ingenieros los llamaron puertos paralelos estándar o SPP. Algunos renegados los llamaron interfaz Centronics, dándoles el nombre de la compañía que creó la forma en la que las PC se comunicaban con la impresora.

Unos años después, el puerto paralelo *bidireccional* (BPP) fue la sensación. Un puerto paralelo bidireccional no solo enviaba información a la impresora sino que la información fluía en dos vías. Una impresora hasta le indicaba a la PC cuando no tenía papel. Llevando el concepto más allá, las personas adherían discos duros portátiles, videocámaras, unidades MP3 y otros, para transferir datos .

Este concepto funcionó tan bien que los ingenieros crearon dos nuevos estándares para los BPP: el puerto EPP (puerto paralelo mejorado) y el ECP (puerto de capacidades extendidas). Ambos lanzan datos unas diez veces más rápido que los estándares anteriores.

ECP es el más rápido, así que escójalo a menos que tenga problemas con él ¿Cómo selecciona usted el ECP en su BIOS?, tema expuesto en el Capítulo 10.

Puerto de juegos

Su tamaño oscila entre los de un puerto serial y un puerto paralelo. Un puerto de juegos es donde se conecta el joystick (refiérase a las Figuras 3-6 y 3-7). Muchas tarjetas de sonido vienen con puerto de juegos, porque a los fánaticos de los juegos les gusta escuchar explosiones.

No necesita dos puertos de juego para conectar dos joysticks. Solo compre un cable adaptador Y barato, usualmente los adquiere en el mismo lugar donde venden los juegos para PC.

Además, muchas tarjetas de sonido permiten doblar su puerto de juegos como un puerto MIDI. Conectando una caja extraña a su puerto de juegos, puede conectar sintetizadores de música, máquinas de tambores, sistemas geniales de guitarra VG-8 y otras cosas que le permiten sonar como Brian Eno.

Las tarjetas de sonido más recientes hacen de su PC un estudio de grabación completo para crear música. Encontrará más de esto en mi libro de música, *MP3 Para Dummies*, publicado por IDG Books Worldwide, Inc.

Ni siquiera a Brian Eno le importa que MIDI significa Interfaz Digital para Instrumentos Musicales.

Puerto de vídeo

Aunque parece un puerto serial gordo, un puerto de vídeo es un conector para su monitor. Nada más que su monitor puede calzar ahí (a menos que utilice un martillo). Los puertos de vídeo más populares, *VGA* o *SuperVGA* (SVGA),lucen como los mostrados en las Figuras 3-6 y 3-7.

Algunos de esos monitores digitales LCD necesitan tarjetas de vídeo especiales. Estas tarjetas tienen puertos de vídeo especiales que conectan los enchufes de aspecto extraño al cable del monitor.

Puerto USB

Por años, las computadoras se han comunicado con el mundo exterior a través de dos puertos seriales y un puerto paralelo (ambos descritos en las secciones anteriores). Pero pronto las computadoras empezaron a comunicarse con más y más cosas: cámaras digitales, escáneres, teclado de juegos, teléfonos, juguetes robóticos y joysticks digitales, así como los módems, teclados y mouse usuales.

Cuando los ingenieros notaron que dos puertos seriales y un puerto paralelo no eran suficiente, inventaron el Bus Universal Serial o puerto USB. Muchas de las PC lanzadas al mercado desde 1997 tienen uno o dos puertos, como se muestra en la Figura 3-7.

Los USB eventualmente remplazarán su puerto de teclado, puerto paralelo, puerto de juegos y puerto serial. En su lugar, usted conecta un dispositivo a su puerto USB y encadena el resto al mismo puerto. Por ejemplo, usted conecta un teclado USB al puerto USB y conecta todas las otras partes USB al teclado.

Es rápido, fácil y tiene solo un problema: Está tomando m-u-c-h-o- tiempo para obtener apoyo de los fabricantes. No invierta en una costosa parte USB hasta que sepa que su sistema está a punto de extinguirse.

Windows 98 y Windows 2000 soportan puertos USB. Windows NT, las versiones anteriores a Windows 95 y Windows 3.11 no los soportan. Encontrará más información sobre los puertos USB en `www.usb.org`.

Manténgase al tanto de la nueva versión de USB. Conocida como USB 2.0, es compatible con la primera versión y utiliza las mismas conexiones. Sin embargo, es hasta 40 veces más rápida, permitiéndole soportar vídeos de alto rendimiento y otras aplicaciones sofocantes.

"¿Mi versión de Windows 95 soporta USB?"

Para revisar si su PC Windows 95 está preparada para USB, descargue el Programa de Evaluación USB de Intel de `www.usb.org/faq.html`. Este útil programa determina si su computadora tiene un puerto USB, busca una versión de Windows 95 compatible con USB y revisa si los controladores apropiados — incluyendo el archivo USBSUPP.EXE necesario — están instalados

Si el programa de Intel dice que su PC tiene un puerto USB, pero la versión incorrecta de Windows 95, usted quedó atascado ahí. Solo las computadoras más nuevas vienen con la versión de Windows 95 compatible con USB, conocida como 95B. Necesita Windows 98 (Presione el botón derecho en Mi Computadora, escoja Propiedades y busque en Sistema para ver cual versión de Windows 95 está utilizando).

Si tiene un puerto USB y la versión 95B de Windows pero necesita el archivo USBSUPP.EXE, rescate el CD de instalación de Windows 95. El archivo USBSUPP.EXE está en el directorio OTHER\UPDATES, listo para ser instalado a través del programa Agregar/Remover del Panel de Control. Aunque este truco con Windows 95 usualmente funciona con la mayoría de los escáneres y cámaras, no siempre funciona con otros dispositivos USB.

¿Complicado? Sí; por eso es que muchos usuarios USB se actualizan a Windows 98.

Otros puertos

Otros puertos no identificados podrían asomarse en la parte de atrás de su computadora. Algunos podrían ser tarjetas de interfaz de red, permitiéndole a su PC socializar con otras computadoras (Estas son como enchufes gordos de teléfono o como pequeños tubos metálicos que sobresalen como media pulgada de la parte de atrás de su computadora). Otros puertos podrían estar conectados a tarjetas de sonido, tarjetas de captura de vídeo o tarjetas especiales que controlan las unidades de disco compacto (Las tarjetas se discuten en el Capítulo 15). Hasta podría notar un enchufe de teléfono en algún extremo de un módem interno.

Las computadoras viejas llevan la marca de tecnología vieja y obsoleta. He aquí un reporte de lo que podría encontrar en computadoras con más de cinco años. La Figura 3-6 muestra algunas.

- Muchas computadoras viejas tienen un segundo conector junto al enchufe de poder que se parece a este último — solo que con tres agujeros. Años atrás, ahí se conectaban lo monitores para obtener su poder. Hoy, casi todos los monitores se conectan al enchufe de pared, pero ese conector permanece para confundir a los curiosos.
- Las PC IBM viejas tienen un segundo puerto, idéntico al puerto del teclado: los expertos conectaban un cable de grabadora ahí para almacenar sus archivos, porque las unidades de disco flexible eran muy caras.
- ¿Su antigüedad tiene un interruptor Turbo? Entonces manténgala encendida en modo Turbo, de manera que su PC corra a su máxima velocidad (En los viejos tiempos, las personas acostumbraban a cambiar el interruptor para desacelerar la PC cuando disfrutaban de algún juego de acción).
- El segundo puerto serial en las computadoras viejas parece un puerto paralelo. Pero en lugar de agujeros, el puerto tiene pines. ¿Necesita conectar un cable al enchufe más pequeño? Compre un adaptador en Radio Shack o en una tienda de cómputo. Es barato y convierte el puerto serial pequeño en un puerto largo.
- Los monitores viejos se conectan a los puertos con solo nueve agujeros, diferentes a los puertos modernos de 15 agujeros.

- ¿Tiene problemas conectando el enchufe largo de su teclado al enchufe pequeño de una computadora nueva? Compre un adaptador en alguna tienda de cómputo, de manera que el enchufe largo cace en el agujero redondo y pequeño.

- ¿Instaló una tarjeta de sonido nueva en una PC vieja? El puerto de juegos de la tarjeta nueva probablemente discutirá con cualquier puerto de juegos instalado anteriormente sobre cual tiene prioridad, hasta que usted deshabilite alguno de ellos (Vaya a la sección de puentes del Capítulo 18).

Teclados

Los teclados vienen en millones de marcas diferentes, pero solo cuatro sabores básicos:

El viejo teclado XT: Uno de los teclados más viejos, esta reliquia de 83 teclas no tiene luces, lo que hace difícil saber cuando se ha presionado la tecla Caps Lock.

El teclado AT (Estándar): Los diseñadores de IBM agregaron pequeñas luces a este segundo teclado más viejo, mostrado en la Figura 3-8. También agregaron un segundo teclado numérico por separado, a la derecha. Algunos ingenieros excéntricos agregaron una 84 ava tecla, llamada "SysRq", que no ha hecho nada más que confundir a la gente. IBM quería utilizarla para algo revolucionario, pero olvidaron de cual departamento tenía que salir la idea. Desde entonces nadie la ha utilizado.

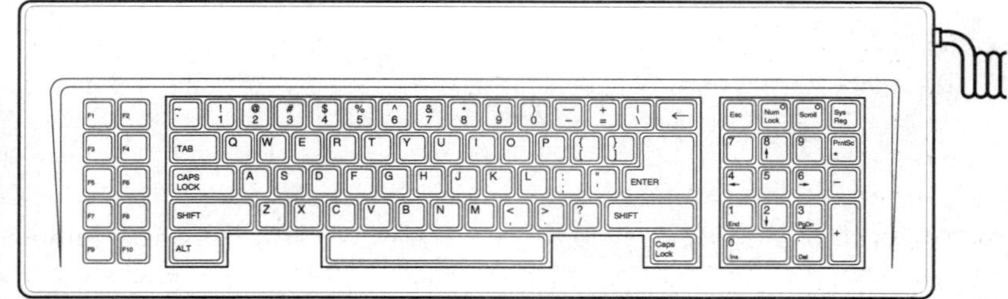

Figura 3-8: Teclado AT estándar (84 teclas).

El teclado AT de 101 teclas (mejorado): El teclado más popular de hoy. También conocido como teclado extendido. El teclado mostrado en la Figura 3-9 no solo tiene un teclado numérico separado, sino que también tiene un segundo juego de teclas de control de cursores entre el teclado numérico y el resto de las letras. Es el más popular de los cuatro estilos de teclados. Las versiones más nuevas de este teclado también tienen teclas Windows que funcionan exclusivamente con Windows 95 y Windows 98. Las tres teclas adicionales lo convierten, técnicamente, en un teclado de 104 teclas.

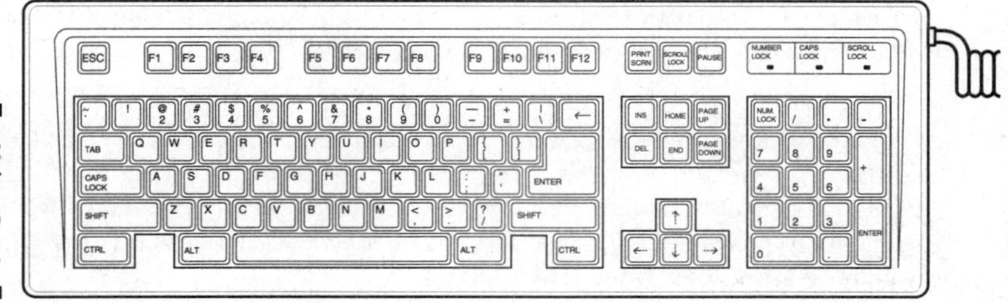

Figura 3-9: Teclado AT mejorado (101-teclas).

El Teclado Natural Microsoft: También conocido como teclado ergonómico, mostrado en la Figura 3-10, agrega algunas torceduras — literalmente — al teclado de 101 teclas. Primero, es doblado dentro de una forma que muchas personas encuentran más cómoda para digitar. Segundo, viene con teclas nuevas de función para tecleos especiales en Windows.

Figura 3-10: Teclado Natural Microsoft.

Si no es suficiente información sobre teclados para usted, aquí hay un poco más:

- Puede utilizar un teclado AT o un teclado mejorado con su PC. Pero no trate de reutilizar el teclado XT — estos utilizan un tipo de cableado diferente.

- Los viejos teclados XT solo trabajan con XTs. Pero aquí va un secreto: Algunos fabricantes aun venden un teclado que puede trabajar con ambos tipos de PC. Revise la parte inferior de su teclado y puede que encuentre un interruptor pequeño. Cambie el interruptor al lado de la X para usar el teclado con una PC XT, o cámbielo al lado de la A para utilizarlo con computadoras AT. De hecho, si su teclado no está funcionando, revise ese pequeño interruptor y asegúrese de que esté en la posición correcta.
- Algunos teclados caros pueden tener un *trackball* incorporado:Girando la pequeña esfera, usted mueve la flecha en la pantalla. Cuando la flecha apunte al botón correcto, presione la tecla junto al *trackball*. El botón de la pantalla es seleccionado como si lo hubiera hecho con un dedo electrónico. Es rápido y le ahorra el costo de un mouse.
- Las computadoras *Notebook* con frecuencia utilizan un touchpad o un dispositivo diminuto con forma de borrador de lápiz llamado *Trackpoint*, en sus teclados. El touchpad le permite frotar su dedo a lo largo de la almohadilla rectangular mientras el cursor imita el movimiento de su dedo. El *Trackpoint* actúa como un joystick, dando a las tareas de su PC un sabor a "PacMan".

La extraña cresta a lo largo de muchos teclados no es solo un adorno. Está diseñada para que usted pueda apoyar un libro contra ella, inclinándolo hacia su monitor. Eso hace mucho más fácil copiar textos de libros.

¿Busca más crestas? Revise las teclas F y J. Encontrará pequeñas protuberancias en ellas, lo que facilita la reposición de los dedos si está digitando en la oscuridad (Las Apple Macintosh tienen estas protuberancias en las teclas D y K, lo que es útil saber si está jugando a Confundir al Experto).

Mouse, Escáners y Módems

Conocidos como dispositivos de Entrada por los científicos en computación, los aparatos como mouse, escáners y módems alimentan la computadora con información. Por ejemplo, un mouse alimenta a la PC con información sobre los movimientos de su mano, un escáner alimenta la PC con copias de imágenes.

Mouse

Como todas las partes de una PC, los mouse vienen en diferentes estilos:

PS/2: Originalmente encontrado en una IBM PS/2 vieja, el PS/2 alcanzó popularidad rápidamente y hoy es utilizado casi exclusivamente. La cola del mouse PS/2 se conecta a un puerto redondo diminuto con 7 agujeros. Ya que este estilo de mouse no necesita puerto serial, es fácilmente el más popular.

Mouse serial: La cola de este mouse se conecta a uno de sus puertos seriales.

Mouse USB: Desde hace unos años, las PC han tenido puertos USB, pero los mouse USB apenas están apareciendo. No se preocupe por ocupar su puerto USB, este le permite encadenar más de 100 componentes USB juntos — ¡y todos ellos funcionan!

Especies exóticas: Otros pocos estilos de mouse están haciendo su aparición. Por ejemplo, los mouse inalámbricos son útiles para aquellas personas cansadas de estar botando papeles del escritorio con los cables del mouse. Los mouse inalámbricos no solo son más caros, sino que también utilizan baterías.

- Algunos mouse utilizan pies en lugar de esferas. Cuando la esfera de un mouse normal rueda por la mesa, recoge polvo, el cual se filtra hacia su interior. Los pequeños pies optomecánicos de un mouse con pies no ruedan, así que no envían polvo o cabellos a ningún órgano vital.
- Algunas personas tienen mouse ópticos, los cuales utilizan un haz de luz para rastrear sus movimientos. Desafortunadamente, estos mouse utilizan almohadillas especiales y caras. Esas divertidas almohadillas con forma de vacas, no funcionan con estos mouse.

- Algunas personas prefieren *trackballs,* descritas en la sección de Teclados. Otras piensan que los trackballs son tan raros como el hilo dental, especialmente los pequeños que se sujetan a los lados de las laptops.
- El IntelliMouse de Microsoft tiene una pequeña rueda montada entre los dos botones (Windows 98 incluye soporte incorporado para la pequeña criatura). Girando la rueda con el dedo índice se realizan varias acrobacias en pantalla. Una página se mueve para arriba o abajo, por ejemplo, o la vista de una imagen se agranda o achica. Después de tener uno de estos, no querrá ningún otro.
- Algunas personas prefieren touchpad, como los que hay en algunas computadoras Notebook. Este dispositivo pequeño y rectangular le permite controlar su cursor simplemente pasando la yema de su dedo sobre la superficie. Golpear la superficie es como presionar un botón. Este dispositivo no es para todo el mundo, pero es una alternativa al trackball.

Escáneres

Los escáneres manuales parecen mouse con cabeza de yunque, como el de la Figura 3-11.

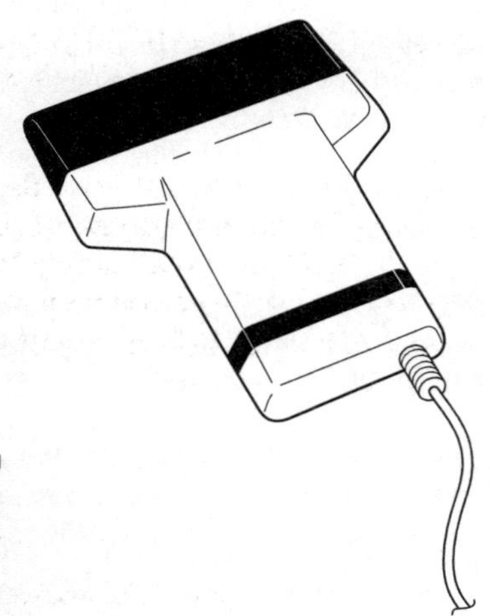

Figura 3-11: Un escáner manual.

Cuando desliza el escáner sobre cartas o imágenes, él envía una copia de la imagen a la pantalla de su computadora, donde puede ser salvado como un archivo (mucha problématica para los abogados de derechos de autor en todo el mundo).

Un software especial alínea las bandas de imagenes escaneadas para producir la página completa. Aunque funciona bien para personas con escritorios y presupuestos pequeños, no son tan eficientes como los modelos para páginas enteras.

¿A quién le importa cuántos botones tiene un mouse?

Aunque los mouse vienen en modelos de dos y tres botones, pocos paquetes de software requiren uno de tres botones. La versión vieja de Windows, Windows 3.1, usa mayormente un botón. Windows 95, Windows 98 y Windows NT utilizan ambos.

Los mouse de tres botones parecen estar desapareciendo, así que no se sienta mal si el suyo tiene solo dos botones (Solo no trate de utilizar un mouse Macintosh. Este tiene solo un botón y no funciona con todas las versiones de Windows).

Los escáneres de cama plana son los más caros y parecen fotocopiadoras: Puede poner su papel sobre el vidrio, cerrar la tapa y presionar el mouse sobre el botón derecho en el software del escáner y enviar la copia a lo profundo de su computadora.

Los escáners usualmente vienen con sus propias tarjetas; conecta la tarjeta dentro de su PC y el cable del escáner en la tarjeta. La mayoría de los escáneres pueden reproducir imágenes en color; el precio depende de la calidad de la imagen. Los escáners manuales usualmente discuten con los módems por los puertos seriales disponibles; los de página completa con frecuencia utilizan las más caras y complicadas tarjetas SCSI. ¿Comprando un escáner nuevo? Compre un modelo USB. Son mucho más fáciles de instalar.

La última versión de escáners con frecuencia viene con software de reconocimiento óptico de caracteres (OCR). Ese sofisticado nombre significa que el software examina la imagen de la página escaneada y "digita" el texto dentro de su PC como letras y palabras. El software de revisión ortográfica completa la captura, ubicando — y reparando — cualquier escaneo dañado.

Módems

Estas pequeñas cajas permiten a su PC conectarse con la línea telefónica, de manera que usted pueda llamar a otras computadoras, conocer personas de todo el mundo y compartir las fotos de su gato. También puede ver las noticias, verificar el clima, examinar reportes de inversiones y leer historias extrañas de personas extrañas haciendo cosas extrañas. Los módems son el equivalente de los 90 a los radios de onda corta de los 50, pero no necesitan una torre de enlace de antenas que molestan a sus vecinos.

Además, el módem le permite conectarse con la Internet, un catálogo de información de tarjeta/televisor, incluyendo palabras, sonidos, imágenes y vídeo. Los ingenieros siguen trabajando en la forma de transmitir olores.

Igual que los mouse y los escáneres, los módems externos se conectan con puertos seriales, donde son fáciles de alcanzar y utilizar. Un módem externo se muestra en la Figura 3-12.

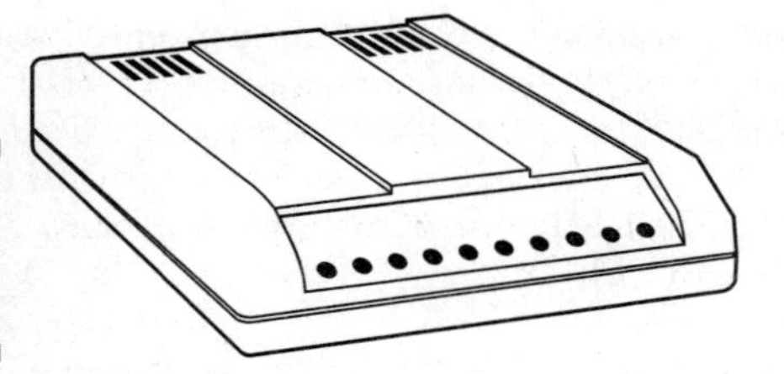

Figura 3-12: Un módem externo.

Los módems internos están dentro de su PC en tarjetas pequeñas, donde se ocultan a la vista, lo que los hace más difíciles de controlar. En realidad los módems internos son fáciles de instalar pero notablemente difíciles de configurar, especialmente si su computadora ya está enganchada a un mouse o escáner. Muchas de las PC evitan estas dificultades, permitiendo a más de un dispositivo compartir los mismos recursos (IRQ, DMA, etc). (El Capítulo 18 le explica estas siglas).

Cuando examine cajas de partes de PC viejas en busca de un módem barato para utilizar con Windows, asegúrese de que el módem utilice un chip 16550AFN UART (Puede leer la etiqueta en la parte superior del chip). Los chips más lentos usualmente no pueden mantener el flujo pesado de datos.

Muchos de los módems de hoy pueden enviar faxes de información que ya está dentro de su PC. Eso hace muy fácil enviar volantes para las fiestas que usted ha creado en su procesador de palabras, pero es imposible enviar recortes de periódicos (Necesita un escáner para eso).

Monitores

Un monitor de PC puede parecerse a un Televisor, pero no es tan fácil de reparar. De hecho, probablemente comprará un monitor nuevo después de que escuche cuanto le cobra el taller por reparar el viejo. Los monitores vienen en varios estilos, el más caro de todos es el monitor más grande, más claro y con más colores.

He aquí los tipos básicos de monitores:

Hércules, Adaptador de Gráficos en Color (CGA), Adaptador de Gráficos Mejorado (EGA): Estos son los tipos más viejos de monitores y tarjetas de gráficos que usted quiere actualizar, porque todo luce muy granulado. Además, los colores son muy feos, especialmente después de haber visto un monitor de mejor calidad en la tienda.

Matriz de Gráficos de Vídeo (VGA): El caballo de trabajo de la industria a principios de los 90, este tipo de monitor sigue trabajando bien con Windows. Con frecuencia necesita al menos una tarjeta de vídeo de *16 bit o PCI, la cual requiere una ranura de 16 bit o PCI,* así que este tipo de monitor no siempre trabaja en una XT.

Matriz de gráficos de Vídeo Super VGA (SVGA): Este tipo de monitor empaca más colores e imágenes en la misma pantalla y ha remplazado a las VGA. Si quiere ver películas en Windows, quiere una tarjeta y monitor SVGA.

Adaptador de gráficos extendido (XGA), 8514/A: Este monitor es caro y es mayormente utilizado para gráficos de alta calidad.

LCD: Retire el monitor de una laptop, colóquelo en una base ajustable y tendrá un monitor LCD. Son fáciles de leer y ahorran espacio, también cuestan mucho dinero. Por eso no todos lo compran. En cinco años, remplazarán esos monitores "TV" normales.

Los monitores LCD vienen en dos sabores: digitales y análogos. Los LCD digitales requieren tarjetas de vídeo especiales; los modelos análogos no (pero usualmente tienen pantallas borrosas). Además, un monitor LCD de 15 pulgadas despliega tanta información como un monitor de 17 pulgadas convencional.

Cuidado: Su monitor despliega solo lo que la tarjeta de vídeo le envía. Los dos trabajan en equipo. Por eso es mejor comprar el monitor y la tarjeta al mismo tiempo y asegurarse de que funcionan bien juntos.

Los televisores no trabajan tan bien como los monitores. Les falta la resolución, como descubrirá si presiona su nariz contra la pantalla del televisor y luego contra su monitor. Aunque algunas tarjetas de vídeo sofisticadas le permiten ver televisión en un monitor.

Puede evitar comprar una PC y optar por un WebTV. Es una caja que cuesta mucho menos que una computadora y le permite visitar la Internet en su TV. Desafortunadamente, eso es todo lo que puede hacer. No es una computadora. Además, la resolución no es muy buena, así que no puede desplegar mucha información en la pantalla.

Algunos aparatos le permiten utilizar su televisor como monitor. Conocidos como adaptadores VGA-a-NTSC, son más utilizados para presentaciones corporativas o por fanáticos de los juegos. Aunque estos adaptadores funcionan bien desplegando gráficos y vídeos, la mayoría del texto es ilegible. El Capítulo 18 ofrece más información.

Ya que los softwares de hoy arrojan muchos gráficos a la pantalla, las tarjetas aceleradoras de vídeo 3D y 2D están muy de moda. El cerebro de la PC, la CPU, fue diseñada para procesar números, no para crear caricaturas en pantalla de bananas jugando tennis. Para aligerar la carga de trabajo, las tarjetas aceleradoras vienen con chips de gráficos incorporados que ayudan al CPU a manipular imágenes. Muchas de estas tarjetas requieren un Puerto Acelerado de Gráficos (AGP) que acelera los gráficos.

Impresoras

Las impresoras toman la información de su pantalla y la plasman en papel. Logran esta tarea en una amplia variedad de formas. Los diferentes tipos de impresoras utilizan distintos métodos, como se describe a continuación:

Matriz de puntos: Una de las impresoras más escandalosas, esta especie en extinción crea imágenes presionando diminutos puntos contra el papel. Son baratas y se nota. Los usuarios las cambiaron por las impresoras de inyección de tinta o láser (Windows aun soporta estas impresoras, pero no todos los programas lo hacen. Por ejemplo, el software de Fed Ex para el envío de paquetes, no puede utilizar impresoras de matriz de puntos, ya que no imprimen bien las imágenes para crear códigos de barra).

Rueda de margarita: Estas impresoras son bastante bulliciosas y trabajan como máquinas de escribir, presionando letras y números contra una cinta para plasmar imágenes en el papel. Ya casi no se usan, pero las encuentra en las tiendas de ahorro. ¿Actualizaciones? Solo puede cambiar la cinta y agregar más ruedas para obtener estilos de letras diferentes. Olvídese de los gráficos, estas impresoras funcionan solo como máquinas de escribir robotizadas.

Térmica: Compre un paquete de papel sensitivo al calor o no funcionarán. Imprimen calentando las áreas de las letras en el papel para crear palabras. Con frecuencia se utilizan para calculadoras e impresoras portátiles, el papel es propenso a desteñirse y arrollarse.

Inyección de tinta: Son populares por su bajo precio y alta calidad, estas impresoras lanzan tinta al pape, que resulta en imágenes de una calidad sorprendente — usualmente en color (ver Figura 3-13). Necesita cambiar los cartuchos de tinta de vez en cuando, lo que puede adelgazar su billetera. Sin embargo, estas impresoras pueden ser la mejor compra.

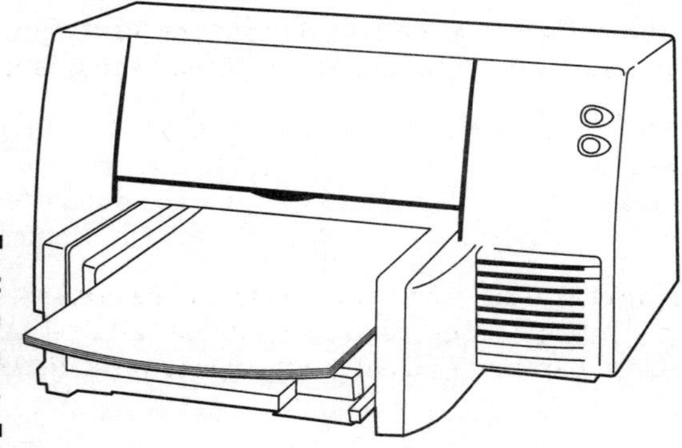

Figura 3-13: Impresora de Inyección de Tinta.

Inyección de burbuja de tinta: Canon desarrolló este tipo de impresora, la cual utiliza calor para "arrojar" la tinta al papel en áreas muy bien controladas. La calidad es similar a la ofrecida por las impresoras de inyección de tinta.

Láser: Las impresoras láser, mostrada en la Figura 3-14, suenan peligrosas, pero sus lásers con cositas pequeñas enterradas muy adentro. De hecho, estas impresoras utilizan la misma tecnología que las fotocopiadoras — *buenas fotocopiadoras*. No hay mucho que actualizar ahí, aunque muchas impresoras láser le permiten agregar más memoria. Con más memoria, pueden imprimir más gráficos en una sola página. Eventualmente, tiene que cambiar el cartucho del toner, una tarea fácil de hacer sobre su escritorio.

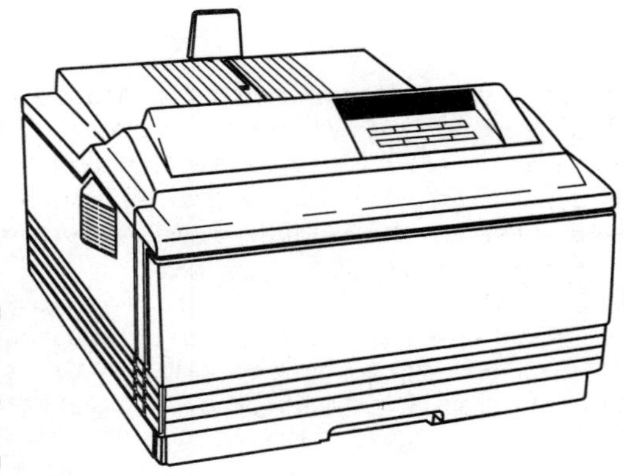

Figura 3-14: Impresora láser.

En el Capítulo 9 encontrará trucos para cambiar cintas y cartuchos.

Si tiene una cámara digital, asegúrese de comprar la mejor impresora de inyección de tinta o láser que pueda, y que esta pueda imprimir en calidad de foto o en papel de alta calidad.

La compañía Sweet Art en Olathe, Kansas, vende una impresora (cara) que copia imágenes de su pantalla en pasteles y galletas utilizando glaseado comestible.

La Tarjeta Madre

Algunas personas la llaman tarjeta de sistema, pero son la misma cosa — una hoja de fibra de vidrio café o verde oliva que ocupa un lado de la cubierta de su computadora. Una tarjeta madre Pentium típica con sus partes rotuladas se muestra en la Figura 3-15.

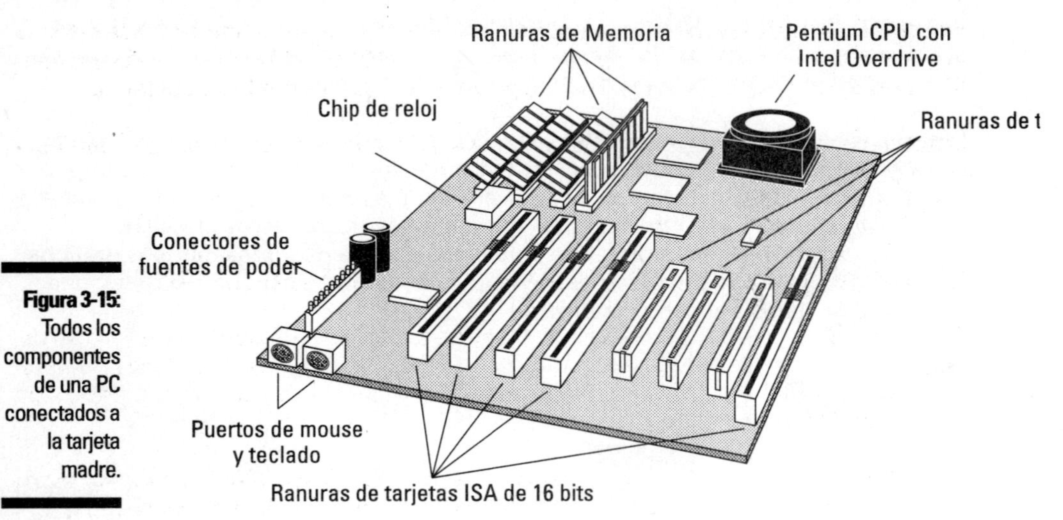

Figura 3-15: Todos los componentes de una PC conectados a la tarjeta madre.

Complejidad PCL y PostScript

Por años, el Cadillac de las impresoras láser fue la *PostScript*. Eso significaba que la impresora solía perfilar el lenguaje de descripción de páginas — una forma muy especial en la que las impresoras plasmaban gráficos y letras en una página. Con el PostScript, las impresoras pueden encoger o alargar gráficos y tipografía sin crear los bordes mellados que dejan las impresoras baratas. Los editores, así como muchos programadores de software, abrazaron rápidamente la alta calidad de estas.

Además, un archivo salvado en formato *PostScript puede ser usado por muchos fotocomponedores*, que también utilizan tecnología PostScript es sus carísimas impresoras. ¡Listo! The Gardening Club Newsletter de pronto luce como una revista.

Sin embargo, tan alta calidad viene a un alto precio. Las impresoras PostScript cuestan mucho más que su competencia.

Para acomodar a las multitudes con presupuestos limitados, la serie de impresoras Hewlett-Packard LaserJet proveen una alternativa, la *PCL: Lenguaje de Control de Impresora*. Ya que no todos los usuarios necesitan la versatilidad del PostScript, PCL ha alcanzado un nicho creciente. Hoy, la mayoría de las impresoras son "compatibles con PostScript" o "compatibles con LaserJet/PCL".

¿Qué cuál debe comprar? Si hace muchos graficos de alta calidad o publicaciones, invierta más dinero en una PostScript. Es más versátil y las páginas se ven mucho mejor. Si imprime mayormente texto y cuadros, con pocos gráficos al lado, las impresoras PCL trabajan bien. O si no puede decidirse, haga lo que hice yo: Compre una impresora láser que puede cambiar a ambos modos; el PostScript *y el* PCL. El problema es asegurarse de haber seleccionado el controlador correcto de la impresora de su programa o del Panel de Control de Windows antes de imprimir.

Por sí sola, la tarjeta madre es como un plato vacío. Las cosas importantes están en la parte superior de la tarjeta madre. Esta actúa como una carretera de selecciones, llevando información de aquí para allá entre todos los residentes siguientes.

Difíciles de reparar, las tarjetas madre enfermas deben ser remplazadas — un tema encontrado en el Capítulo10.

El cerebro de su computadora: el CPU

El cerebro de su computadora es su Unidad Central de Procesamiento o CPU — un pequeño chip que lleva información de un lugar a otro a través de todas las partes de su computadora. A pesar de que los CPU son partes pequeñas, son unas de las partes más caras, usualmente cuestan cientos de dólares.

Los CPUs más viejos tienen nombres de números: 286, 386 o 486. Los más recientes tienen nombres extraños como Pentiums, Xeons, Celerons, AMDs o Cyrix, lo que suena como a un vodka experimental.

En realidad, los CPU tienen dos descripciones. La pirmera es el número o nombre del modelo (486, Pentium o AMD), que mide el poder o la cantidad de información que puede transportar. La segunda es la velocidad en megahertz del chip (90 MHz, 266 MHz, 500 MHz o 700 MHz), que mide la velocidad con que puede transportar esa información.

Los diferentes modelos descritos en las siguientes secciones le ayudarán a identificar el suyo. Además, descubrirá cómo (si es el caso) puede dar a su modelo en particular un pequeño empujón, remplazando sus órganos internos.

Intel es la que más anuncia sus chips CPU por televisión, así que estos vienen primero. La competencia de Intel viene después.

El nombre de una PC viene del nombre de su cerebro o CPU, y de la velocidad de ese CPU, medida en megahertz o MHz. Por ejemplo,una computadora 400 MHz Celeron alberga un CPU Celeron que corre a 400 MHz.

No compre cualquier cosa vieja en una venta de garaje, pensando que puede agregar un CPU nuevo y crear una maravilla. Las computadoras con nombres como XT, AT, PCjr, PS/2, 386 o 486 no debería ni considerarlas.

¿Quiere saber más sobre su PC? Revise el capítulo 26. Si su PC tiene cinco años o más, encontrará la descripción ahí — en el equivalente de este libro para los cementerios de computadoras (Al menos sabrá cuales partes — si las hay — pueden ser rescatadas).

Algunas tarjetas madre, especialmente diseñadas, le permiten retirar el CPU Pentium viejo y colocar un chip CPU nuevo y más rápido. También conocidos como chips OverDrive, estas actualizaciones fáciles y rápidas se cubren en el Capítulo 10.

Datos curiosos de CPUs: Muchos chips son clasificados por el número "millones horas" que se supone que duran (Un millón de horas es como 114 años). Cuando un chip expira, es usualmente por partículas de polvo que cayeron dentro en este mientras estaba siendo manufacturado. Con tantos alambres y pasajes eléctricos dentro de un pequeño chip, una sola partícula de polvo es como un árbol cayendo a lo largo de la carretera. No hay un oficial para dirigir el tránsito y retirar el árbol del camino, así que el chip deja de funcionar.

"¿Cómo saber cual CPU tiene mi PC?"

No se moleste retirando la cubierta. Windows identifica su CPU al presionar el botón derecho en el icono de Mi Computadora y escogiendo Propiedades.

Aparece una ventana, como la de la figura siguiente, enlistando tres cosas importantes: su versión de Windows, el dueño registrado de la versión y su CPU, identificado por fabricante y número. Además, Windows despliega la cantidad de RAM en su sistema — un dato útil para las actualizaciones.

Un aviso: Windows 95, Windows 98 y Windows 98 Segunda Edición, usualmente enlistan erróneamente "Intel Pentium II", cuando su computadora en realidad está corriendo un CPU Pentium III o Celeron.

La mayoría de los fabricantes CPU ofrecen software en sus páginas Web que identifica el CPU dentro de su sistema. Finalmente, para estar completamente seguro, revise el BIOS de su computadora para identificar su CPU: Encienda su computadora y presione las teclas necesarias para ingresar al área de Configuraciones. Cuando la pantalla del BIOS aparezca, la primera página con frecuencia identifica el CPU.

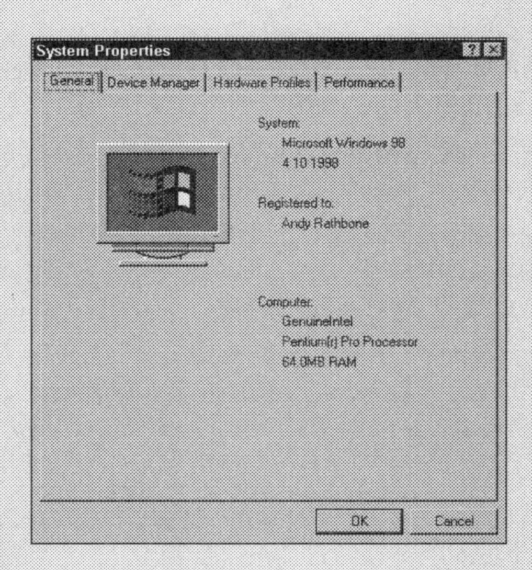

¿Qué es eso de enchufe y ranura CPU?

Los CPUs de las primeras PC IBM compatibles estaban en un enfuche en la tarjeta madre de su computadora, descrito más adelante. Pequeños pines en la parte inferior del CPU encajaban en pequeños agujeros en el enfuche, permitiendo al CPU comunicarse con el resto de la computadora. Pero conforme avanzaba la tecnología, los CPU necesitaron más pines, requiriendo enchufes más largos. Con los años, los CPU han utilizado al menos ocho tipos de enchufes.

Finalmente, con las crecientes necesidades de las Pentium II, Intel abandonó el abordaje del enfuche y patentó un abordaje de ranura especial. El CPU estaba en una cubierta que se deslizaba dentro de una ranura especial en la tarjeta madre. Los CPU de hoy utilizan al menos dos tipos de ranuras.

Los CPU Overdrive o actualizables están diseñados para conectarse al mismo tipo de enfuche que el CPU al cual remplazan. Por eso es importante asegurarse de comprar la actualización de CPU correcta para su sistema. De lo contrario, no calzará.

Intel abandonó el enfuche 7 cuando cambió a su sistema de ranuras patentado, esperando desalentar a la competencia. Los competidores se quedaron con el enfuche 7 por muchos años por su versatilidad: Puede albergar una Pentium, Pentium MMX, AMD K5, AMD K6-2, Cyrix 6x86 o Cyrix 6x86MX. Desafortunadamente, necesita saber todas estas cosas antes de comprar su tarjeta madre, CPUs y actualizaciones de CPU.

Intel Pentium (1993)

Características: Intel lanzó una campaña publicitaria para Pentium y obligó a los fabricantes de PCs a incluir una etiqueta con la leyenda "Intel Inside" en la cubierta de las computadoras Pentium. Bajo el logo de "Intel Inside" estaba la palabra *Pentium.*

Después de crear el CPU Pentium, Intel creó varios modelos más, basados en el Pentium. No confunda Pentium con Pentium MMX, Pentium Pro, Pentium II o Pentium III, descritos en los siguientes párrafos.

¿Por qué debe importarle?: Los Pentiums son lentos, y las primeras versiones corren casi tan calientes como planchas para waffle (Eso pone incómodos a los usuarios de laptops).

Actualización: Tres compañías aceptan su chip Pentium viejo y lento y lo cambian por un chip más nuevo y rápido para darle energía y vigor: Intel, con sus chips Overdrive (`www.intel.com`); Kingston Technology, (www.kingston.com), con sus TurboChips y Evergreen Technologies (`www.evertech.com`); todas venden chips de repuesto para sistemas compatibles.

Enfuche: 7

Actualizar su computadora con un CPU que es dos veces más rápido no la hace trabajar dos veces más rápido. La velocidad de su computadora viene de la combinación de muchas cosas: Su disco duro, tarjeta de vídeo, memoria y tarjeta madre trabajando juntas. Cualquiera de estos componentes puede reducir la velocidad de toda la computadora.

Algunos Pentiums, como el mostrado en la Figura 3-16, vienen con las iniciales MMX. Aunque las iniciales no significan nada, los tecnosabios se refieren a las iniciales como "extensiones multimedia". ¿Por qué? Porque los CPUs con tecnología MMX contienen códigos especiales para acelerar gráficos. A todos les gusta. Así que todos los CPU a nivel Pentium contienen códigos MMX incorporados (Todos, excepto el Pentium Pro).

Figura 3-16: Los Pentiums con iniciales MMX tienen habilidades especiales para el manejo de gráficos (Foto cortesía de Corporación Intel).

Intel Pentium Pro (1995)

Características: Desafortunadamente, el logo Intel Inside etiqueta estos CPUs como Pentiums ordinarios. Busque la palabra *Pro* incluída en alguna parte en el nombre del fabricante del modelo. El Pentium Pro y los CPUs Pentium ambos están en la tarjeta madre.

¿Por qué debe importarle?: Intel optimizó el Pentium Pro para Windows NT — el software corre mayormente en redes corporativas o servidores — computadoras que ofrecen información a otras computadoras simultáneamente. De hecho, en realidad no aceleran mucho a las PC que corren Windows 95 o Windows 98. Contiene alguna memoria incorporada llamada caché, que acelera las cosas.

Actualización: El último chip Overdrive de Intel (`www.intel.com`) transforma su computadora en una Pentium II. Kingston Technology (`www.kingston.com`) y Evergreen Technologies (`www.evertech.com`) venden chips de repuesto. Saque su CPU viejo y cámbielo por el nuevo para agregar energía extra.

Enfuche: 8

Intel Pentium II (1997)

Características: Mientras los primeros chips yacían en la tarjeta madre como galletas, el Pentium II viene encerrado en una tarjeta miniatura que se conecta a una ranura en la tarjeta madre, como se muestra en la Figura 3-17. Los chips se esconden bajo dispositivos de enfriamiento, así que revise el logo Intel Inside y busque las palabras *Pentium II* para estar seguro.

La pequeña tarjeta del Pentium II es llamada SEC, abreviatura de Cartucho de Borde Sencillo.¿

¿Por qué debe importarle?: El Pentium II es un Pentium Pro con los beneficios multimedia MMX de Intel. Eso lo hace perfecto para los vídeos de movimiento y con imágenes 3D.

Actualización: Intel no ha anunciado ningún producto Overdrive para un Pentium II, pero la serie Performa, de Evergreen Technology (`www.evertech.com`), dice doblar la velocidad de los Pentium II, permitiéndoles correr Windows 2000. Y no, no puede remplazar el CPU de los Pentium II por uno nuevo, como el Xeon, Celeron o Pentium III.

Ranura: 1

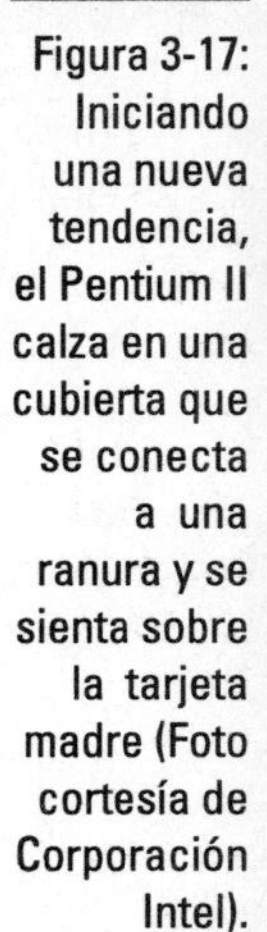
Figura 3-17: Iniciando una nueva tendencia, el Pentium II calza en una cubierta que se conecta a una ranura y se sienta sobre la tarjeta madre (Foto cortesía de Corporación Intel).

Intel Pentium II Xeon (1998)

Características: El llamativo logo Intel Inside indica el nombre de su CPU de Marca Registrada.

¿Por qué debe importarle?: Intel diseñó la veloz Pentium II Xeon para el mercado de los negocios, donde las corporaciones pueden enlazarse hasta con ocho CPUs. Esto permite no solo un poderoso proceso de datos, sino también emocionantes juegos de vídeo durante la hora de almuerzo. Estos chips ganan mucho de su poder de la memoria extra — un RAM *caché* — incorporada directamente en el chip.

Actualización: No se moleste en actualizar estos CPUs. Probablemente son la parte más rápida de toda la computadora.

Ranura: 2

Intel Pentium II Celeron (1998)

Características: El logo Intel Inside simplemente dice "Celeron", sin ninguna otra cosa en la cubierta de la PC. Las últimas versiones de estos CPUs son llamadas simplemente Celeron, sin el Pentium II.

¿Por qué debe importarle?: Los CPU Xeon, descritos anteriormente, cuestan mucho dinero. Así que Intel disminuyó la memoria incorporada — la *caché* — del CPU y lo llamó Celeron. No es tan rápido como una Pentium II, pero bueno, es lo suficientemente barato como para compensarlo.

Actualización: No se preocupe. Los Pentium II siguen siendo muy rápidos. Intel eliminó las palabras *Pentium II* y ahora solo los llama CPUs "Celeron".

Ranuras: 1 para los primeros modelos. Cuando las ranuras se hicieron muy caras para las máquinas baratas, Intel regresó a los enchufes; los nuevos Celerons utilizan Enfuche 370.

Intel Pentium III y Pentium III Xeon (1999)

Características: Busque la etiqueta Intel Inside en la parte frontal de la computadora, como se muestra en la Figura 3-18. Intel usualmente se refiere a los Pentium III como "¡¡¡Pentium !!!" para confundir y emocionar a las personas al mismo tiempo.

¿Por qué debe importarle¿: Intel agregó más circuitos multimedia al Pentium II, lo aceleró, señaló cada uno con un número de serie individual y lo bautizó Pentium III. El Pentium III Xeon trabaja igual que un Pentium II , pero tiene circuitos multimedia y velocidad adicionales, así como el número de serie (Figura 3-19). Xeons provee energía para las estaciones de trabajo, pero a un costo a nivel corporativo muy alto.

Figura 3-18: El logo Intel Inside, aquí de un Pentium III, indica qué CPUs hay dentro de la PC (Foto cortesía de Corporación Intel).

Figura 3-19: Pentium III Xeon de Intel (Foto cortesía de Corporación Intel).

Actualización: No se moleste en actualizar. Los Pentium III son de alto grado.

Ranuras para Pentium III: 1

Ranuras para Pentium III Xeon: 2

¿Pueden los hackers encontrar el código secreto de mi Pentium III?

En un sorprendente desarrollo, Intel agregó un número de serie individual a todos los CPU Pentium III. ¿Por qué? Intel pensó que el número de serie ayudaría a identificar las computadoras durante las compras en línea, ayudaría a preservar la seguridad en Internet y permitiría a las personas identificar computadoras robadas.

Los consumidores vieron el código secreto de la computadora como una insolente invasión a su privacidad. En respuesta a lo anterior, Intel embarcó sus CPUs con los números de serie deshabilitados.

El número sigue dentro del CPU, aunque su mecanismo de rastreo está apagado. Para segurarse de que el número de serie de su Pentium está deshabilitado, vaya al BIOS de su Pentium III y revise que el número de serie este enlistado como Deshabilitado. Si este no está deshabilitado en su BIOS, hackers maliciosos pueden robarlo mientras se encuentre en línea.

Encontrará más informaciòn de BIOS en el Capítulo 10.

Intel Itanium (2000)

Características: El Intel Itanium es un poco grande para Intel, pisando nuevo terreno. No extrañará los comerciales de televisión, dirigibles y juguetes gratis en los restaurantes de comida rápida. Hasta tiene una etiqueta nueva emocionante para la computadora, como se muestra en la Figura 3-20.

Figura 3-20: El Itanium es el chip más rápido de Intel.

¿Por què debe importarle?: Donde los chips Pentium Pro, Pentium II y Pentium III pertenecen a la misma familia, el Itanium pisa nuevo terreno. Puesto de manera simple, su boca es dos veces más grande, permitiéndole mover cosas de un lado a otro en pedazos más grandes. Eso lo hace más rápido y más poderoso.

¿Es su boca dos veces más grande? Bueno, la información computarizada debe pasar a través de un CPU para ser procesada. Las primeras Pentiums procesaban información en pedazos de 32 bits. El Itanium procesa información en pedazos de 64 bits — dos veces la cantidad, lo que lo hace más rápido que sus antecesores.

Actualización: Es el primero de la lista de Intel, así que no hay nada que actualizar.

Ranura: M (Si el Itanium tiene su propia ranura, recién diseñada).

AMD K5 (1996)

Características: Revise el BIOS de su PC para identificar estos CPUs. Windows usualmente termina rascando su cabeza.

¿Por qué debe importarle?: Diseñados para correr como la *Pentium,* estos chips calzan en el enfuche normalmente diseñado para un Pentium, proveyendo una alternativa más barata. Ya que los chips corren a altas temperaturas (temperature wise), AMD lo pensó de nuevo y creó el popular K6.

Actualización: En teoría, puede remplazar este CPU por el K6, descrito a continuación. En la práctica, sin embargo, la tarjeta madre con frecuencia complica las cosas. Algunas tarjetas madre pueden manejar un CPU más rápido y acomodar sus necesidades de poder; otras no. Revise el manual de su tarjeta madre para conocer sus límites. Si la tarjeta madre soporta un CPU más rápido aun podría necesitar actualizar su BIOS (ver Capítulo 10). Además, algunas tarjetas madre lentas aceptarán un CPU K6, pero no correrán a su máxima velocidad, limitando su efectividad.

Enfuche: 7

AMD significa Micro Dispositivos Avanzados

AMD K6 (1997)

Características: Obvserve el CPU, Figura 3-21, revise el BIOS de su PC o corra el programa de identificación del CPU AMD que se encuentra en `www.AMD.com`.

¿Por qué debe importarle?: Diseñados para competir fuertemente con Intel Pentium II, los CPU AMD K6 soportan códigos multimedia MMX para gáficos más rápidos y hacen alarde de memoria suficiente para un desempeño poderoso.

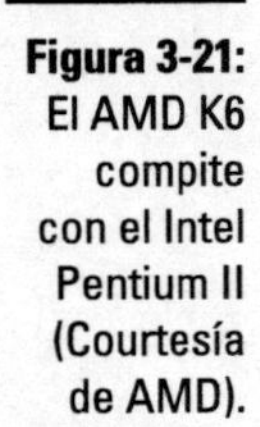

Figura 3-21: El AMD K6 compite con el Intel Pentium II (Courtesía de AMD).

Actualización: Visite la página Web de su tarjeta madre. Si esta tiene el voltaje correcto y soporte BIOS, el microprocesador K6-2 o K6-3 (descritos a continuación) debería calzar a la perfección. Ya que esos CPU prefieren diferentes enchufes, sin embargo, no puede utilizar todas sus características nuevas. Además, si está corriendo una versión anterior a Windows 95, actualice con todo el paquete de servicios de Windows 95 en la página Web de Microsoft (`www.microsoft.com`).

Enfuche: 7

AMD K6-2 (1998)

Características: Su mejor opción está en la parte superior del mismo CPU. Si ya está instalado, revise el BIOS de su computadora o corra el software de identificación del CPU AMD,desde `www.AMD.com`.

¿Por qué debe importarle?: Como sus ancestros, este chip maneja tecnología Intel MMX para gráficos rápidos, pero es más rápido y barato. Compaq los utilizó en sus sistemas caseros, como el Presario. Lo que es mejor, este CPU agregó aun más gráficos con su tecnología 3D-Now!. No remplarazá su tarjetas de gráficos 3D, pero los dos trabajan juntos para conformar las mejores aplicaciones multimedia.

Actualización: Este CPU, Figura 3-22, corre muy rápido. Considere actualizar la tarjeta de vídeo o agregar más memoria antes de remplazar el CPU.

Ranura: Super 7

El AMD Super 7 soporta AGP (Puerto Acelerado de Gráfico) y el rápido bus 100 MHz. Requiere una tarjeta madre especial. Super 7

Figura 3-22: El AMD K6-2 maneja gráficos velozmente, mueve datos rápidamente y es barato (Cortesía de AMD).

AMD K6-3 (1999)

Características: Revise su factura o la parte superior del CPU, si logra verlo. Si ya está instalado, revise el BIOS de su computadora o corra el software de identificación del CPU AMD, desde `www.AMD.com`.

¿Por qué debe importarle?: Diseñado para competir con Pentium III, el chip AMD corre aun más rápido — a un precio menor. Como su antecesor K6-2, el K6-3 (Figura 3-23), utiliza tecnología AMD 3DNow!

Actualización: Ninguna. El AMD Athlon, descrito a continuación, no funciona en el enfuche Super 7 de este CPU.

Ranura: Super 7

Figura 3-23: El AMD K6-3 completo con Intel Pentium III proveyendo más velocidad a menor precio (Cortesía de AMD).

AMD Athlon (1999)

Características: Revise su factura o el BIOS de su computadora o corra el software de identificación del CPU AMD, desde `www.AMD.com`.

¿Por qué debe importarle?: En la carrera por crear el CPU más rápido del mundo, AMD creó el Athlon, mostrado en la Figura 3-24.

Actualización: Es el primero es la lista, así que no hay nada que actualizar — aun.

Ranura: A

Figura 3-24: El AMD Athlon calza en una ranura, como el Pentium III (Cortesía de AMD).

Para incorporar aun más características a sus CPUs, AMD creó su enfuche Super 7 y copió el mecanismo de las tarjetas madre de Ranura 1 de Intel. Aunque las ranuras parecen iguales, utilizan diferentes conexiones eléctricas. Esto permite a AMD expandir los circuitos disponibles para sus CPUs, a partir de los diseños patentados de las ranuras de Intel.

Cyrix 6x86 (1995)

Características: Revise el CPU o el BIOS de su computadora.

¿Por qué debe importarle?: El primer CPU Pentium-compatible que invadió el mercado, costaba mucho dinero, corría a altas temperaturas y no manejaba las matemáticas tan bien como sus competidores. Esto significa que fracasó con los programas intensivos de matemáticas y con los fanáticos de juegos, quienes requieren de computadoras de alto poder.

Actualización: Utiliza la popular Ranura 7, así que revise el manual de su tarjeta madre para ver cuales otros chips puede aceptar.

Ranura: 7

Cyrix 6x86MX or M2 (1997)

Características: Revise el CPU o el BIOS de su computadora.

¿Por qué debe importarle?: Cyrix agregó mejoras multimedia a sus primeros CPU para crear este chip, diseñado para competir contra los CPU de la serie Pentium MMX y los AMD K6. Desafortunadamente, no le fue tan bien como a la competencia. De hecho, la popularidad de AMD relegó a Cyrix al segundo lugar. Taiwan's Via Technologies, Inc., sacó a Cyrix del mercado en 1999, para que la compañía pudiera hacer su regreso — especialmente con su CPU "Joshua".

Actualización: Utiliza la popular Ranura 7, así que revise el manual de su tarjeta madre para ver cuales otros chips puede aceptar.

Ranura: 7

Transmeta Crusoe (2000)

Características: Mostrado a la luz pública durante una exhibición gigantesca de computadoras, Transmeta Corporation lanzó su CPU de bajo poder pero de software mejorado, compatible con los chips Intel.

¿Por qué debe importarle?: Transmeta agregó tres grandes características. El CPU no necesita mucho poder y corre a bajas temperaturas. Ajusta su consumo de poder basándose en su labor, aumentando el nivel cuando fracciona números y disminuyendo el nivel cuando usted hace un crucigrama. Además, es compatible con Intel. ¿Y qué? Eso significa que está diseñado principalmente para laptops, donde necesita economizar energía.

Actualización: No puede sacar el CPU Intel o AMD, colocar el modelo Transmeta, y poseer la computadora más nueva. Estos hacen su entrada en las computadoras diseñadas especialmente para el CPU Crusoe.

Ranura: Estos recién llegados necesitan su propia tarjeta madre, especialmente diseñada.

Coprocesador matemático

El coprocesador matemático, un chip como el *CPU,* actúa como una calculadora. Se comunica con rápidas respuestas a las operaciones matemáticas. Escuchando las respuestas del coprocesador matemático, el CPU puede trabajar más rápidamente.

Por años, los coprocesadores fueron opcionales porque solo aceleraban los problemas matemáticos: La mayoría de las personas no calculan logaritmos con frecuencia. Ahora, todos los CPU a nivel Pentium, vienen con coprocesadores matemáticos incorporados, así que no tiene que preocuparse de necesitar uno.

Actualizar computadoras notebook o laptop

Muchas computadoras notebook son sorprendentemente actualizables Si el fabricante no ofrece muchas actualizaciones, vaya a Internet y empiece a investigar. Muchas de las compañías por correspondencia venden memoria RAM adicional, baterías y otros componentes esenciales para laptops. Por supuesto, las actualizaciones de las notebook son más caras que las de PC.

Otra forma de actualizar su notebook es agregar tarjetas PC — pequeñas tarjetas del tamaño de una tarjeta de crédito que se deslizan dentro de una ranura especial en la notebook. Hoy en día, memoria extra, espacio en disco duro, módems sintetizadores de sonido y hasta cámaras digitales, todo viene en estas pequeñas tarjetas PC, la que se desliza en uno de los lados de la laptop como una tarjeta ATM (Figura 3-25).

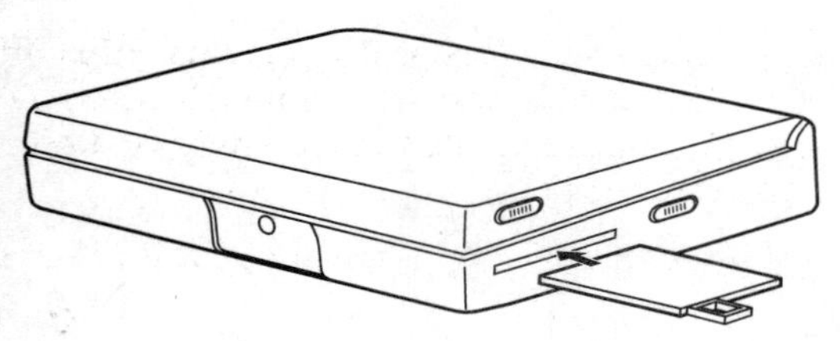

Figura 3-25: Una tarjeta PC insertada en una computadora notebook.

Los componentes de tarjetas PC aun cuestan más que sus equivalentes para las computadoras de escritorio, aunque los precios bajan rápidamente.

Desafortunadamente, es casi imposible actualizar el CPU de una computadora laptop o notebook.

Las tarjetas PC son conocidas como tarjetas PCMCIA, que significa Asociación Internacional de Tarjetas de Memoria para Computadoras Personales.

BIOS

Si el *CPU* puede ser descrito como el cerebro de la computadora, entonces el BIOS puede ser llamado su sistema nervioso. Abreviatura de Sistema de Entrada/Salida Básico, el BIOS maneja las tareas de cómputo en un segundo plano, algo así como nuestro sistema nervioso que nos mantiene respirando aun cuando olvidamos hacerlo.

El BIOS maneja las tareas básicas PC: la manera en que toman la información los disquetes o lo que pasa cuando presiona un botón del teclado.

- El BIOS viene escrito en un chip o chips especiales, chips ROM, que viven en la tarjeta madre de todas las computadoras IBM compatible. Cuando usted enciende su computadora por primera vez, verá cual compañía escribió el BIOS de esta y en qué año. Por ejemplo, American Megatrends Inc., escribió la información de mi Pentium Pro 200.
- ¿Por qué debe importarle? Bueno, los BIOS anteriores algunas veces no pueden manejar un producto nuevo (o viceversa). Eso con frecuencia significa que necesita comprar un chip BIOS nuevo (los que son difíciles de localizar) o puede adelgazar su billetera y comprar una tarjeta madre nueva, que ya tienen los chips BIOS actualizados.
- Existe una tercera opción. Algunas computadoras nuevas vienen con chips BIOS actualizables. Solo agregue el software BIOS nuevo y el programa lo copia en el chip viejo. El software con frecuencia puede ser descargado gratis desde Internet.
- Hoy, es más importante que nunca revisar su BIOS. Algunos chips BIOS no pueden manejar cambios de 1999 a 2000 correctamente (Esa cosa Y2K discutida en el Capítulo 26). Además, algunos tampoco manejan los discos duros tan grandes que existen hoy en el mercado.
- El BIOS trabaja conjuntamente con el CMOS de su computadora — cubierto en el Capítulo 18.
- Si el BIOS no puede ser actualizado, ya sea cambiando el chip o utilizando software especial de actualización, se acabó su suerte. Será mejor que compre una nueva computadora. Para corroborar que su BIOS sea actualizable, revise el manual de su computadora o la página Web del fabricante de esta. ¿Aun no hay suerte? Entonces observe el número de la versión BIOS conforme la computadora arranca. Visite la página Web del fabricante del BIOS para averiguar posibles soluciones de actualización.

Ranuras de expansión y tarjetas

Una tarjeta madre tiene pequeñas filas de espacio para estacionarse, llamadas ranuras. Estas ranuras son para pequeños dispositivos de la computadora que vienen en tarjetas. Juntas, ellas hacen las actualizaciones fáciles: Retire la cubierta de la computadora, coloque una tarjeta en una ranura vacía, asegúrela con un tornillo y coloque la cubierta de nuevo.

Las tarjetas lucen como tarjetas madre en miniatura — como decir tarjetas hijas. Sin embargo, un diseño tan simple tiene que tener un problema: Esas tarjetas vienen en diferentes estilos y tamaños. Las tarjetas de tamaño correcto deben calzar en las ranuras de tamaño correcto. He aquí un reporte de las ranuras que probablemente encuentre en su PC Pentium:

Una tarjeta ISA de16 bits *(Arquitectura Estándar de la Industria)* tiene dos pequeñas lenguetas sobresalientes de la parte inferior, que calzan con los dos pequeños enchufes, como se muestra en la Figura 3-26 (Cualquier tarjeta que diga *16* en su nombre — SoundBlaster 16, por ejemplo — probablemente necesite una ranura de 16 bits). Una ranura ISA 16 bits está en una fila junto a las otras ranuras para tarjetas. Los caballos de trabajo de la industria por años, las tarjetas ISA 16 bits están siendo remplazadas lentamente por las tarjetas PCI, descritas a continuación.

Identificador rápido: Las ranuras de 16-bits casi siempre son negras.

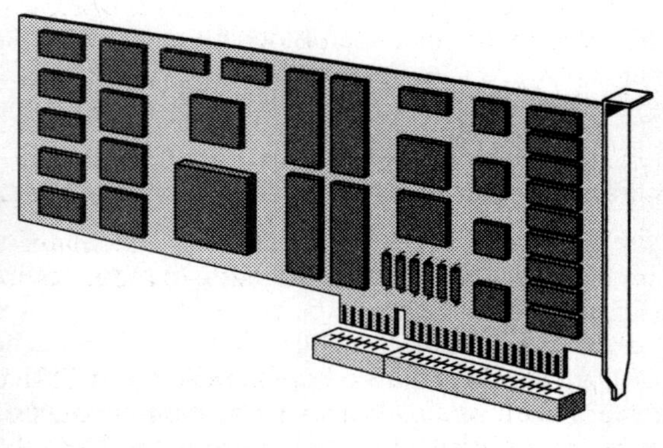

Figura 3-26: La tarjeta ISA 16 bits y la ranura.

Una tarjeta *PCI (Interfaz de Componentes Periféricos)* también tiene dos lengüetas sobresalientes de la parte inferior, como se muestra en la Figura 3-27. ¿Cómo se diferencia de la ISA 16 bits? Primero, las lenguetas de la tarjeta PCI son la mitad de largas y están ubicadas un poco más atrás en la tarjeta. Segundo, las ranuras están un poco más atrás del borde de la tarjeta madre (Observe la Figura 3-15 para que vea la diferencia de tamaño). Las veloces tarjetas y ranuras PCI permiten a las Pentiums transportar información tan rápido como sea posible.

Identificador rápido: Las ranuras PCI casi siempre son blancas.

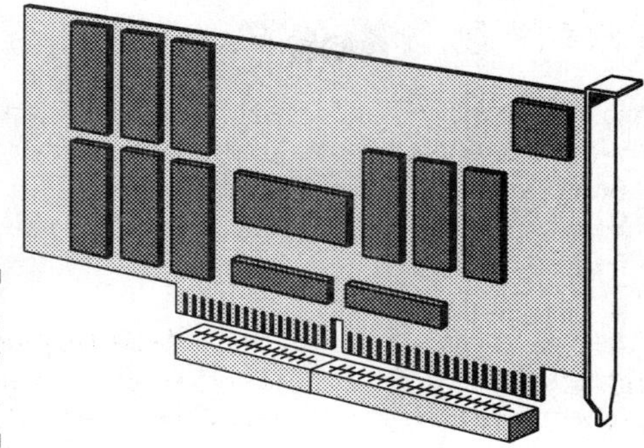

Figura 3-27: La tarjeta y ranura PCI.

Una ranura *AGP (Puerto Acelerado de Gráficos)* fue diseñada por Intel para tarjetas de gráficos sofisticados. Esta tarjeta saca de contexto las ranuras PCI para gráficos, permitiendo más velocidad y realismo para juegos y programas multimedia, sin reducir la velocidad del resto de la computadora.

Identificador rápido: Las ranuras AGP son color café y más pequeñas que las otras. Las computadoras tienen solo una ranura AGP.

No se confunda con las otras ranuras de su tarjeta madre — no todas son ranuras de expansión. Las ranuras de expansión están todas juntas en una sola fila larga. Una sola ranura larga es usualmente para un chip CPU, como el Pentium II, Pentium III o Athlon. Además, los chips de memoria vienen en tarjetas que se deslizan dentro de ranuras, pero esas ranuras son mucho más delgadas. Las tarjetas de memoria rara vez son de más de una pulgada de alto.

- Los expertos se refieren a la fila de ranuras como *bus de expansión.*
- Algunas personas se refieren a las tarjetas como *boards,* pero son la misma cosa: cosas que se deslizan dentro de su PC para hacerla más divertida.
- Antes de comprar las tarjetas, observe dentro de su PC (o su manual) para corroborar el tipo de ranuras en el bus de expansión. No todas las tarjetas funcionan en todos los tipos de ranuras.

El bus de expansión de su PC lanza información entre la tarjeta y el CPU. Una ranura de 16-bits puede enviar información a través de un camino mucho más largo que sus antepasados, las ranuras de 8-bits, así que es más rápida. Las ranuras PCI son de 32-bits, así que son aun más rápidas. Las ranuras AGP son las más rápidas, pero funcionan solo para gráficos.

Recordar todas estas cosas de tarjetas puede ser tan confuso como recordar qué serie de cartas gana a la otra en un juego de póker. Así que la Tabla 3-1 explica el nombre de las tarjetas y sus ranuras, así como sus pro y sus contras, su nivel de compatibilidad y sus características distintivas. ¿Aun no sabe cuales tarjetas tiene su PC? Revise las fechas en que fueron utilizadas.

Tabla 3-1 La Tabla de las Tarjetas

Nombre de tarjeta	*Período y Pros/Conts*	*Compatibilidad*	*Características distintivas y sus Ranuras*
ISA 8-bit (Arquitectura Estándar de la Industria)	1982–1988; diseñada para I XT PCs, remplazadas por modelos más poderosos.	Esta ranura acepta solo tarjetas ISA de 8-bits Una tarjeta de 8-bits calza en una ranura de 16-bits.	Una sola lengüeta sobresaliente de la tarjeta calza en una ranura negra. Extraño excepto en las computadoras muy viejas.
ISA 16-bit	1984–hasta hoy; diseñadas para AT (286), esta ranura mueve	Esta ranura acepta tarjetas de 8 y 16 bits. información mucho más rápido que antes	Muy comunes hoy en día, tiene dos lengüetas que sobresalen y calzan en una ranura negra larga (Figura 3-26).
EISA (Arquitectura Estándar Mejorada de la Industria)	1988; diseñada para algunas PC 386 y 486, esta tecnología nunca fue aceptada. Requiere software especial para configurar las tarjetas	Esta ranura acepta tarjetas, de 8 y 16 bits, y EISA	Raras excepto en modelos Compaq antigüos, Tienen dos lengüatas sobresalientes, como las tarjetas de 16 bits, pero ambas lengüetas tienen muescas en ellas.
MCA (Arquitectura de micocanal).	1987; diseñadas por IBM para computadoras PS/2 386 and 486 esta tecnología expiró rápido. No esa compatible con otras tecnologías.	Estas ranuras solo aceptan tarjetas MCA y las tarjetas solo funcionan en ranuras. MCA	Esta tarjeta nueva no trabaja en computadoras IBM PS/2, usted probablemente tenga ranuras MCA.
Bus Local VESA (Asociación de Estándares Electrónicos de Vídeo). .	1992; un grupo especial de tecnosabios en vídeo crearon este estándar para acelerar gráficos. Expiró con la llegada las ranuras PCI.	Las tarjetas VESA funcionan solo en ranuras VESA. Estas ranuran también aceptan. tarjetas de 8 y 16 bits	Raras. Estas tarjetas parecen tarjetas ISA de 16, bits pero tienen una lengüeta con una muesca que sobresale cerca de su esquina trasera.

Nombre de la tarjeta	*Períodos y Pros/Cons*	*Compatibilidad*	*Características y sus ranuras*
PCI (Interfaz de Componentes Periféricos)	1992–hasta hoy; Intel y otros crearon este estándar competitivo que permanece hasta hoy	Las tarjetas PCI funcionan en ranuras PCI y viceversa. Ahora la PCI es la más común, aunque también se incluye una ranura16-bit para las antigüedades.	Estas ranuras son blancas. Las ranuras de 16 bits son negras. Las tarjetas PCI tienen dos lenguetas pero son mucho más pequeñas que las ranuras de las tarjetas de 16 bits. (Figura 3-27).
AGP (Puerto Acelerado de) Gráficos)	1997; Intel y otros crearon este puerto para tarjetas de vídeo veloces. Hoy en día es muy común.	Las AGP solo funcionan en ranuras AGP y viceversa.	Busque una ranura pequeña de color café ubicada más atrás que las demás tarjetas.
Ranura CPU	1999; las nuevas CPUs ya no descansan en la tarjeta madre sino que están adheridas a tarjetas que se deslizan en ranuras.	Cada tipo de CPU requere su propia ranura. No hay nada que calce en la ranura más que un CPU.	Esta ranura larga se ubica sola y lejos de la fila de ranuras. No es para una tarjeta de expansión, es solo para CPUs
Memoria	A principios de los 80, los chips de memoria venian sujetos a una tarjeta pequeña para facilitar la inserción.	Solo las tarjetas de memoria calzan en su ranura especialmente diseñada.	Las ranuras para las tarjetas de memoria son más delgadas que las ranuras de expansión.

¿Cuáles tarjetas tiene su PC?

Entienda esto: Varios de esos puertos en los que conecta cables, en la parte trasera de su PC, son en realidad tarjetas. Son los extremos de las colas de las tarjetas, como verá cuando abra la cubierta de su PC por primera vez.

De hecho, su computadora probablemente venga con estas tarjetas dentro:

Tarjeta de vídeo: Su monitor se conecta a esta. Esta tarjeta le indica lo que debe poner en la pantalla. Las computadoras nuevas utilizan tarjetas AGP que se conectan a la ranura AGP. Algunas tarjetas de vídeo también tienen un conector para televisión con el afán de desplegar canales de televisión en su monitor (Algunas hasta capturan programas para reproducir después, siempre y cuando su disco duro sea lo suficientemente grande para manejar estos archivos).

Tarjeta de sonido: ¿Su computadora tiene parlantes? Entonces conéctelos a la tarjeta de sonido de su PC. Muchas tarjetas de sonido incluyen un puerto para juegos, donde se conecta el joystick.

Estas otras tarjetas también van dentro de su computadora:

Tarjeta de módem: ¿Puede ver uno o dos enchufes para teléfono en una de las tarjetas? Probablemente sea una tarjeta de módem interno. La línea telefónica se conecta a uno y el teléfono al otro (Vea de cerca si los enchufes están rotulados — los cables no pueden conectarse en el enchufe equivocado).

Tarjeta de red: Una opción por muchos años, la mayoría de las computadoras nuevas vienen con esta tarjeta preinstalada. Conectando cables de tarjeta a tarjeta, las computadoras pueden comunicarse entre sí, compartiendo archivos y mensajes. Las tarjetas de red usualmente tienen uno o dos puertos: Uno podría ser un tubo pequeño que sobresale y el otro parece un enchufe telefónico más ancho.

Tarjeta controladora: ¿Ve una tarjeta sin enchufes visibles en una computadora vieja? Estas computadoras utilizaban una tarjeta controladora para comunicarse con las unidades de disco. Los cables se conectaban a la tarjeta a la unidad de disco. Hoy, el controlador viene incorporado a la tarjeta madre. Los cables se conectan directamente de la unidad de disco a la tarjeta madre.

Tarjeta multifunción: Este es un nombre elegante para una tarjeta con puerto serial y paralelo. Las computadoras nuevas omiten esta tarjeta e incorporan el puerto en la tarjeta madre, junto con el puerto para el mouse, teclado y USB. Eso deja más ranuras disponibles para otros dispositivos. Los puertos construidos en la tarjeta madre simplemente se asoman por la parte trasera de su computadora, listos para recibir los cables.

Batería

Aunque usted no lo crea, su PC tiene una batería, igual que su detector de humo. La batería está en la tarjeta madre y usualmente dura más de tres años. La mayoría de las baterías son fáciles de cambiar. Sabrá cuando la suya haya expirado en el momento que su PC pierda el rastro del tiempo, le pregunte que hora es u olvide que tipo de disco duro tiene su PC y luego se rehuse a trabajar. Encontrará los síntomas (e instrucciones para remplazarla) en el Capítulo 10.

Memoria (Memoria de Acceso Aleatorio o RAM)

Si ha conversado con otras personas sobre los problemas de su PC, probablemente las encuentre frotando sus mentones, frunciendo el ceño y diciendo "Suena a que usted necesita más memoria". Agregar más memoria es una de las actualizaciones más populares de hoy. Es también una de las actualizaciones más baratas y fáciles, dependiendo de que tan amigable sea su computadora.

Cuando el *CPU* de su computadora indica a las partes de su PC lo que deben hacer, no tiene una libreta para tomar notas. Así que el CPU almacena información en la memoria de la computadora. Cuanta más memoria tenga la computadora para trabajar, puede realizar tareas más complicadas. Y cuanta más rápido pueda mover esa información la memoria, menos tiempo debe esperar usted para que la computadora siga su ritmo de trabajo.

Si está utilizando Windows — igual que casi todo el mundo hoy en día — probablemente necesita más memoria. La pregunta es ¿qué tipo? Las computadoras complican las cosas utilizando diferentes tipos de memoria.

Sin importar el tipo de memoria que utilice su PC, esta viene en chips, igual que su CPU, el cual es categorizado por su poder y velocidad; los chips de memoria, por su almacenamiento y velocidad (En el Capítulo 11 encontrará más información al respecto).

Aunque todas las memorias tienen el mismo propósito, vienen en diferentes paquetes. ¿Cómo saber cual tipo de memoria necesita? La tarjeta madre tiene la respuesta. Los chips de memoria se conectan a enchufes de diferentes tamaños, así que asegúrese de escoger la memoria que calce en su tarjeta madre. He aquí un resumen de los tipos de memoria que alberga su tarjeta madre:

DIP: *(Paquete Dual En línea)* Período: A principio de los 80 (Este DIP no tiene relación con los interruptores DIP, que son pequeñas filas de interruptores que se pueden apagar o encender). Los DIPs parecen cucarachas sin antenas, como se ve el la Figura 3-28. Estos chips se conectan a enchufes en la tarjeta madre, donde yacen en pequeñas filas, como tumbas. Algunas tarjetas de vídeo viejas también utilizan esta memoria.

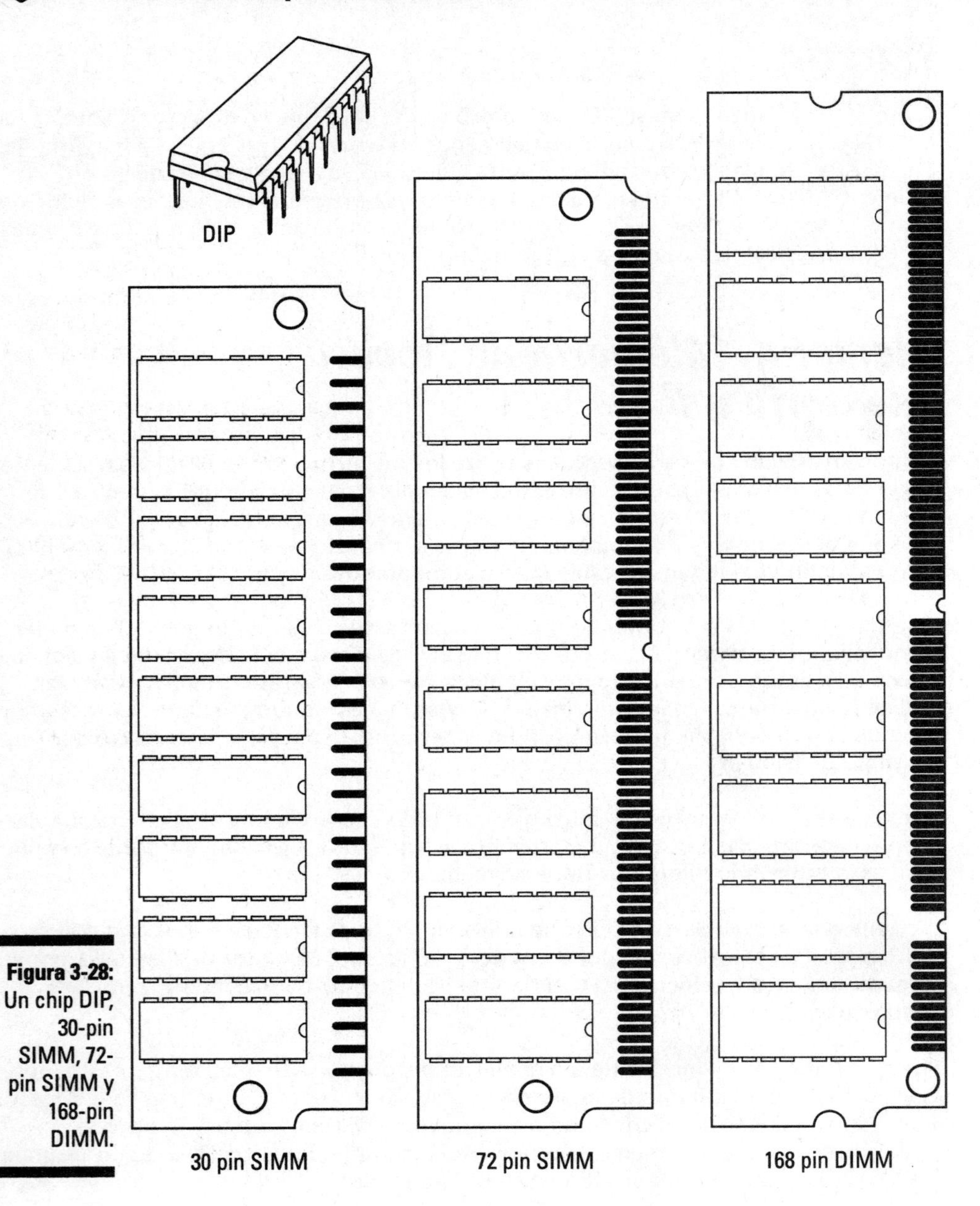

Figura 3-28: Un chip DIP, 30-pin SIMM, 72-pin SIMM y 168-pin DIMM.

SIP: *(Paquete Sencillo En línea)* Período: A principios de los 80. Un SIP es muy parecido a un SIMM: una tarjerta minúscula con un motón de DIPs. Pero un SIMM tiene un borde plano que se presiona a una ranura y un SIP tiene varias púas que se colocan en algunos agujeros. Parece un cepillo para gatos. Casi nadie los vende, así que si el suyo se daña, se acabó su suerte.

SIMM: *(Módulo Sencillo de Memoria En línea)* Los DIPs y SIPS trabajaron bien por años, excepto por dos cosas: Las personas quebraban sus pequeñas púas al tratar de colocarlos en los enchufes. Además, ya que yacían planos en la tarjeta madre, ocupaban mucho espacio. Así que algún ingeniero astuto tomó una tira de fibra de vidrio sobrante de una tarjeta madre, aseguró los pequeños chips DIP en ella y la llamó un SIMM.

Los SIMMs vienen en dos tamaños, y cada uno requiere un enfchufe de diferente tamaño. Las computadoras anteriores a Pentium utilizan los pequeños, que tienen 30 pines y almacenan poca memoria: 1MB, 2MB o 4MB. Las computadoras posteriores utilizan un SIMM de 72 pines, con capacidades mayores de memoria: 8MB, 16MB, 32MB, 64MB o más. Ambos tamaños se muestran en la Figura 3-28.

No confunda las ranuras de un banco de memoria con las ranuras de expansión. Son en realidad muy diferentes: Las ranuras SIMM son diminutas, las ranuras de expansión son enormes en comparación con las SIMM, como se muestra en la Figura 3-15. No hay forma de equivocarse de ranura.

Los SIMMs vienen en variedades diferentes. Algunos tienen tres chips DIPs, otras tienen hasta ocho o nueve. Si puede evitarlo no mezcle las variedades. De hecho, algunas computadoras no funcionan si se tratan de mezclar.

DIMM: *(Módulo Dual de Memoria En línea).* Para satisfacer las crecientes demandas de memoria de las Pentium más recientes, los diseñadores crearon los DIMMs. Con 168 pines, los poderosos DIMMs parecen SIMMs más grandes, como se muestra en la Figura 3-28 (Por eso los DIMMs son más caros y funcionan solo en una ranura especial para ellos; y no en las ranuras comunes para de los SIMMs).

Aunque los SIMMs pueden utilizarse en pares, los DIMMs pueden utilizarse individualmente. Ambos tipos se deslizan en sus diminutas ranuras.

Si no está seguro de que clase de memoria tiene su PC, cuente el número de ranuras, retire los chips y llévelos a la tienda. La persona en camiseta detrás del mostrador puede venderle los chips correctos (y tal vez le acepten las partes que ya no necesitará cuando agregue los chips nuevos).

Confusiones sobre tipos de RAM (y ROM)

Para su información, usted no viola ninguna regla de etiqueta en computación al decir "Necesito más RAM para mi PC". Pero he aquí las distinciones profesionales:

SRAM (Memoria Estática de Acceso Aleatorio) es rápida y cara. Fragmentos pequeños de SRAM están en un lugar especial en su tarjeta madre. Cada vez que el CPU ofrece información a una parte de la PC, envía una copia de esa información a la SRAM. Si otra parte de la PC solicita la misma información, el CPU solo toma la copia de la SRAM y la ofrece de nuevo, ahorrando tiempo.

DRAM (Memoria Dinámica de Acceso Aleatorio) es más lenta que la SRAM pero más barata. Cuando le dicen que necesita más RAM, están hablando de DRAM montada en chips, como en la Figura 3-28.

SDRAM (Memoria Sincrónica y Dinámica de Acceso Aleatorio) combina lo mejor de SRAM y DRAM. Básicamente, es una DRAM que toma más información que la solicitada, en espera de que el CPU la solicite después (con frecuencia lo hace). Cuando el CPU solicita está información, el chip ya la tiene lista y puede pasarla más rápidamente.

RDRAM (Memoria Dinámica de Acceso Aleatorio Rambus) creada a finales de los 90 por Rambus, Inc. Esta memoria Super Rápida apareció primero en tarjetas de vídeo aceleradas. Apoyada por el gigante Intel, RDRAM fue mostrada como memoria principal en las tarjetas madres en 1999. Hecho Real: Nintendo utiliza RDRAM en sus consolas de juegos de 64 bits

ROM (Memoria de Solo Lectura) diferente a todos los tipos de memoria anteriores. Normalmente, una PC mueve información dentro y fuera de RAM conforme trabaja. Pero un chip ROM toma información y nunca la deja ir. Por ejemplo, el BIOS de su PC viene en ROM. Ya que el BIOS de su PC normalmente nunca cambia, es almacenado en un chip ROM. Estos chips no son solo una forma conveniente para almacenar información, sino también es una forma más segura: Su PC no puede borrar esta información accidentalmente.

Todas esas otras partes pequeñas en la tarjeta madre

¿A quién le importan todos esos otros pequeños chips en su tarjeta madre, como el Reloj de Intervalo Programable 8253 (U34)? A muy pocas personas, eso es un hecho. Así que ignórelos.

Aun si esos otros chips se quiebran, no será posible repararlos o ni siquiera podrá saber cual es el chip dañado. Deje ese trabajo a los chicos del taller, quienes enganchan los chips a instrumentos caros con luces y los prueban para determinar la falla.

Unidades de disco

Las computadoras utilizan chips de memoria para hacer el trabajo inmediato: correr programas o colocar imágenes en la pantalla. Pero cuando usted ha terminado su trabajo y quiere salvar el fruto de su labor, coloca sus datos en discos. Estos vienen en tres sabores básicos: disquetes(discos flexibles), discos duros y discos compactos.

Los disquetes son cosas cuadradas y portátiles que se deslizan dentro de la unidad de disco flexible, la cual lee la información. Un disco duro, está oculto dentro de la cubierta de su PC. Y un disco compacto o CD, es una cosa redonda y brillante que se desliza dentro de la unidad CD-ROM de su PC. Algunas unidades CD-ROM reproducen DVDs y CDs.

Su computadora absorve y envía información de las unidades de disco a través de un controlador especial, ya sea en la tarjeta madre, en la misma unidad de disco o en una tarjeta.

Unidades de disco flexible

¿Recuerda los viejos tiempos de espacios de estacionamiento amplios cuando podía estacionar su auto fácilmente? Desafortunadamente, los dueños de las tiendas pensaron que podían amontonar más carros en el mismo parqueo, reduciendo el tamaño de cada espacio de estacionamiento.

Los ingenieros de cómputo hicieron lo mismo con los disquetes y las unidades de disco flexible.

En los primeros años de la computación, se utilizaron unas cajas enormes llamadas unidades de altura completa.

En los últimos diez años, las PC utilizaron unidades de la mitad del tamaño, así que son llamadas unidades de altura media, como se muestra en la Figura 3-29.

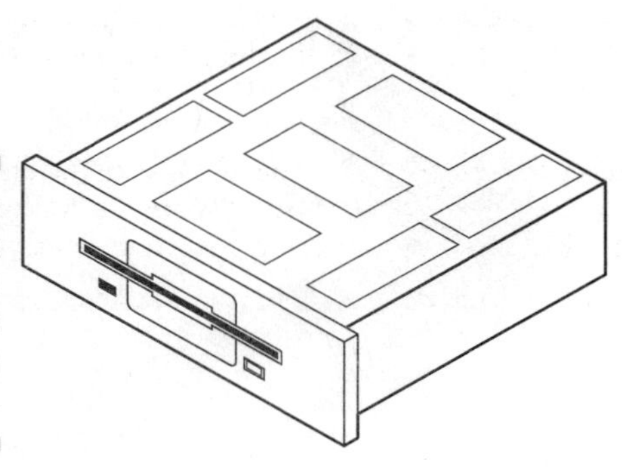

Figura 3-29: Unidad de altura media. La más común hoy en día.

Pero, aunque las unidades de altura media requieren la mitad de espacio que sus antepasados, tienen 4 veces más capacidad de almacenamiento — son unidades de alta densidad. Eso significa que pueden compactar la información, permitiendo que los disquetes almacenan más información (Por suerte, si ha almacenado datos en disquetes de baja densidad, las unidades de alta densidad aun pueden leerlos).

Si está atascado con uno de esos enormes cuadros negros y suaves, estos no calzan en las unidades de hoy en día. Pregunte por tiendas locales de transferencia de datos. Ellos se especializan en mover datos de diferentes tipos de PC y medios de almacenaniemto.

La Tabla 3-2 muestra la capacidad de almacenamiento de las unidades de alta y baja densidad.

Tabla 3-2 Capacidades de las Unidades de Disco

Tamaño de unidad	*Período*	*Almacenamiento*
5¼ pulg., baja densidad	Principios 1980	360K
3½ pulg., baja densidad	Mediados 1980	720K
5¼ pulg., alta densidad	Final 1980	1.2MB
3½ pulg., alta densidad	Actual	1.44MB
3½ pulg, densidad extendida	Principios 1990 (poco común)	2.88MB

Casi todas las PC de hoy usan disquetes de 3½ pulgadas de alta densidad, que almacenan 1.44MB de datos.

No quiero saber de unidades de disco dañadas

Las unidades de disco flexible expiran rápidamente cuando las personas fuman cerca de ellas o cuando utilizan disquetes baratos. ¿Ha notado lo mal que huele su chaqueta después de una noche en el club? Esas mismas partículas de humo cubren las pequeñas cabezas de la unidad, quienes leen la información del disquete. Los disquetes baratos están hechos con materiales baratos, que pueden cubrir las cabezas de la unidad con una sustancia conocida como *gunk*.

Mantenga su PC en el área de no fumado y no se sienta mal invirtiéndo unos cuantos billetes de más en una caja de disquetes de alta densidad. Su unidad de disco se lo agradecerá.

Unidades de disco duro

Los discos duros se encuentran dentro de la PC, donde no se pueden caer por el espacio entre la pared y su escritorio. Los discos duros pueden almacenar miles de disquetes con información, lo que nos hace preocuparnos cuando finalmente se gastan. El disco duro es esa lata grande de información que conforma su unidad C:\>.

El disco duro tiene un amigo dentro de su PC: un *controlador de unidad*. Algunos controladores de unidad están integrados en la tarjeta madre y otros son tarjetas de expansión. Como cualquier otra tarjeta, se conecta a una ranura. La tarjeta toma información del CPU de la computadora y la dirige a través de cables hasta sus unidades.

Los discos duros no solo vienen en diferentes variedades, también son controlados por distintos dispositivos, todos descritos a continuación:

EIDE: La más popular en las PCs nuevas, EIDE significa Electrónica Mejorada Integrada a la Unidad. Los ingenieros encontraron una forma de mejorar el estándar anterior, las unidades IDE, así que pueden trabajar con tamaños mayores a los 540MB (Son además un poco más rápidas leyendo y escribiendo información). Estas unidades aun funcionan en computadoras viejas cuando se conectan con las tarjetas controladoras IDE, pero no tan rápido. Los ingenieros han mejorados las EIDE cuatro veces, lo que significa cuatro estándares diferentes. Las unidades de hoy almacenan 40 gigabytes o más.

IDE: El tipo de unidad más popular a principio de los 90, estas unidades son llamadas Electrónicas Integradas a la Unidad porque tienen muchas de las partes electrónicas que solían estar en la tarjeta controladora. De hecho, muchas unidades IDE no necesitan controlador: Pueden unirse a un conector especial incorporado en las tarjetas madre más recientes.

Si su tarjeta madre no tiene una ranura especial, aun puede utilizar una unidad IDE comprando una tarjeta controladora IDE. Son más baratas que las controladoras normales. Desafortunadamente, la tarjeta controladora IDE no es muy compatible con los discos duros del pasado.

MFM y RLL: Estos antiguos discos duros, conocidos como Modulación de Frecuencia Modificada y Almacenamiento de Ejecución-Longitud Limitada, son probablemente los que se remplazarán por las nuevas y sensuales unidades IDE.

¿El problema? Bueno, no puede mezclar las unidades IDE con estas viejas unidades: Las dos unidades no se llevan bien, ya que cada una prefiere diferentes tipos de controladores.

Entonces, puede utilizar todas las unidades IDE o todas las unidades MFM/RLL. Solo que no las debe mezclar. Como siempre, la nueva tecnología (EIDE) es la mejor opción, si su presupuesto lo permite.

ST-506, ST-412 y ESDI: Estas viejas unidades y controladores son las que se remplazán por las nuevas unidades IDE o SCSI. ¿Por qué mencionarlas? Para que sepa que las tiendas ya no venden estos tipos de unidades. Escoja las unidades EIDE o SCSI en su lugar y asegúrese de incluir también un nuevo controlador (Puede encontrar mucha más información en el capítulo 13).

SCSI: Pronunciado "scuzzy", SCSI significa Interfaz Pequeña para Sistemas de Cómputo. Las unidades SCSI, como las MFM y RLL, utilizan una tarjeta controladora. Son caras, así que la EIDE es el estándar predilecto. Pero algunas personas prefieren la unidad SCSI porque puede encadenar cosas juntas.

Por ejemplo, después de instalar una tarjeta SCSI, puede conectar el cable a su disco duro SCSI. Desde ahí, pueden conectar el cable a la unidad CD-ROM, desde donde puede conectar el cable a una unidad de respaldo en cinta o a otro de los juguetes SCSI, siempre y cuando todas las partes se entiendan bien. Encadenando todas las partes, puede controlarlas con solo una tarjeta, la cual requiere solo una ranura — recursos con frecuencia escasos en las PCs.

Otras formas de almacenar datos

Las siguientes secciones describen métodos de almacenamiento de datos, diferentes a la ruta tradicional del disco duro, pero en su mayoría por una buena razón.

Unidades de disco compacto

Las unidades CD-ROM son divertidas porque los discos compactos son muy versátiles: Almacenan mucha información, le permiten escuchar música, ver películas, leer enciclopedias o ver CDs de multimedia especiales, que combinan sonido e imágenes para crear multidiversión.

- Muchas de las unidades CD-ROM solo pueden reproducir cosas — no grabar cosas. No puede almacenar su propia información en ellas; los discos duros ya vienen con la información grabada.
- Aunque la capacidad para almacenar información en discos compactos está cambiando rápidamente. Las unidades conocidas como CD-RW almacenan hasta 640MB de información en un disco duro que cuesta $2. Algunas unidades un poco más caras, conocidas como unidades CD-RW (lectura-escritura), pueden escribir información en un CD de $20, borrarla y grabar más información — permitiendo a las unidades CD-ROM superar su última limitación.
- Las unidades de CD, como los módems, pueden ser montadas dentro de su PC, como una unidad de disco flexible, o fuera de su PC y dentro de su propia cubierta. Si su computadora no tiene espacio para una unidad CD

interna, la unidad externa funciona igual de bien (Necesita un enchufe para conectar su cable de poder a la pared, a diferencia de la unidad interna).

- Muchas unidades de CD vienen con enchufes para parlantes en la parte de atrás. Aunque no puede conectar los parlantes nada más; el sonido necesita un amplificador para que usted logre escucharlo. Para combatir esta estupidez, muchas personas conectan sus reproductores a tarjetas de sonido; otras lo conectan al equipo de sonido de sus casas. Algunas personas se olvidan de los parlantes y usan audífonos, los cuales no necesitan amplificadores.
- Algunas unidades de CD-ROM necesitan un controlador SCSI y otras utilizan controladores EIDE o IDE. Algunas unidades vienen con la tarjeta y algunas veces tiene que pagar la tarjeta por separado. Debe revisar la caja para saber con seguridad lo que encontrará dentro. Si tiene suerte, podrá simplemente conectarla al cable existente que va a su disco duro.
- Muchas tarjetas de sonido vienen con un controlador de unidad incorporado. Asegúrese de que el puerto sea compatible con la unidad (Unas cuantas tarjetas de sonido no son 100% compatibles con todas las unidades).
- Las unidades de CD-ROM pueden mover datos más rápido que las unidades de disco flexible, pero más lento que las unidades de disco duro. Cuando vaya de compras, busque algo llamado tiempo de acceso. Una unidad clasificada como 24X es más rápida que una clasificada como 12X.

Unidades de DVD

Si, estas unidades le permiten ver películas en su computadora — si quiere. Algunas personas verán imágenes mucho más grandes en sus televisores.

Los DVDs (Disco Digital Versátil o Disco de Vídeo Digital) son de diferentes capacidades, el de 4.7GB es el más popular. Eso es suficiente para una película de movimiento completo. Ya que pueden leer CDs normales, se están transformando rápidamente en equipo estándar en las computadoras nuevas.

La tecnología DVD está iniciando una segunda nueva generación de unidades (DVD-2), que no solo almacenan 17GB, sino que también son capaces de leer discos CD-R y CD-RW.

¿La próxima característica? Las unidades DVD que pueden escribir en los mismos DVDs están en proceso, lo que le permitirá hacer un respaldo de todo su disco duro en un solo DVD.

Discos duros removibles

Los discos duros removibles no caben dentro de su PC. En cambio, vienen dentro de una caja. Los cables de la caja se conectan al puerto paralelo de su computadora (el mismo lugar donde se conecta el cable de su impresora). Después de instalar el software del controlador (Capítulo 18), verá su nueva unidad de disco duro en la pantalla. Funciona como un disco duro normal, pero puede transportarlo de computadora a computadora, lo que lo hace genial para las copias de respaldo.

No olvide revisar el Capítulo13, donde encontrará información sobre las unidades Zip (Figura 3-30), una forma popular de respaldar sus datos.

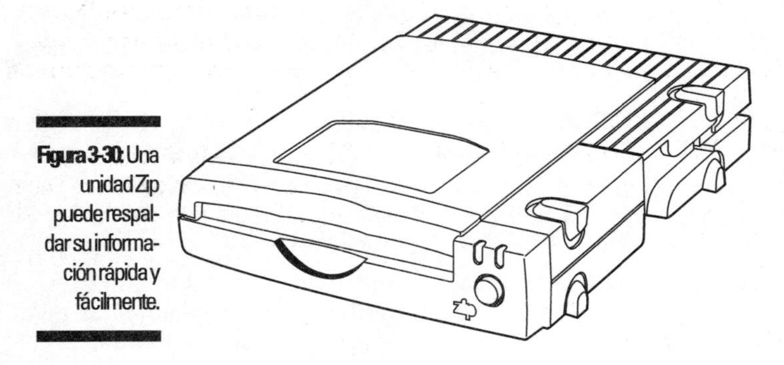

Figura 3-30: Una unidad Zip puede respaldar su información rápida y fácilmente.

Palabras técnicas en la caja de una unidad de CD

Los fabricantes de discos compactos empezaron a grabar información en ellos de maneras diferentes e incompatibles. En lugar de llegar a un acuerdo, solo crearon reproductores de discos compactos que soportaban todos los estándares diferentes. He quí un resumen de las extrañas palabras que podría ver:

MPC: Las unidades con estas letras pueden manejar discos multimedia con imágenes y sonido. Casi todas las unidades de CD pueden manejarlos.

ISO-9660/High Sierra: Casi todos los CDs se apegan a este estándar, lo que asegura que ellos almacenan información en formas que las computadoras con DOS pueden reconocer.

Kodak Photo CD: Cuando lleva a revelar sus fotografías, algunas tiendas pueden copiar las fotos en CDs. Las unidades Kodak Photo CD compatibles pueden desplegar estas fotos en su pantalla. Busque una unidad de sesiones múltiples , la cual le permite salvar las fotos en el mismo disco; las unidades de sesiones sencillas requiren un disco para cada rollo de película.

CD-R: Las unidades CD-RW le permiten escribir en estos discos hasta llenar sus 640MB de capacidad. También puede borrar la información de los discos, pero eso simplemente borra los datos, no gana ese espacio.

Discos CD-RW ReEscritura: Geniales para respaldar información importante, estos pueden leer, escribir y borrar datos en el mismo CD, dándoles los beneficios de un disquete gigante. Después de borrar la información, usted gana ese espacio,permitiendo que los discos sean utilizados una y otra vez.

La tecnología de discos compactos cambia tan rápido que probablemente deba leer las revistas de novedades de cómputo para mentenerse al tanto de los últimos formatos y detalles.

Unidades de respaldo en cinta

Allá por los años 70, los usuarios de computadoras grababan sus archivos en grabadoras de cintas normales, utilizando un casete normal — un proceso que consumía mucho tiempo. Hoy, las unidades de respaldo en cinta pueden almacenar muchos archivos. Algunas unidades de respaldo en cinta internas están incoporadas en el frente de su computadora, igual que las unidades de disco flexible; las unidades externas vienen en una caja aparte que se coloca junto a su PC. Las unidades de respaldo han existido por más de 20 años, así que hay dos décadas de estándares en el mercado. Las unidades de respaldo en cinta actuales son AIT, DLT, DAT, SLR y Travan.

Cuando vaya de compras, busque una unidad de cinta que pueda almacenar tanta información como tenga en su disco duro. Luego compre varios cartuchos de cintas que soporten el formato particular de su unidad.

La Fuente de Poder

Las PCs serían muy silenciosas a no ser por la fuente de poder. Las fuentes de poder succionan los 110 voltios de salida norteamericana estándar y convierten esos 110 voltios en los 5 o 12 voltios que requieren las computadoras. Esta simple tarea recalienta las fuentes de poder, así que se enfrían mediante un pequeño pero ruidoso abanico.

El abanico también succiona el aire caliente de la cubierta de su PC y lo sopla fuera por el agujero de atrás. De hecho, si mantiene su PC muy cerca de la pared y no la mueve por varios años, el abanico dejará una marca de polvo redonda y negra en esta.

Existen abanicos adicionales para agregar. Estos pueden ser la salvación si su computadora se está desmoronando a causa de la formación de calor, que puede suceder si su tarjeta madre utiliza un chip a nivel Pentium.

Por alguna razón, las fuentes de poder parecen expirar con más frecuencia que cualquier otra parte de una computadora. Por suerte, son una de las partes más fáciles de remplazar. Varían en tamaño, pero una fuente de poder típica y sus cables se muestran en la Figura 3-31.

Las fuentes de poder varían en tamaño. Mejor es retirar su fuente de poder vieja y llevarla a la tienda, de manera que pueda comprar una igual o similar en tamaño.

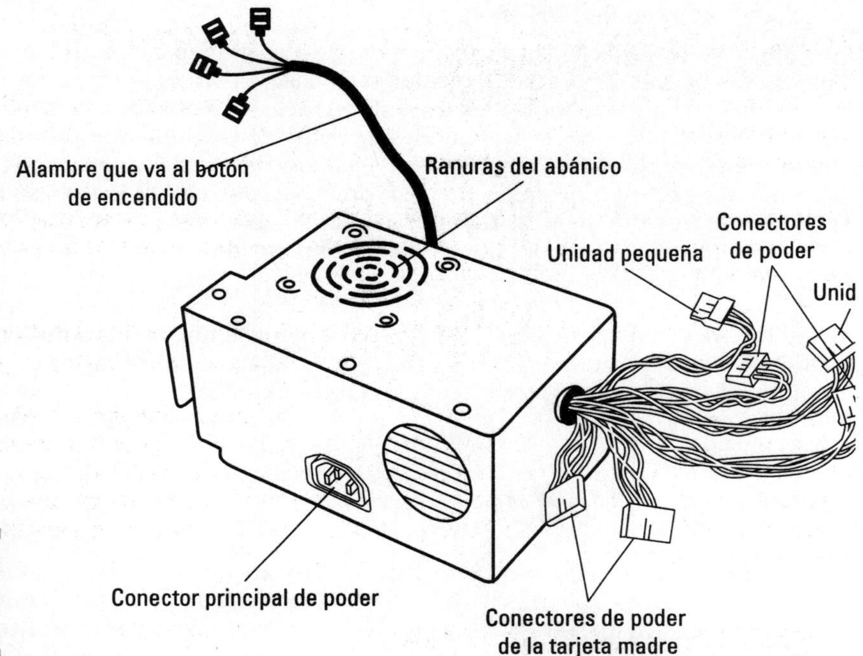

Figura 3-31: Una fuente de poder.

Jamás abra la fuente de poder ni trate de repararla. Hacerlo podría causarle serias lesiones, aun si su computadora esta apagada y desconectada.

- Después de encontrar la fuente de poder del tamaño adecuado, revise su voltaje. Las computadoras XT viejas pueden utilizar el modelo de 130 vatios. Si usted tiene una 386, 486 o Pentium vieja, compre un modelo de 200 vatios o más. Aun 250 no es mucho para una PC relativamente nueva, con muchos juguetes internos, módems internos, unidades de respaldo en cinta, reproductores de discos compactos, unidades DVD y otros.
- Si vive en un área donde la electricidad fluctúa demasiado, considere comprar un supresor de voltaje. Básicamente, se conecta al enchufe de pared y condiciona el voltaje antes de que este ingrese a la PC. Muchos protectores de picos vienen con supresores de voltaje incorporados. Sin embargo, los protectores de picos se gastan, así que para protección extra, remplácelos cada 6 meses. Pero algunos protectores de picos de mayor precio tienen una luz indicadora que le permite saber cuando el supresor de voltaje haya expirado.
- Un Sistema de Alimentación Ininterrumpida (UPS) va un paso más allá. Si la electricidad se va de repente, este hace su aparición, manteniendo su PC encendida y corriendo. Muchas UPS duran unos 5 o 10 minutos tiempo suficiente para salvar su trabajo y apagar su computadora, tomar un refresco y sentirse bien de haber comprado una de estas mientras espera que regrese la luz. ¿Los contras? Una UPS es mucho más cara que un supresor de voltaje.

"¿Cómo Saber Cuales Partes Tengo?"

No siempre es fácil saber cuáles son las partes dentro de su PC. Las computadoras en realidad se ven iguales. Es mejor que revise los manuales. Usualmente ofrecen pistas de las partes que alberga la cubierta de su PC.

Algunas veces la factura puede ser de gran ayuda. Los vendedores, ocasionalmente, entregan los manuales equivocados, pero a veces hacen las facturas un poco mejor, incluyendo las partes correctas.

Si compró su computadora en una venta de garaje o si es una de las sobras de la oficina, tal vez tenga que hacer una investigación.

Los usuarios de Windows 95 y Windows 98 pueden saber fácilmente cuáles son las partes que viven dentro de sus computadoras. Presione el botón derecho en el icono de Mi Computadora y escoja Propiedades del menú que aparece. Windows enlista el CPU de la computadora y la cantidad de RAM en una página. Presione la lengüeta del Administrador de Dispositivos y Windows abre las puertas cerradas, como se muestra en la Figura 3-32.

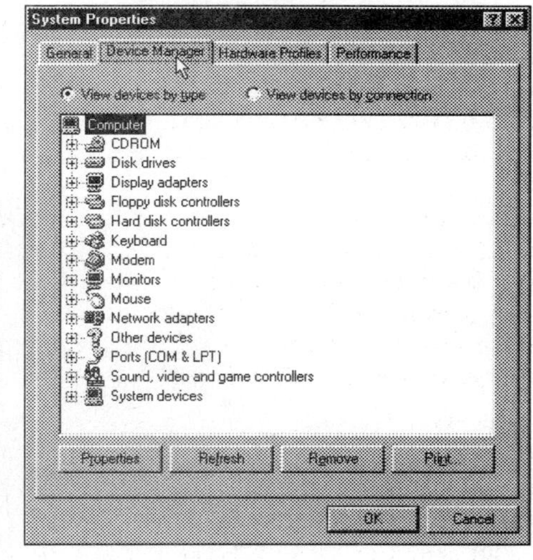

Figura 3-32: La lengüeta del Administrador de Dispositivos puede identificar las partes dentro de su PC.

El Capítulo 17 explica más acerca de la forma en que Windows identifica sus partes y le permite jugar con las cosas amontonadas dentro de su PC (***Pista:*** Siga estos pasos. Presione el botón de Inicio y siga a través de estos menúes: Programas, Accesorios y Herremientas del Sistema. Finalmente, abra el programa Información del Sistema).

¿Aun utiliza DOS? Entonces digite la siguiente línea en cualquier indicador y presione Enter:

```
C:\> MSD
```

¿Aun está confundido? Retire la cubierta de la PC (un proceso ocasionalmente laborioso, descrito en la Referencia Rápida al inicio de este libro) y empiece a buscar las partes descritas e ilustradas en este capítulo. Encontrará el nombre del producto y un número en las partes más importantes.

Las computadoras generalmente hablan de sus CPUs cuando son encendidas por primera vez. Observe cuidadosamente cuando empiecen a aparecer las palabras en la pantalla. Su PC usualmente despliega el nombre de su tarjeta de vídeo primero y luego el BIOS, por lo general contiene el número de CPU.

Algunas computadoras vienen con un disco de diagnóstico. Si aun no ha perdido el suyo, colóquelo en la unidad de disco flexible y corra el programa. El disco de diagnóstico usualmente puede identificar las cosas ocultas dentro de la cubierta de su computadora.

Capítulo 4

Descubrir lo que Está Roto

En este capítulo

- Descubrir lo que anda mal con su computadora
- Encontrar cualquier cambio reciente
- Ubicar pistas cuando su PC es encendida por primera vez
- Escuchar las señales de advertencia
- Utilizar programas de diagnóstico
- Comprar repuestos
- Depurar su computadora a través de la Internet
- Llamar a soporte técnico

Cuando las PC no le hacen una audición para el papel de usuario angustiado, están haciendo que usted asuma el papel de detective en "El Caso de la Pieza Rota". Su computadora ha expirado: ¿No lo sabía?

En el taller de reparación, los "tecnodetectives" utilizan sondas de cables rizados, los cuales emiten sonidos acusatorios cuando descubren la parte culpable. Usted, en cambio, solo tiene un destornillador barato.

Si ya sabe lo que su computadora necesita — un disco duro más grande, por ejemplo, o una CPU más rápida — vaya a ese capítulo en particular. No necesita detenerse aquí.

Pero si no tienen ni idea de quién es el culpable, este capítulo le ayuda a descubrir cuales partes de su computadora están dañadas. Después de señalar al culpable, vaya al capítulo que describe la parte rota con más detalle.

Finalmente, si tiene problemas con el software de Windows 95 o Windows 98 — o si no está seguro de cuál es el problema — vaya al Capítulo 17, el cual está dedicado a encontrar y reparar errores de Microsoft.

¡Ya No Funciona!

Las PCs no expiran muy frecuentemente. A diferencia de un carro, una PC no tienen muchas partes móviles, dejando solo pocas cosas que se pueden desgastar. Cuando las computadoras empiezan a dar problemas, usualmente es solo una pequeña pieza la que se ha dañado, arruinando el resto de la experiencia (algo así como encontrar una goma de mascar adherida a la parte de abajo de la mesa de un restaurante elegante).

La parte más difícil no es corregir el problema. Es encontrarlo. ¿Está fallando el software? ¿Su unidad de disco? ¿Ambas? ¿O alguna parte misteriosa y complicada de la que nunca escuchó hablar antes?

Antes de desenfundar su destornillador, intente los trucos de las siguientes secciones.

Asegúrese de que la PC esté conectada y encendida

Esto suena tan obvio que muchas personas lo dejan pasar. Sin embargo, una aspiradora o el pie de alguien, inadvertidamente pueden desconectar el cable de poder del enchufe. Solo para estar seguro, revise una última vez.

Asegúrese de que los cables estén bien conectados

Asegúrese de que los cables de poder de la PC se encuentren bien colocados y conectados en la parte de atrás de su PC y en el enchufe de pared. Mientras se encuentre a gatas debajo del escritorio, también asegúrese de que el cable de poder del monitor esté correctamente conectado. Finalmente, revise el segundo cable del monitor — el que va a la parte de atrás de su PC. Algunos cables de monitores pueden aflojarse en ambos extremos — de la parte de atrás de monitor, así como de la parte de atrás de la PC.

Apague la computadora, espere 30 segundos y enciéndala de nuevo

Esto suena extraño, pero sí funciona, ¿a quién le importa? Apagar la computadora y esperar 30 segundos antes de volver a encenderla ha solucionado muchos de los problemas de mi PC — aunque siempre elimina alguna información que se encuentre en la pantalla en ese momento. Este truco incluso a reparado mi impresora un par de veces. Pero eso sí, asegúrese de esperar 30 segundos antes de encender la computadora de nuevo.

Prender y apagar la computadora rápidamente puede enviar choques eléctricos fatales a sus partes internas sensitivas.

¿Dice su computadora algo como esto?

```
Non-System disk or disk error
Replace and press any key when ready
```

Este mensaje usualmente significa que usted ha encendido la computadora con un disquete en la unidad A. Retire el disquete, presione su barra espaciadora (o cualquier otra tecla) y deseé que todos sus problemas fueran tan fáciles de corregir.

Si ninguno de estos trucos funciona, continúe con la siguiente sección .

Reducir el Problema

Los tecnosabios crean una tormenta en un vaso de agua, pero son solo habladurías. No existe una forma fácil de descubrir porqué su computadora se ha descompuesto. No ayuda mucho andar con la computadora en círculos. Tal vez el software no encuentre una pieza esencial. O tal vez algún diminuto chip se cansó de jugar a la mucama.

La única forma de encontrar la cura es reduciendo el problema. ¿La computadora actúa extraño solo cuando cierto programa está corriendo? ¿o cuando intenta imprimir la octava página? ¿Escucha un sonido peculiar dentro de la cubierta?

Cuando se vea frente a un problema realmente difícil, hágase a sí mismo las siguientes preguntas o sugerencias:

¿Ha agregado software nuevo últimamente?

Algunas veces, el software recién instalado no solo no funciona bien, sino que también evita que todo lo demás trabaje correctamente. Aquí no hay soluciones fáciles.

Trate abriendo el Panel de Control, escoja Agregar/Remover Programas y elimine el programa sospechoso. Si eso no repara el daño, trate reinstalando el software del que tiene dudas. Esta vez, sin embargo, responda algunas de las preguntas de instalación de manera diferente.

¿Descubrió y luego eliminó un archivo o programa extraño que no hacía nada?

Algunos de los archivos más importantes en su PC tienen los nombres más extraños y con sonidos más insignificantes. Desafortunadamente, no hay forma de diferenciar los archivos realmente importantes de la archivos con basura técnica.

Si alguna urgencia de aventuras le lleva a eliminar un archivo inútil y ahora su software no funciona, usted tiene dos opciones:

Opción 1: Rogar a un gurú de la computación que descubra lo que usted ha hecho.

Opción 2: Reinstalar el software que no está funcionando bien.

¿Está utilizando Windows? ¡Yupi! Tiene suerte de contar con una opción más. Probablemente pueda recuperar ese archivo eliminado que pensó que no era útil. Verá, Windows se aferra a los archivos por un tiempo después de que usted los ha eliminado del disco duro (Los archivos de disquetes o redes no corren con la misma suerte). He aquí como hacer que Windows 95 o Windows 98 devuelvan el archivo eliminado:

1. **Abra la Papelera de Reciclaje.**

   Presionar el botón del mouse una o dos veces en la Papelera de Reciclaje de su escritorio abre la ventana del programa; dentro de esta verá una lista de los archivos eliminados recientemente.

2. **Escoja Organizar Iconos desde el menú Ver Papelera de Reciclaje y luego escoja por Fecha de Eliminación.**

   Entonces la Papelera de Reciclaje ordena sus archivos en el orden de eliminación, ubicando el archivo más reciente, ya sea al principio o al final.

3. **Escoja Ver y luego Detalles para ver más información sobre los archivos.**

4. **Presione el botón derecho en el archivo eliminado y escoja Restaurar en la ventana que aparece.**

   La Papelera de reciclaje resucita el archivo y lo coloca en su lugar original, la carpeta desde donde fue eliminado.

Nunca elimine un programa no deseado con solo eliminar sus archivos de su disco duro. Eso usualmente deja remanentes problemáticos del programa. En cambio, utilice el icono Agregar/Remover Programas del Panel de Control para eliminar estos programas. El método del Panel de Control remueve todas las partes del programa — aun las partes invisibles esparcidas en diferentes áreas de su computadora.

Dentro de la Papelera de Reciclaje vive una terrible configuración de derivación, esperando hacer alguna diablura. Si sus archivos eliminados no aparecen en la Papelera de Reciclaje, presione el botón derecho en el icono Papelera de Reciclaje, escoja Propiedades y asegúrese de que no exista una marca en la casilla etiquetada No mover archivos a la Papelera de Reciclaje.

¿Ha movido algún archivo o directorio? ¿Cambió algunos nombres?

Cuando un programa se instala solo, usualmente le indica a la computadora en que parte de su disco duro está ubicado. Si usted mueve ese programa de una carpeta Windows a otra (o de una carpeta Pez a una nueva carpeta Atún dentro de la carpeta Pez), su computadora podría no ser capaz de encontrarlo.

Los programas Windows son famosos por esta situación, llevándole a grandes problemas si usted mueve archivos de un lugar a otro, cambia la ubicación de una carpeta o simplemente cambia algunos nombres. ¿La solución? Trate de recordar cuáles archivos o carpetas ha movido y devuélvalos a su lugar. También cambie los nombres de archivos a su nombre original. Si aun así el programa no funciona, será mejor que corra el software para remover programas y reinstale este programa de nuevo.

Es de mala suerte eliminar archivos no identificados, porque usualmente resultan ser importantes. No elimine un archivo a menos que tenga una razón poderosa para hacerlo. Si tiene dudas, contacte a un experto en la materia. Estas personas generalmente pueden eliminar los archivos correctos — o reparar el daño si sucediera algo terrible.

¿A cambiado su PC de lugar en su escritorio?

¿Movió su computadora lejos de la pared unas cuantas pulgadas para conectar un joystick? ¿Movió el misceláneo el escritorio para limpiar detrás de este? ¿Encontró su gato otro lugar tibio? Los cables frecuentemente se desconectan o se aflojan cuando la computadora ha sido movida, aunque sea unas cuantas pulgadas aquí y allá.

Si un monitor de base giratoria se mueve demasiado en una dirección, los cables del monitor podrían desconectarse. Deje los cables un poco flojos para que no sean halados con demasiada fuerza. Con frecuencia los cables flojos no dan señales visibles. Cuando tenga duda, presiónelos un poco en el enchufe.

Muchos cables que se conectan en la cubierta de su computadora tienen pequeñas perillas. Gire las perillas hasta que estén bien atornilladas a la computadora. Así permanecerán más tiempo en su lugar.

Trate con una parte diferente

Aquí es donde los talleres de reparación llevan la delantera. Si usted cree que el disco duro está fallando, lo único que puede hacer es desesperarse. En el taller, los expertos sacarían el disco duro y lo instalarían en otra computadora para ver si funciona.

Si funciona en la otra computadora, su disco dura está bien. Algo más ahí adentro es el causante de que la computadora esté fallando. O, si el disco duro no funciona, los expertos le venderán uno nuevo.

Aun si no tienen una computadora de prueba, puede utilizar algunos de estos trucos . Si su unidad de disco flexible está fallando, trate utilizando un disquete diferente (Tal vez el disquete está dañado). ¿La computadora no está recibiendo energía? Trate con otro enchufe de pared.

Combinando partes usted podrá continuar reduciendo los problemas de su PC.

Busque el Administrador de Dispositivos de la PC

Windows usualmente le indica con exactitud cuál pieza de hardware está causando los problemas — si sabe dónde buscar. En este caso, presione el botón derecho en el icono Mi Computadora y escoja Propiedades en el menú que aparece. Cuando vea la ventana de Propiedades del Sistema, presione la lengüeta del Administrador de Dispositivos.

Windows gentilmente despliega todo el hardware que encuentra en su máquina. Y lo que es mejor, le indica cuales piezas están funcionando bien, están deshabilitadas o no están funcionando. Para encontrar pistas, vaya al Capítulo 17 que trata sobre encontrar conflictos entre dispositivos en Windows 98. Ese capítulo contiene otros métodos para hacer que Windows muestre sus propios problemas (y que los corrija, si tiene suerte).

Observe la pantalla cuando su PC arranca

Cada vez que enciende su PC, esta se queda quieta por un rato, despliega algunas palabras y números en la pantalla y luego emite uno o dos beeps, antes de permitirle iniciar sus labores.

Esos no son bostezos o estiramientos. Su computadora esta utilizando el tiempo para examinarse a sí misma y está investigando si todo funciona correctamente.

Estas series de revisiones matutinas son llamadas Autoprueba de encendido (siglas en inglés POST). Observando y escuchando a su computadora durante su POST, con frecuencia se pueden encontrar pistas de lo que la está molestando.

- Cuando encuentra una cucaracha en sus pantuflas, usted grita. Cuando su computadora encuentra algo que no le gusta, emite beeps. Esto puede parecer algo sacado de un comercial de Captain Crunch, pero es la verdad. Escuche el número de beeps cuando encienda la computadora y sabrá si su computadora está feliz o triste (escuchará más de esta rareza musical en la próxima sección).
- Algunas veces su PC despliega un código misterioso en su pantalla cuando es encendida por primera vez. En pocas ocasiones dice algo útil, como el mouse se desconectó. En cambio, dice algo como Error Code 1105, lo que le obliga a ir al Capítulo 23 para descubrir de lo que su computadora se queja esta vez. Algunas de las computadoras más nuevas mencionan fabricantes de partes defectuosas, así que eso es un inicio.

- La mayoría de los errores POST suceden después de que se ha instalado una tarjeta, algo que a la computadora no le gusta (si las palabras tarjeta lo confunden, visite al Capítulo 3 para refrescar su memoria).
- Cuando la batería expira, su exhausta computadora no podrá encontrar su disco duro. El mensaje POST podría decir ERROR Code 161. Usualmente eso se repara fácilmente. En el Capítulo 10 encontrará la explicación.
- El POST se asegura de que su teclado esté conectado — esa es la razón por la cual las luces de su teclado parpadean cuando enciende la computadora por primera vez. Las luces de sus unidades de disco también parpadean conforme su computadora revisa si en realidad están ahí.
- La parte más visible del POST viene con la revisión de la memoria. Su PC primero cuenta toda su memoria y luego revisa para asegurarse de que toda la memoria funcione. Si tiene mucha memoria, probablemente golpeará sus dedos en el escritorio conforme su computadora la despliega toda en la pantalla por usted.

¿Cansado de golpear sus dedos mientras su computadora cuenta su memoria? Vaya al capítulo 10 donde encontrará información de como cambiar las configuraciones de su BIOS. Pellizcando las configuraciones del BIOS, frecuentemente puede indicar a su computadora que omita la cuenta de memoria y regrese más rápido a trabajar.

Curas para tarjetas pendencieras

Si recientemente ha cambiado una tarjeta vieja o ha agregado una tarjeta nueva, su POST podría alertarlo de problemas potenciales o, lo que es peor, una reacción en cadena de remplazos. Los problemas de las tarjetas tienen cuatro posibles soluciones:

- Experimente con las configuraciones de la tarjeta nueva, de manera que no interfiera con la tarjeta vieja (Capítulo 18).
- Experimente con las configuraciones de la tarjeta vieja, de manera que no interfiera con la tarjeta nueva.
- Compre una marca diferente de tarjeta.
- Cambie la tarjeta más vieja que está en conflicto con la tarjeta nueva (Desafortunadamente, hacer esto causa la reacción en cadena de la que hablamos en la introducción de este libro).

¡Escucha los beeps, Luke!

Ese beep que usted escuchó cuando encendió la computadora es un beep feliz. Significa que su computadora ha encontrado todas sus partes, les propinó un empujoncito y decidió que todas ellas están trabajando como debían.

Si escucha más de un beep, su computadora está tratando de darle alguna mala noticia. Verá, los diseñadores de PC decidieron que si las computadoras eran tan listas, deberían indicar a los usuarios cuando las cosas andan mal. Pero como las computadoras hablan un lenguaje de números extraño, el sistema de beeps es lo mejor que pueden hacer.

Contando el número de beeps y buscándolos en el Capítulo 24, usted puede descubrir lo que su computadora trata de decir. He aquí un resumen:

- Los mensajes POST y los beeps suenan como algo serio y parecen confusos. Pero no siempre es algo tan malo. Algunas veces, un simple cable suelto puede hacer que su PC emita beeps y se ponga llorona.
- Los beeps vienen del parlante incorporado de su PC, no de una tarjeta de sonido. Eso significa que todos los beeps de su PC suenan casi iguales, no importa cuánto dinero haya costado su tarjeta de sonido. Hasta las laptop emiten beeps.
- Combinando las pistas de los beeps de su PC con cualquier mensaje de error que los acompañe, usted podrá saber a cuál capítulo recurrir para más información.
- Algunas computadoras, especialmente algunas Compaq, emiten dos beeps, no uno, cuando están felices. Eso es demasiado para los estándares.

Llamar al Doctor Software

En los viejos tiempos, las personas compraban software para PC de funcionamiento normal. Luego, algún programador astuto hizo millones diseñando un software para computadoras que no funcionaban. Hoy en día, algunos de los software más populares solo le ayudan a descubrir porqué su PC de repente ha detenido sus labores.

Windows viene con un programa de depuración de errores incorporado; esa infantería tan capaz se describe en el Capítulo 17, aunque encontrará algunas sugerencias en la próxima sección.

Muchas de las PC nuevas vienen con un disco que dice diagnóstico o DIAG en algún lado de su etiqueta. Si tienen suerte, ese disco contienen un programa útil diseñado para ayudarle a descubrir lo que sucede con su PC.

Si puede encontrar el disco de diagnóstico de su PC, insértelo en la unidad A y presione el botón de reinicio de su computadora. El programa de diagnóstico tratará de tomar el control, examinando su sistema y ofreciendo pistas de lo que está molestando a la bestia. Si no encuentra ningún disco, como este, trate lo siguiente:

- Microsoft incluyó en Windows 3.1 y MS-DOS 6 un programa de diagnóstico muy útil. Digite MSD en C:\> y el programa entra en acción, indicándole las partes que están adheridas a su PC. Por ejemplo, el programa le permite saber si su computadora está consciente de que usted acaba de agregar un nuevo mouse. Aun mejor, el programa es gratis (Vaya al Capítulo 17 para ver lo que ofrecen las versiones más recientes de Windows).
- Si no viene un disco de diagnóstico con su computadora, vaya a la tienda local, a la sección de software. El programa Norton Utilities, por ejemplo, ofrece información similar al programa MSD Microsoft. Otros programas Norton pueden rescatar los restos de discos duros dañados y otros desastres.
- Algunos programas de Servicios y Diagnóstico es mejor dejarlos para un gurú de la computación. Algunos de estos programas ofrecen información demasiado técnica. Entonces se enredan con especificaciones técnicas complicadas, como composición ósea, tipo de sangre y ADN. Mucha de la información ofrecida por estos programas no tienen mucho sentido. Aun así, los programas podrían ser utilizados en casos desesperados.

Comprar Partes de Repuesto

Después de señalar la parte defectuosa, debe decidir cómo cambiarla. ¿Debe remplazarla con una parte nueva de la misma marca y modelo? O ¿Debería comprar algo un poco mejor? Solo usted puede decidirlo. Pero tenga los siguientes puntos en mente:

- **Evite las partes más baratas.** Están hechas de malos materiales, emsamblados de forma barata. También puede evitar las cosas más caras. Pagará solo por el nombre, la publicidad y el empaque elegante. Elija algo en medio.
- **Compre a distribuidores con políticas de devolución amigables.** Si la parte no funciona, ¿puede devolverla? Si tienen problemas instalando la parte ¿puede alguien indicarle por teléfono cuáles botones presionar?
- **Ordenar partes por correo funciona bien para los expertos, quienes ya saben con exactitud lo que quieren y como instalarlo.** Si ese no es su caso, tal vez sería mejor que compre sus partes en una tienda local amigable.
- **Las partes de buena calidad vienen con un año de garantía, que cubre la parte y su desempeño. Cuidado con las partes que no ofrecen esto.**
- **Algunos lugares cobran 15% de multa por devolución de una parte, ya sea porque no le gustó o porque no funcionó bien en su PC.** Evite estos lugares en la medida de lo posible.
- **Inspeccione las partes más recientes que son actualizables.** Por ejemplo, muchos módems vienen con un enchufe especial dentro. Cuando los módems se hagan más rápidos, usted puede conectar un chip veloz, nuevo y milagroso en el enchufe. ¡Listo! Su módem de seis meses de uso se transforma instantáneamente en una obra maestra. Otros chips de módems pueden ser actualizados a mayores velocidades corriendo algún software; manténgase en contacto por Internet con el fabricante de módems, para ver si ofrece un calendario de actualización.

Depurar su PC en Internet

Cuando su computadora corra de forma extraña o le confunda algún mensaje de error, Internet con frecuencia ofrece sugerencias. Algunas veces hasta contiene instrucciones detalladas para corregir el problema. El problema, desafortunadamente, es encontrar esa pieza de información en particular entre todas las páginas Web dedicadas a salones de conversación y archivos MP3.

Las siguientes secciones muestran cómo extraer la información correcta para sus necesidades específicas.

Visitar al fabricante

Si su módem funciona, visite la página Web del fabricante de su computadora en Internet. Busque el área de Soporte Técnico y digite sus inquietudes. Puede que un tecnosabio o cualquier otra persona le conteste.

Para encontrar la página Web de una compañía, diríjase a algún buscador, como www.yahoo.com. Digite el nombre de la compañía en la casilla de búsqueda y presione buscar. Yahoo busca en Internet y vuelve con una lista de sitios Web referentes a esa compañía o sus productos.

Algunas compañías como Dell, van mucho más allá con sus sitios Web. Cuando usted ingresa el número de serie de su PC (impreso en una etiqueta de su PC), la página Web ofrece una copia de las estadísticas vitales de su computadora, como se muestra en la Figura 4-1. La página le enseña la fecha de compra, partes, garantías, cumplimiento Y2K, partes de repuesto y disponibilidad. Y lo que es mejor, enlista los controladores actualizados que usted puede descargar.

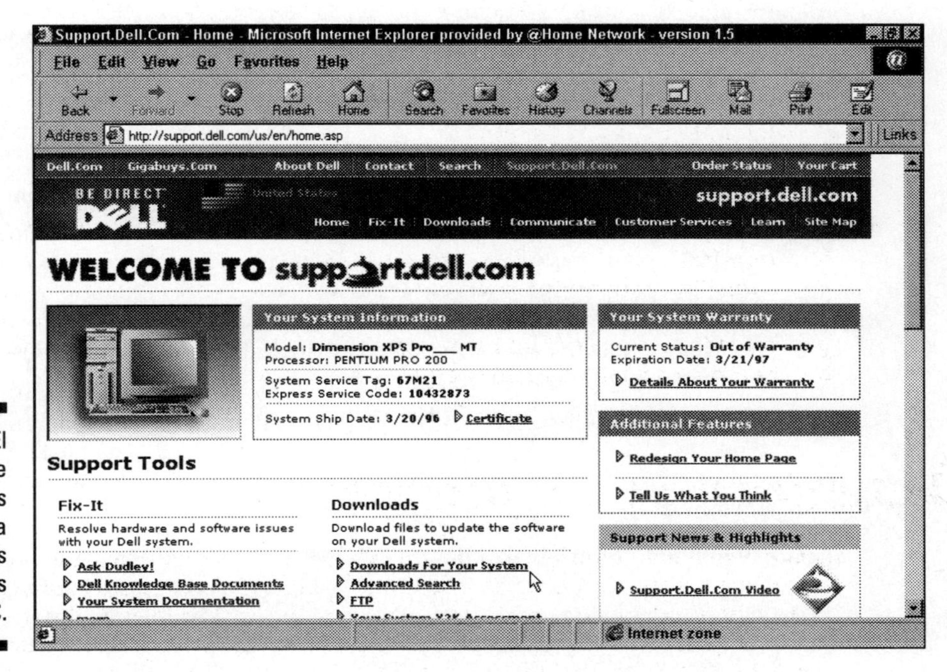

Figura 4-1: El sitio Web de Computadoras Dell muestra estadísticas personalizadas de su PC.

Finalmente, presione la Base de Conocimientos Dell para ver si existe cualquier otra información relacionada al modelo de su computadora.

Cuando busque información importante en Internet sobre el modelo particular de su PC, asegúrese de indicarlo a su navegador. Marque la página con los comandos de Marcación o escoja Agregar a Favoritos, de manera que pueda encontrarla fácilmente cuando la necesite.

Utilizar la Base de Conocimiento Microsoft

Microsoft recopila toda la información que encuentre sobre las fallas de sus programas y las compila en un buscador gigantesco, llamado Base de Conocimiento *Microsoft. Empiece ahí con sus preguntas sobre software*, especialmente si sospecha que un programa Microsoft — o su sistema operativo — tienen algo que ver con el problema.

Ponga la base de Conocimiento a trabajar, vaya a `http://support.microsoft.com/search` y empiece describiendo su problema. Digamos que Windows 95 despliega el mensaje de error: `Error: Invalid VxD` cada vez que enciende su PC. Luego esta deja de trabajar completamente. ¿Qué pasa?

Vaya a la Base de Conocimiento y siga estos pasos:

1. **Escoja Windows 95 en el menú desplegable Mi búsqueda es sobre.**

   Por supuesto puede escojer cualquier producto Microsoft del menú desplegable. En este caso, sin embargo, el problema se relaciona con Windows 95.

2. **Digite** Invalid VxD **en la casilla etiquetada Mi pregunta es.**

   Si su problema es otro, digite las palabras correspondientes.

3. **Mantenga todas las palabras claves utilizando Todos las opciones de Palabras como están, igual que en la Figura 4-2.**

   La Base de Conocimiento ofrece una página de referencia explicando por qué Windows 95 podría desplegar las palabras *Invalid VxD.* Siga hasta abajo en la página y ¡Eureka! Como se muestra en la Figura 4-3, el ítem número 13 parece ser la respuesta.

4. **Presione el elemento que se acerca más a su problema.**

   En este caso, presione el número 13, ya que su encabezado describe su problema con mayor exactitud.

5. **La Base de Conocimiento explica los síntomas del problema Invalid VxD y su causa y explica cómo resolverlo.**

   Como en la Figura 4-4, su problema se relaciona con un tipo incompatible de mouse. Microsoft recomienda contactar al fabricante del mouse para solicitar un controlador actualizado.

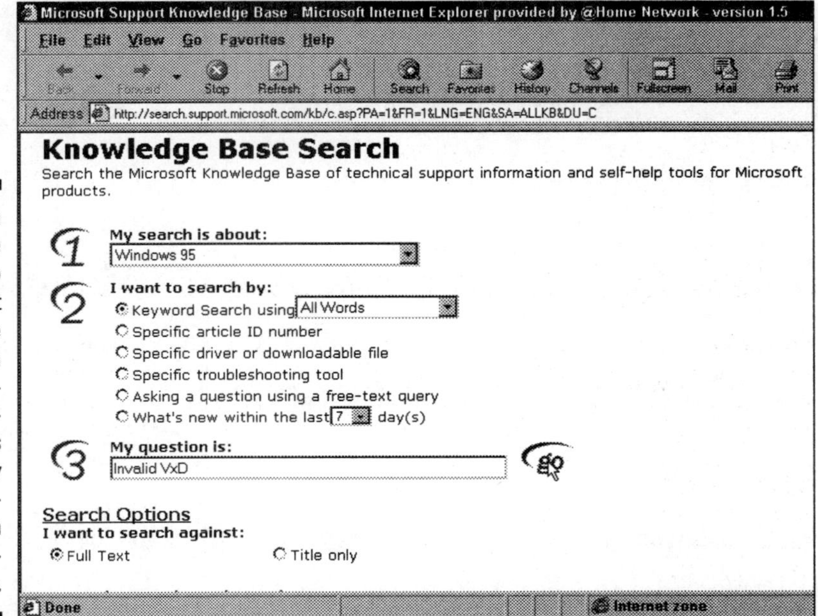

Figura 4-2: La Base de Conocimiento Microsoft ofrece respuestas a sus problemas con programas Microsoft y cómo se relacionan con terceros programas.

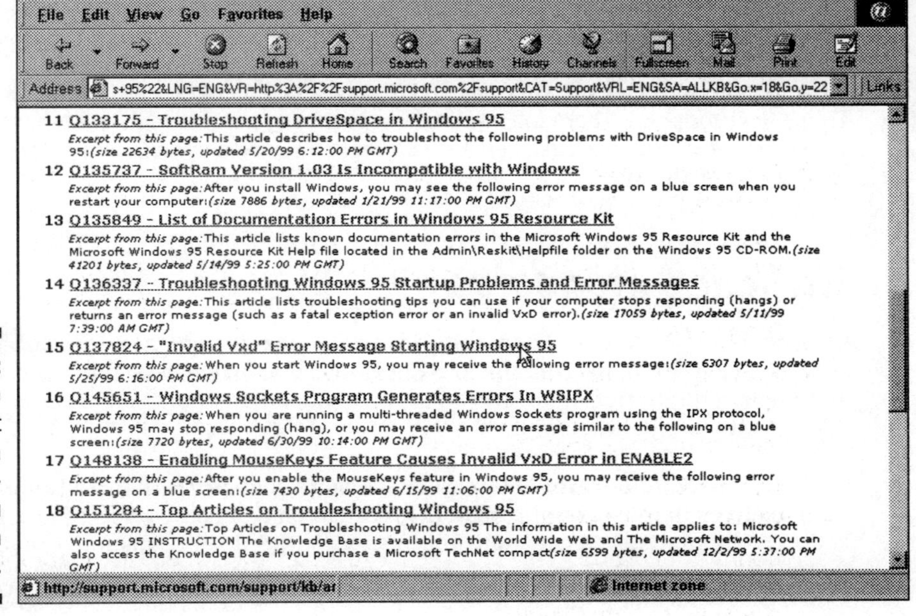

Figura 4-3: La Base de Conocimient o encuentra una referencia a su problema en particular.

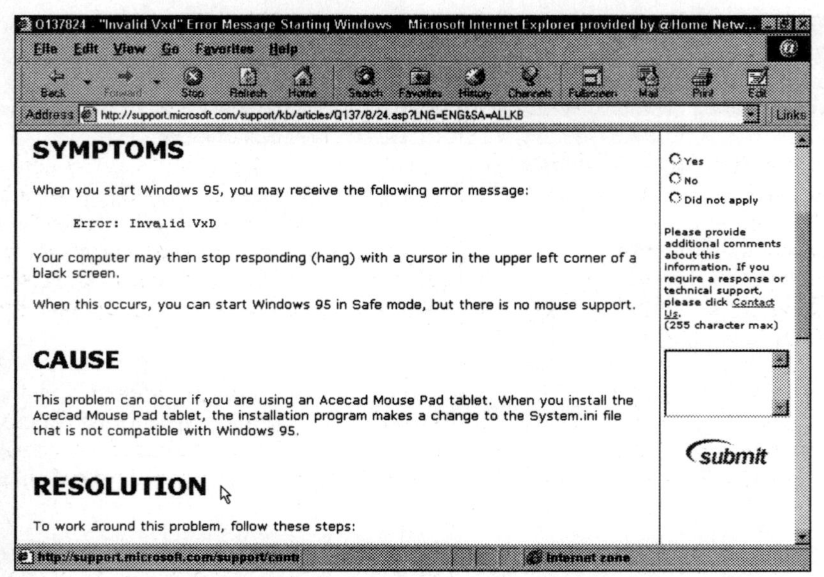

Figura 4-4: La Base de Comocimiento explica el porqué de su problema.

Disponible para todas las personas a través de Internet, esta herramienta Microsoft usualmente provee pistas a su problema con Windows. Variando los términos de su búsqueda, con frecuencia encuentra las respuestas a sus problemas rápidamente.

¿Tiene problemas encontrando una solución en la Base de Conocimiento? No busque un programa específico, como Windows 95. En cambio, escoja la opción Todos los Productos Microsoft, cerca de la parte superior de la lista. La Base de Conocimiento entonces busca en todo su repertorio de soluciones mientras trata de resolver su problema.

Utilizar buscadores

La Base de Conocimiento Microsoft provee algunas respuestas a los problemas con Microsoft, pero no es su único recurso. Muchas páginas Web buscan a través de toda la red Internet — no solo en la recopilación de información de Microsoft. Pero eso toma mucho tiempo.

Para ahorrar tiempo, visite el buscador llamado Dogpile, en `www.dogpile.com`. Dogpile no es un buscador normal. Él investiga en una larga colección de buscadores, preguntando a cada uno sobre su solicitud de información. Conforme Dogpile excava en cada buscador, despliega cualquier opción que pueda solucionar su problema.

¿No sabe si su puerto USB (Bus Universal Serial) funciona correctamente? Ponga a Dogpile a trabajar. Digite las palabras **soporte a Bus Universal Serial** en la casilla de búsqueda, como se muestra en la Figura 4-5 y presione el botón Buscar (No cambie ninguna otra configuración; solo digite su búsqueda y presione Buscar).

Después de unos momentos, Dogpile trae sus primeras páginas Web relacionadas con el tema. En este caso, tiene suerte. Dogpile encontró una referencia a una página Web de Bus Universal Serial al inicio de la lista. Presione en la página Web de Bus Universal Serial enlistada, como se muestra en la Figura 4-6, para encontrar respuestas a su problema. Si no tiene suerte, siga bajando en la página, presionando el próximo juego de botones de buscadores. Dogpile investigará en más de diez buscadores, buscando frenéticamente alguna referencia a su problema.

- Dogpile despliega las primeras diez listas o más de cada buscador en su lista. Si usted detecta alguna posibilidad, vea en la parte inferior de la lista. Presione el botón Próximo Juego, para abandonar Dogpile temporalmente y dirigirse a ese buscador para una investigación más profunda.. Para regresar a Dogpile — y a su búsqueda original — presione la flecha Atrás de su navegador.
- ¿No encontró nada interesante? Trate refraseando su búsqueda. Digite **USB** en lugar de Bus Universal Serial, por ejemplo. Trate utilizando las palabras Depurar o Diagnosticar.
- Dogpile no cobra extra por sus servicios. Lo único que usted debe pagar es su proveedor de Internet; muchas personas pagan una tarifa fija por un tiempo ilimitado de acceso a la Internet.

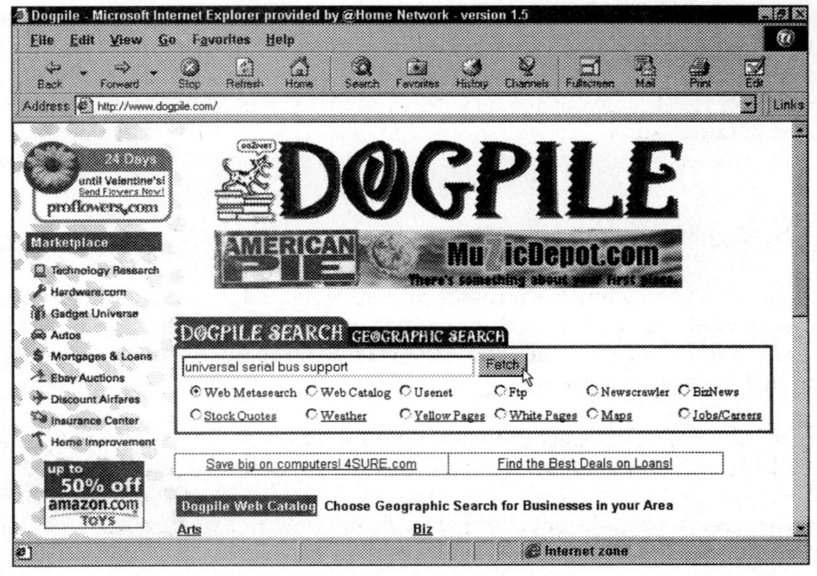

Figura 4-5: Dogpile busca una respuesta a su problema automáticamente ,a través de diferentes buscadores.

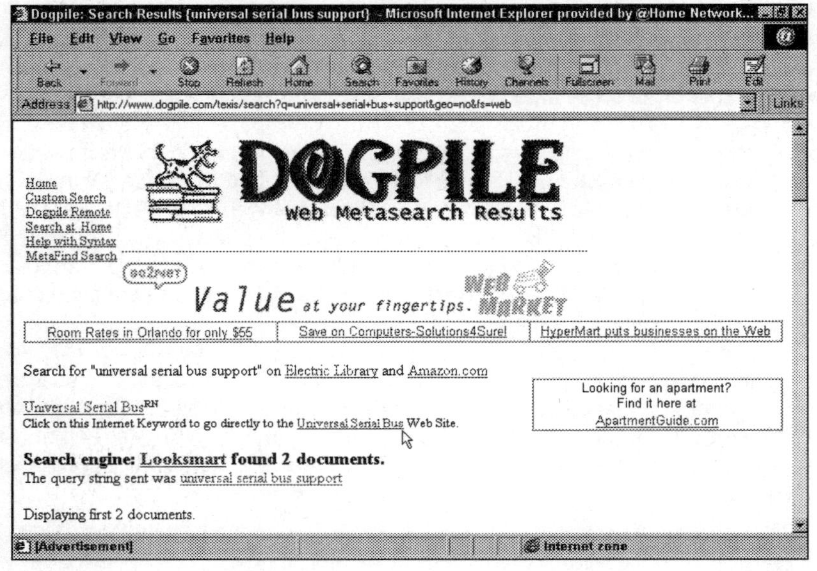

Figura 4-6: Dogpile encontró una página Web dedicada a su problema en particular.

Encontrar ayuda en los grupos de noticias de Internet

Usted no es la única persona con este problema en particular. Con millones de personas utilizando computadoras en todo el mundo, muchas otras personas han topado con su problema. Lo que es mejor, algunas hasta lo han resuelto. ¿Pero cómo las contacta?

Su mejor opción es a través de los grupos de noticias en Internet. Y una de las mejores formas de filtrar más de 20,000 temas de discusión es en un buscador llamado Deja.com. Digamos que usted acaba de instalar un escáner Umax en su computadora Windows 98 y ahora aparece este mensaje de error después del logo de Windows 98: `C:\windows\system\vmm32.vxd: missing/unable to load`. ¿Qué significa?

La página Web de Deja ofrece muchas pistas, como se muestra aquí:

1. **Llame a su explorador Internet y vaya a** www.deja.com/home_ps.shtml.
2. **En la casilla Ingrese Palabras Clave, digite el nombre del archivo del problema:** vmm32.vxd, **como se muestra en la Figura 4-7.**

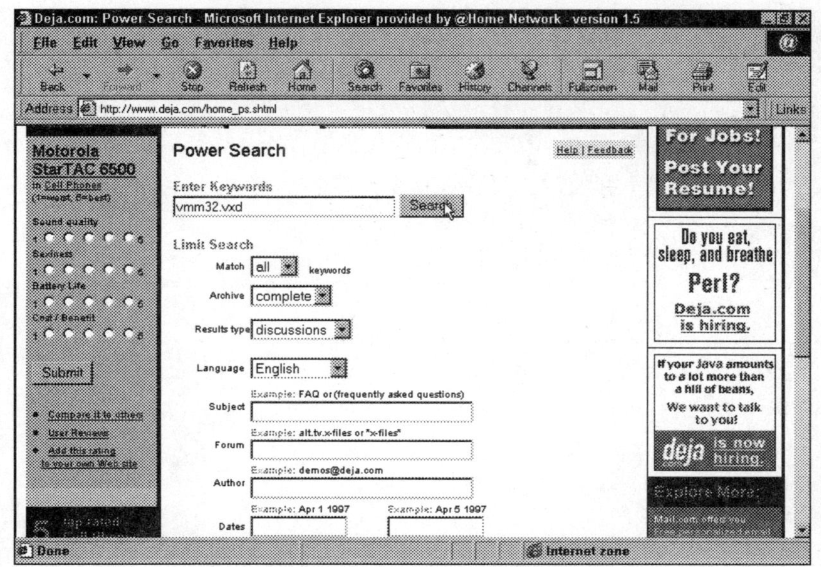

Figura 4-7: Digite el nombre del problema en la casilla Ingrese Palabras Clave.

3. **Antes de iniciar la búsqueda, vaya a la parte inferior de la página y seleccione su idioma natal en la casilla de Idioma.**

   Deja busca en todos los mensajes al rededor del mundo. A menos que usted hable más de 30 idiomas, reduzca la búsqueda a su idioma natal.

4. **Presione el botón Buscar para iniciar la búsqueda a través de todos los mensajes que contienen ese mensaje de error en particular.**

5. **Presione el mensaje que parece aplicable a su problema y lea la respuesta, como se muestra la Figura 4-8.**

   En este caso, alguna alma piadosa ha enlistado el vínculo directo a la Base de Conocimiento Microsoft, descrito antes en este capítulo. Presione el vínculo y la Base de Conocimiento explicará que el controlador actual de su escáner no es compatible con Windows 98 y necesita ser actualizado, dirijiéndose a la página Web del fabricante del mismo.

Deja con frecuencia encuentra miles de mensajes pertinentes a su mensaje de error; haciendo difícil encontrar la respuesta correcta. Para descartar preguntas e ir directamente a las respuestas, presione en los mensajes que inician con la palabra `Re:`. Esos mensajes son respuestas a preguntas anteriores, así que son más aptas para contener soluciones.

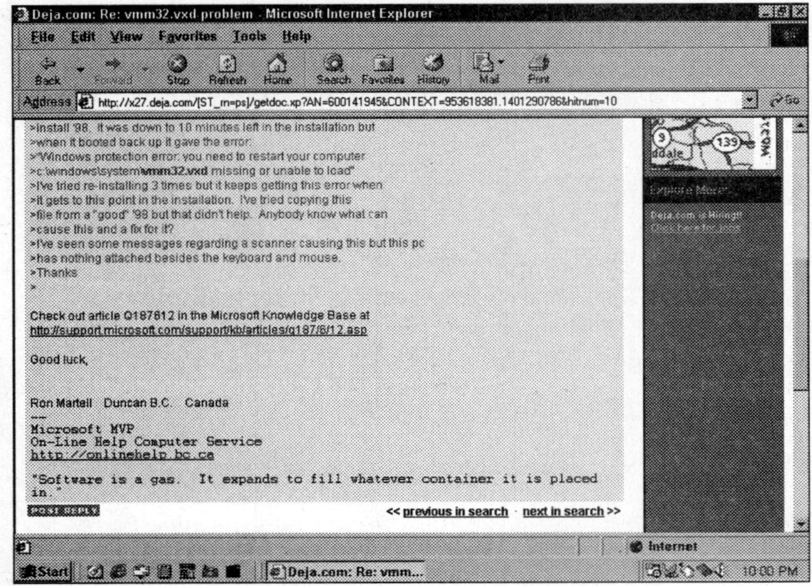

Figura 4-8: Deja encontró una respuesta a su problema en particular.

Si alguna vez coloca un mensaje en un grupo de noticias, no utilice su dirección real de correo electrónico. Algunas compañías inescrupulosas utilizan programas para tomar todas las direcciones de correo eléctronico de los grupos de noticias. Luego venden las direcciones a diferentes negocios para que envíen propaganda *(spam)* a su cuenta de correo electrónico.

Rendirse y llamar a soporte técnico

Llegará el momento cuando deba rendirse. Ha instalado una parte nueva y no funciona. Ha experimentado con los interruptores de las partes, con el software y aun así esa parte solo está ahí sentada.

Mantenga la calma. Piense en una bandada de periquitos verdes y brillantes volando hacia usted, trayéndole trozos de piña y coco de una isla.

Ahora, siga los pasos enlistados en la siguiente sección.

Prepararse para hacer la llamada

Antes de hacer la llamada, asegúrese de estar preparado. Entonces empiece a investigar las cajas de las partes hasta encontrar el pedazo de papel con el nombre de la compañía y el número de soporte técnico. Casi siempre está en el mismo papel con la información de la garantía. ¿Encontró el número? Entonces recopile la siguiente información antes de llamar a los "tecnomagos" de la compañía, avance por un menú telefónico e implore misericordia.

El número de serie y el modelo de la parte

Usualmente el modelo y el número de serie de la parte están impresos en una etiqueta, a un lado de la caja o en algún lugar de la misma parte. Algunas veces, los modelos pueden tener diferentes variedades; las tarjetas de vídeo son famosas por esto. Puede que necesite retirar la cubierta de la computadora y anotar cualquier información distintiva impresa en la tarjeta.

Información sobre su computadora

Los expertos del teléfono usualmente tratan de culpar a otra compañía por la falla de la parte. Así que anote los nombres de todos los aparatos instalados en su computadora.

La versión del sistema operativo

¿Sabe cuál versión de Windows está utilizando?

Si tiene el icono de Mi Computadora en su escritorio, presione el botón derecho y escoja Propiedades. Aparecerá una casilla identificando si la computadora utiliza Windows 95 o Windows 98. Ya que Microsoft ha lanzado diferentes versiones de Windows 95 y Windows 98, copie toda la información enlistada en el área de Sistema.

Una impresión de sus archivos importantes

Haga una copia de estos archivos y sus contenidos antes de que algo salga mal; las personas de soporte técnico adoran oirlo tratar de pronunciar las palabras complicadas de estos archivos. Siga estos pasos para imprimir las estadísticas vitales de su PC:

1. **Presione el botón derecho en el icono Mi Computadora y escoja Propiedades.**
2. **Presione la lengueta del Administrador de Dispositivos.**
3. **Presione el botón Imprimir.**
4. **Presione la opción Todos los dispositivos y resumen del sistema y presione OK.**

Llamar a soporte técnico

Si ha reunido toda la información enlistada en la sección "Prepárese para hacer la llamada", ya está listo para comunicarse con las personas de soporte técnico. Ahora cargue su juego de cómputo favorito —si es posible— y marque el número de soporte técnico. Probablemente tenga que esperar muchas lunas y será transferido de un departamento a otro.

Con suerte, alguna persona tendrá una respuesta y le explicará porqué la parte no está funcionando o le indicará dónde enviarla para su rembolso.

Cada vez que contacte a alguien amable y servicial en una línea de soporte técnico, pregunte su nombre y su número directo. Luego guarde la información en un lugar seguro. Algunas veces utilizar esta información evitará que deba esperar en línea la próxima vez que necesite llamar.

Parte II

Las Partes que Puede Ver de su PC (Periféricos Externos)

"OYE, PAPÁ: ADIVINA CUÁNTOS CHOCOLATES CABEN DENTRO DE TU DISCO DURO"

En esta parte . . .

Esta parte del libro habla de las piezas de la PC que usted puede ver, que no están ocultas dentro de la cubierta de su computadora.

Aquí, los teclados, mouse, módems, monitors, escáneres e impresoras, todos son analizados. En cada capítulo encontrará una lista de los síntomas, así como la solución - ya sea mediante el cambio de software, de un interruptor o a través de una discusión amable.

Y si ninguna de esas reparaciones funciona, encontrará instrucciones explícitas para remplazar e instalar la parte, para que su PC trabaje dos veces mejor.

Capítulo 5

El Teclado Pegajoso

En este capítulo

- Ayudar a su computadora a encontrar el teclado
- Remover una bebida derramada en las teclas
- Evitar que las teclas de cursor hagan números
- Trabajar con las teclas F11 y F12
- Reparar teclados que emiten beeps
- Cambiar a un teclado Dvorak
- Utilizar un teclado ergonómino o "natural"
- Utilizar las teclas Windows
- Instalar un teclado
- Utilizar teclados con diferentes conectores

Hablando de partes móviles — la mayoría de los teclados tienen más de 100 de ellas, cada una moviéndose arriba y abajo, cientos de veces cada día.

Los teclados no expiran con frecuencia, pero cuando empiezan a hacerlo, es fácil de disgnosticar. Algunas teclas empiezan a pegaaaarse o dejan de funcionar del todo. Y cuando un vaso de agua alcanza el teclado, todas las teclas dejan de trabajar al mismo tiempo.

Este capítulo empieza con una lista de síntomas de teclados pegajosos, seguida por una reparación rápida. Sin embargo, si descubre que su viejo y cansado teclado está listo para jubilarse, vaya a la sección "¿Cómo Instalo un teclado Nuevo?", al final de este capítulo.

"Cuando Enciendo mi PC, la Pantalla Dice - Teclado No Encontrado- o Algo Igual de Deprimente"

Puede que el cable de su teclado esté desconectado (y presionar F1 no servirá de nada, no importa lo que diga su computadora). Busque en la parte de atrás de su computadora hasta que encuentre el cable del teclado. Presiónelo firmemente a su conector.

Después de asegurar el cable del teclado, probablemente deba reiniciar su computadora. Algunas computadoras solo miran su teclado una vez — cuando son encendidas por primera vez. El botón de reinicio las obliga a hechar un segundo vistazo. O, si no tiene un botón de reinicio, apague la computadora, espere 30 segundos y enciéndala de nuevo.

También, asegúrese de que no haya nada presionando las teclas, como la esquina de un libro o revista. Si alguna de las teclas es presionada cuando enciende la computadora por primera vez, esta piensa que el teclado está dañado.

¿Aun no funciona? Busque un interruptor diminuto en la parte inferior del teclado y cambiélo de posición. Tal vez algún bromista lo cambió sin que usted lo notara (No todos los teclados tienen este interruptor, así que encójase de hombros si el suyo es uno de estos).

Si su teclado aun no funciona, revise si algún líquido fue derramado en él (vea la siguiente sección).

"¡Derramé Jugo de Mora sobre Mi Teclado!"

Su teclado probablemente está expirando. Pero he aquí el Procedimiento de Emergencia de Preservación de Teclados: Si es posible, salve su trabajo, apague la computadora y desconecte el teclado.

Con una esponja, seque todo el líquido que pueda. Luego tome asiento y siéntase como un tontuelo por aproximadamente 24 horas, que es el tiempo que requiere su teclado para secarse.

Si derramó agua, puede que su teclado siga funcionando al día siguiente. Pero si derramó algo con azúcar — gaseosas, café, margaritas, Tang — probablemente cubrió la parte interna de su teclado con una capa pegajosa. Esa capa atrae polvo y mugre — su teclado empieza a declinar a los pocos meses y expirará tarde o temprano, dependiendo del nivel trágico de derramamiento.

- Por suerte,.los teclados son baratos, desde $15 los “especiales” hasta $100 los modelos de lujo, con parlantes incorporados y otras cosas.
- Pero si tiene mucho tiempo libre, retire las teclas una a una. Empiece con una esquina y siga con toda esa línea (No trate de retirar la barra espaciadora, ya que tiene muchas cosas colgando de ella). Cuando todas las teclas estén afuera, con una esponja limpie bien la suciedad, seque la humedad y trate de colocar todas las teclas de nuevo en su lugar (Las Figuras 3-8, 3-9 y 3-10 en el Capítulo 3 podrían ayudar).
- Algunas personas han tenido éxito y algunas otras han llevado sus teclados a la gasolinera para atomizarlas con aire. Otras (incluyéndome), han utilizado precavida — y exitosamente — una secadora de cabello.
- Espere al menos 24 horas antes de desechar su teclado. Puede rescatar muchos teclados mojados, pero solo hasta después de que estén totalmente secos.

Nunca pierda la esperanza. Erik nos escribió desde Portugal una historа sobre un basquetbolista que pidió la computadora a un amigo para jugar. Desafortunadamente, derramó saliva y tabaco en el teclado. Pensando que no tenía nada que perder, Erik enjuagó el teclado en la ducha de un gimnasio y la secó con su toalla. Unas cuantas horas después, conectó el teclado y la máquina resucitó.

“Mis teclas de Cursor no se Mueven ¡Hacen Números!”

Busque una tecla etiquetada Num Lock o algo similar. Presiónela una vez. La luz de Num Lock en su teclado se apaga y las teclas de cursor vuelven a la normalidad.

“¡Mi teclado no tiene las teclas F11 y F12 , y Microsoft Word para Windows las utiliza!”

Si su teclado no tiene las teclas F11 y F12, usted está utilizando un teclado de 83 u 84 teclas. Microsoft Word para Windows y algunos otros programas Windows prefieren los teclados modernos de 101 o 104 teclas. Compre uno de 101 teclas y trate de encontrar un lugar en el garaje para almacenar el teclado viejo (Pocas tiendas los reciben).

Sin embargo Windows funciona con teclados viejos y los programas que usan las teclas F11 y F12 no hacen nada emocionante con ellas.

"¡Todas las Letras y Números de mis Teclas se Borraron!"

Si sus ágiles dedos borraron las letras, probablemente ya usted memorizó la ubicación de cada tecla. Pero si aun quiere verlas, recupere las teclas del teclado viejo de algún amigo o pregunte en la tienda si venden solo las teclas.

Si se rinde y compra un teclado nuevo, cubra las teclas nuevas con una capa de brillo para uñas. Eso ayuda a proteger las letras de los daños que puedan causar sus dedos, extendiendo su vida útil.

"¡Siempre que presiono una tecla, mi PC emite beeps!"

¿Está usted en algún programa, posiblemente llenando un aburrido formulario? Algunas computadoras emiten beeps frenéticamente si quieren letras y usted está ingresando números o viceversa. Otras veces, emiten beeps si usted trata de meter más letras o números de los que caben en una casilla.

¿Podría su computadora estar congelada? Una computadora congelada emite beeps cada vez que presiona una tecla.

La razón es que su teclado almacena como 20 caracteres en un lugar especial, llamado Búfer del Teclado. Si su computadora no despierta de su estado de congelamiento, el búfer se llena conforme usted digita desesperadamente. Cuando el búfer finalmente está lleno, cada caracter que no logró entrar emite beeps en protesta.

Esas son malas noticias. Su única solución es presionar y sostener las teclas Ctrl, Alt y Delete al mismo tiempo. Si está utilizando Windows, con frecuencia puede cerrar el programa y continuar trabajando (El Capítulo 17 explora formas de reparar los problemas con Windows).

Con Windows 3.1 o DOS, desafortunadamente presionar las teclas Ctrl+Alt+Del destruye todo el trabajo que no haya salvado. Estas teclas reinician su computadora de cero.

Si las teclas Ctrl+Alt+Del no funcionan, presione el botón de reinicio o apague la computadora. Aun así pierde todo su trabajo sin salvar, pero por lo menos obtiene la atención de su computadora cuando inicia de nuevo. Si aun así su PC no funciona, enójese: Desconecte la bendita cosa. Algunas computadoras nuevas utilizan sistemas de administración de poder que ocasionalmente deshabilitan el botón de poder.

"¿Cómo Cambio mi Teclado por uno Dvorak?"

El teclado *Dvorak difiere en la organización estándar de las teclas* — la que deletrea *QWERTY* con las teclas de la primera fila. En cambio, el teclado Dvorak utiliza un esquema calibrado por ingenieros, especialmente para velocidad y eficiencia. Muy pocas personas quieren la agonía de tener que aprender a digitar otra vez, así que solo unos pocos duros de matar utilizan estos teclados.

Pero, si usted quiere ser un duro de matar, Windows incorpora la opción para estos teclados. Si está utilizando Windows, presione el botón de Inicio, escoja Configuraciones y luego Panel de Control. Presione dos veces en el icono de Teclado. Presione la lengüeta de Idioma y luego el botón de Propiedades. Desde la casilla de diálogo de Propiedades del Idioma, escoja su idioma y luego escoja Dvorak del menú desplegable (Figura 5-1). Presione OK y luego OK de nuevo. Windows probablemente pedirá su CD para buscar algunos archivos.

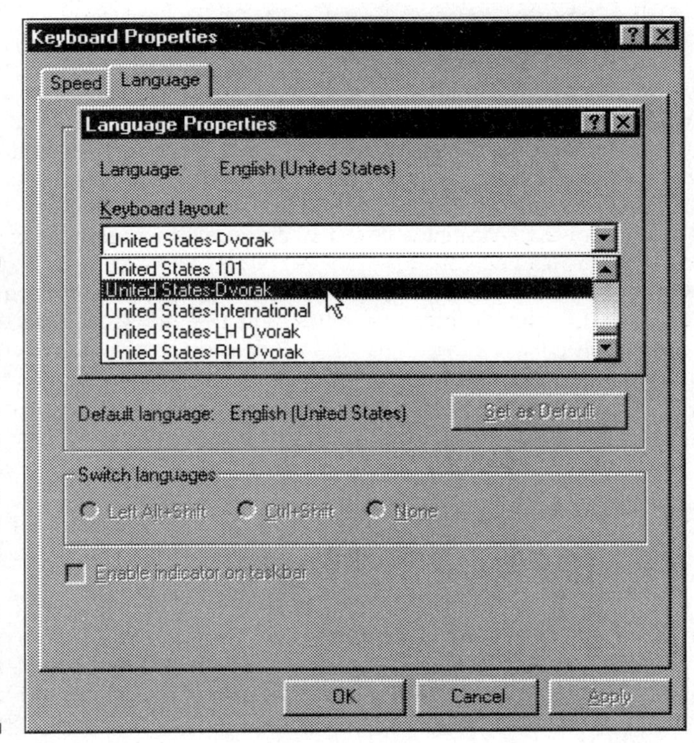

Figura 5-1: Para cambiar a un teclado Dvorak en Windows, presione dos veces el icono de Teclado desde el Panel de Control de Windows, presione la lengüeta Idioma y luego Propiedades.

En Windows 3.1, vaya al Panel de Control y presione dos veces el icono Internacional. Ahí, enterrado bajo la lista desplegable de esquemas de teclado (Figura 5-2), está la opción US-Dvorak. Aun tiene que mover las teclas de un lado a otro usted mismo (Puede despegar y reinstalar las teclas fácilmente).

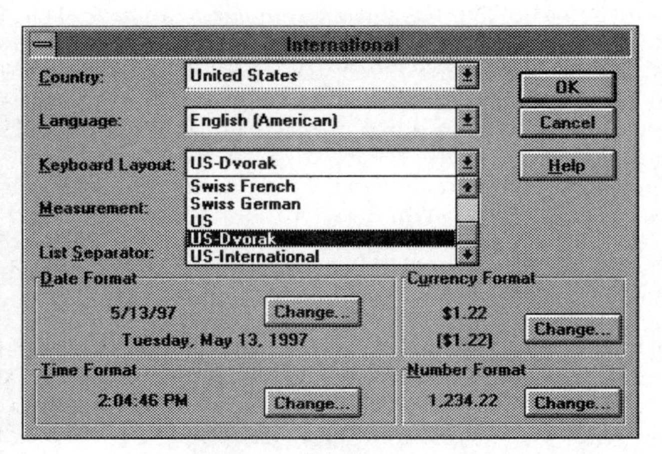

Figura 5-2: Presione dos veces el icono Internacional en el Panel de Control de Windows 3.1, para cambiar al esquema de teclado Dvorak.

Los usuarios de Windows NT pueden escoger el icono de Teclado desde el Panel de Control y presionar la lengüeta General. Presione el botón Cambiar y Windows NT muestra la lista de modelos compatibles con su computadora. Si el teclado nuevo viene con un disquete, insértelo en la unidad A, presione el botón Tiene Disco y siga las instrucciones (Varían dependiendo del teclado). ¿No hay disco? Entonces presione el botón Mostrar Todos los Dispositivos y escoja la marca de su teclado de la lista maestra.

- Aunque el esquema Dvorak suena tan promisorio como la energía solar, mantenga el esquema QWERTY en su memoria. De lo contrario, besará las máquinas de escribir, terminales de aeropuerto, librerías, oficinas y todo lo que tenga que ver con el mundo civilizado.
- Además, si está interesado en teclados más cómodos, revise la sección de teclados ergonómicos que sigue.

"¿Son los Teclados Ergonómicos tan Naturales como la Soya?"

Durante 50 años, las computadoras han avanzado de calculadoras primitivas del tamaño de una habitación a centrales aerodinámicas que permiten a los ejecutivos jugar en un simulador de vuelo tridimensional durante sus viajes de negocios.

Las máquinas de escribir, por el contrario, no han cambiado sus tres líneas rectas de teclas en más de 100 años.

Ese mismo esquema de teclas de las máquinas de escribir continúa vivo en muchas computadoras, causando dolor en los dedos y muñecas de quienes permanecen pegados al teclado todo el día.

¿La solución? Primero, intente con varios teclados antes de comprar uno. En algunos modelos, los ingenieros dieron más importancia a la comodidad. Por ejemplo el teclado ergonómico, como el Teclado Natural Microsoft, está diseñado de manera no tradicional para que sus dedos se aproximen a las teclas desde diferentes ángulos.

Los teclados ergonómicos no atraen a todas las personas, aunque sus usuarios los veneran. Para saber si estos teclados son dignos de veneración, analice el dibujo en la sección de teclados del capítulo 3.

Una almohadilla para la muñeca — una pieza de espuma donde descansa su muñeca mientras digita — algunas veces ayuda a aliviar el dolor causado por la digitación. Para saber si sería de beneficio para usted, haga un modelo de prueba con una revista delgada arrollada. Colóquela a lo largo de su teclado y analice si sus brazos se sienten mejor cuando la revista eleva sus muñecas ligeramente

"Qué es esa Tecla Windows Especial en un Teclado Microsoft Natural?"

Como negocio, Microsoft se mantiene casi exclusivamente en el mercado de software. Los programas de cómputo son relativamente baratos de hacer y distribuir, ya que pueden ser vendidos meses antes de su creación y pueden ser reparados agregando más software cuando algo sale mal.

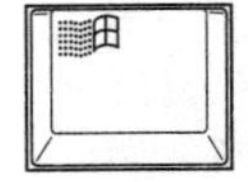

Microsoft saca al mercado una pieza de hardware cada cierto tiempo y el Teclado Microsoft Natural, de apariencia relajadora, es una de las más populares, avanzando un paso en el diseño de los terribles teclados del siglo pasado. Formado por filas de teclas en ángulo que apuntan hacia el codo del usuario, el teclado Natural hace algo más que solo el confort del usuario, viene con una tecla especial Windows (mostrada en el margen), la cual puede realizar los trucos místicos de la Tabla 5-1.

Hoy, muchos teclados vienen con la tecla Windows, listos para confundir a los usuarios nuevos.

Tabla 5-1 Atajos Emocionantes con la Tecla Windows

Presione esta	*Para hacer esto*
Win+F1	Ayuda
Win+E	Iniciar Windows Explorer
Win+F	Desplegar el programa Encontrar
Ctrl+Win+F	Encontrar una computadora en red
Win+Tab	Circular por las opciones de la Barra de Tareas
Win+R	Desplegar el programa Correr
Win+M	Minimizar la pantalla
Shift+Win+M	Deshacer el comando Minimizar Todo

"¿Cómo instalo un teclado nuevo?"

Nivel IQ: 70

Herramientas: Una mano

Costo: De$15 a $100 o más para los modelos con parlantes

Poner atención a: Si no sabe la diferencia entre el teclado de 84 teclas de una computadora XT y el teclado mejorado de 101 teclas de una computadora AT, vuelva al Capítulo 3 para asegurarse de comprar el teclado correcto. No es tan complicado. Casi todos los teclados de hoy en día son Teclados Mejorados de 101 teclas. Vienen con sus propios circuitos incorporados, así que las computadoras rara vez los rechazan.

La mayoría de los teclados modernos vienen con conectores pequeños de estilo PS/2, mostrados en el Capítulo 3. Las computadoras y teclados más viejos utilizan otros conectores diferentes, más grandes. No hace daño llevar el teclado viejo a la tienda cuando vaya a comprar uno nuevo. Puede comprar un adaptador en la tienda, si es necesario (Nota: Ese mismo adaptador usualmente le permite conectar un teclado viejo a una laptop).

Algunos teclados caros vienen con un *trackball* incorporado que funciona como un mouse. Otros le permiten cambiar teclas para satisfacer sus gustos. Y otros trabajan como un "hub" USB: Conecte el teclado al puerto USB y conecte todos los periféricos USB en el puerto del teclado.

Finalmente, no compre un teclado sin haberlo sacado de la caja y digitado tonterías con sus propios dedos. Usted va a trabajar muy cerca de este teclado por muchos años, así que no escoja uno que sea muy duro o que no sea amigable.

Para instalar un teclado siga estos pasos:

1. **Salve el trabajo que tenga en la pantalla, salga del programa y apague la computadora.**

   Nunca conecte o desconecte el teclado mientras la computadora está encendida. Podría pasar una catástrofe. Además, la computadora reconoce el teclado solo cuando es encendida por primera vez.

2. **Retire el teclado viejo halando el cable de su enchufe en la parte de atrás de la computadora.**

   Cuando desconecte cualquier tipo de cable, hale el conector, no el cable. El cable dura un poco más de esta manera.

3. **Inserte cuidadosamente el conector del teclado nuevo en el enchufe.**

   El conector calza de una sola manera. Si este tiene una protuberancia plástica u ondulación en su borde externo, ese borde va hacia arriba en la mayoría de las computadoras, pero algunas veces al lado en una PC de torre o mini torre. Si no hay ondulación, trate de ajustar los pequeños pines del conector con los pequeños agujeros del enchufe. Luego presione suavemente en conector en el enchufe y gírelo de un lado a otra hasta que se deslice en su lugar ¿Comprende? Presione firmemente.

   Si eso no funciona, averigüe si su teclado tiene un conector PS/2. Es un conector pequeño como del tamaño de una muela cordal. Un conector PS/2 no calza en el agujero de tamaño estándar, que es del tamaño de su pulgar. Puede comprar un convertidor en la mayoría de las tiendas por solo $5.

   A diferencia de muchos cables de computadoras, un cable de teclado no tiene tornillos diminutos para sostenerlo en su lugar. Solo empújelo y la fricción lo mantiene en su lugar.

   Ya que no hay tornillos sosteniendo al cable del teclado, este puede aflojarse, especialmente en sesiones violentas de digitación. Si el teclado está fallando, asegúrese de que esté conectado.

4. **Encienda su computadora de nuevo.**

   Una de las primeras cosas que hace una computadora al despertar es buscar su teclado. Si su ella no protesta, es porque ha encontrado el teclado nuevo y decidió que era apropiado ¡Yupi!

   Pero si protesta, vaya a los tres capítulos al final de este libro; estos están diseñados para ayudarlo a diagnosticar sonidos de Inicio deprimentes y extraños.

   El editor técnico de este libro, Jeff Wiedenfeld, dice que si los pequeños pines del conector se doblan, el conector no cabrá dentro del enchufe sin importar que tan fuerte lo empuje. Un poco de cuidado y un alicate de punta fina corregirán la situación.

Si su computadora logra llegar hasta Windows antes de protestar, vaya al Capítulo 17 para medicinas resucitantes. Windows reconoce la mayoría de los teclados nuevos al primer contacto, pero algunas veces necesita un controlador o conectores de cable especiales para esos modelos con parlantes, calculadoras, puertos USB o controladores de remolino.

Capítulo 6

Ratones en la Despensa

En este capítulo

- Limpiar la esfera del mouse
- Reparar los punteros de mouse que desaparecen
- Utilizar un mouse óptico
- Cargar un controlador de mouse
- Cambiar un puntero de mouse en Windows
- Escoger un mouse PS/2, USB, serial o InteliMouse
- Instalar un mouse

Todos los ratones (mouse) hacen la misma tarea. Cuando usted mueve el mouse en su escritorio, consecuentemente mueve la pequeña flecha de la pantalla. Apuntando botones en la pantalla y presionando los botones con el mouse, usted "presiona" los botones de la pantalla.

La mayoría de los mouse se parecen mucho. Todos se asemejan a una barra plástica de jabón con dos botones y una larga cola. La parte confusa del reino del mouse viene al tratar de descubrir dónde se conecta esa cola en la parte de atrás de su PC. De hecho, varios dispositivos quieren conectarse en el mismo lugar, causando que los dientes del mouse rechinen.

Este capítulo le indica como arbitrar las peleas. Y no olvide que en el Capítulo 3 se descifran las palabras extrañas, como tarjetas y puertos seriales.

"El Cursor o flecha de mi Mouse Está Empezando a Temblar"

Si no ha instaldo ningún software o hardware recientemente, su mouse probablemente está sucio (Si acaba de instalar software o hardware, vaya a la sección "¿Cómo instalo o Remplazo un mouse Serial, IntelliMouse o PS/2?", más adelante). Las esferas del mouse deben limpiarse a mano cada cierto tiempo.
Es un procedimiento muy simple:

1. **Vuelva el mouse al revés y busque un pequeño cuadro o base plástica redonda que sostiene a la esfera en su lugar.**

   Usualmente existe una flecha que indica la dirección en la que debe girar una base redonda o presionar una base cuadrada.

2. **Retire la base plástica que sostiene la esfera, vuelva el mouse al derecho para que la esfera caiga en su mano.**

   Caen dos cosas: le base que sostiene la esfera y la esfera misma.

3. **Ponga la base a un lado y retire los cabellos, suciedad y polvo de la esfera, así como de la cavidad en la que estaba metida.**

   Si tiene un aplicador y alcohol, limpie la suciedad de los rodillos dentro de la cavidad del mouse. Los rodillos usualmente son cositas blancas o plateadas que se frotan contra la esfera del mouse. Mueva los rodillos con sus dedos para asegurarse de que no haya suciedad oculta a los lados. Asegúrese de que toda la mugre caiga fuera del mouse y no quede ahí dentro.

   Si queda algo de suciedad en la esfera, el jabón líquido y agua tibia deben eliminarla. Nunca utilice alcohol en la esfera del mouse; eso puede dañar el hule. Además, asegúrese de que la esfera esté totalmente seca antes volver a colocarla dentro del mouse.

   Las esferas del mouse no están hechas para rebotar, así que no pierda mucho tiempo tratando de jugar con ellas.

4. **Coloque la esfera de nuevo en su cavidad y ajuste la base. Gire o presione la base hasta que quede segura.**

   Estas técnicas de limpieza curan la mayoría de los problemas de los mouse. Sin embargo, la esfera se mantiene tan limpia como su escritorio. Los usuarios con gatos o barbas deben retirar los cabellos adheridos a la esfera cada mes aproximadamente.

"Mi Computadora Dice que No Puede Encontrar el Mouse"

¿Está seguro de que su mouse está conectado? Revise bien hasta asegurarse de que el extremo de su cable esté bien conectado al enchufe en la parte de atrás de su computadora. ¿Está bien conectado? Entonces el problema podría ser el siguiente:

¿Nunca a tenido un trozo de lechuga atorado entre sus dientes después del almuerzo y usted no se da cuenta sino hasta que llega a casa y se mira en el espejo? Con las computadoras es igual. Aunque el mouse esté bien conectado, la computadora no necesariamente sabe que el mouse está ahí.

Antes de que su computadra pueda jugar con su mouse, ella necesita leer la pieza de software conocida como controlador (Los controladores son lo suficientemente complicados como para poseer su propia sección en el Capítulo 15).

He aquí lo que puede estar pasando: Cuando enciende su computadora, ella encuentra el software del controlador del mouse, el cual le indica a la computadora dónde buscar el mouse. Pero cuando la computadora vuelve la cabeza y busca, no puede encontralo. Así que intente estas reparaciones en este orden:

1. **Asegúrese de que el mouse esté conectado a la parte de atrás de su PC y luego reinicie su computadora.**
2. **Si acaba de instalar otra pieza de hardware, vaya a la sección en el Capítulo 17 sobre encontrar los conflictos entre dispositivos en Windows. El nuevo hardware probablemente tomó el lugar del mouse, confundiendo a la computadora en el proceso.**

   Un mouse con fecuencia funciona en Windows pero no en programas DOS viejos (los programas que no se parecen en nada a Windows). Eso es porque Windows tiene un controlador para mouse incoporado y el DOS no.
3. **¿La solución? Digite** \DOS\MOUSE **o solo** MOUSE **en el DOS, como se muestra en la siguiente línea, antes de cargar su programa DOS. Eso cargará el controlador del mouse, de manera que este y la computadora puedan empezar a comunicarse:**

   ```
   C:\>\DOS\MOUSE
   ```

   Luego cargue su programa de nuevo y vea si el mouse funciona esta vez. Si no, tiene que contactar al fabricante y solicitar un controlador de mouse en DOS.

Si desea que el controlador de mouse en DOS sea cargado siempre, vaya al Capítulo 15. Cuando pone la línea MOUSE en el archivo AUTOEXEC.BAT, su computadora carga el controlador del mouse cada vez que es encendida.

"El Mouse de mi Amigo no Funciona en mi Computadora"

Puede que ese mouse necesite un controlador diferente — software que traduce los movimientos del mouse en algo con lo que la computadora pueda relacionarse. Pida el software que viene con el mouse de su amigo y corra el programa de instalación.

Además, algunos mouse son ópticos, lo que significa que no tienen esferas como los normales sino que tienen sensores que leen una almohadilla reflectiva especial con letras. Sin esa almohadilla especial, el mouse no trabaja. De hecho, si tiene un mouse óptico, estará por siempre atascado con esa almohadilla especial. No puede utilizar las que las revistas de computación le envían gratis por suscribirse.

Las primeras laptops a bordo del transbordador espacial *Discovery,* utilizaron *trackballs de punta esférica de Microsoft. El* trackball se sujetaba al borde de la laptop, de manera que no flotara por ahí.

"Instalé un Módem (O Escáner o Red) y ahora el Cursor del Mouse Tiembla o se Esconde"

Algunos mouse y módems lanzan información a la computadora a través de algo llamado puerto serial. Desafortunadamente, algunas veces un mouse o módem tratan de hacerlos a través del mismo puerto, al mismo tiempo. Cuando se atasca con las dos fuentes conflictivas de información, su computadora se siente tan pérdida como un personaje en una novela de Franz Kafka

Para remediar esta situación: Necesita asegurarse de que todos los dispositivos reciban su propio puerto serial. Este tema se hace muy agotador, así que vaya al Capítulo 18 para averiguar cómo detener esta pelea por un puerto serial.

Un puerto serial algunas veces es llamado puerto *COM,* que es la abreviación para puerto de comunicaciones. La computadora utiliza el puerto serial para comunicarse con otras partes enviando y recibiendo mensajes.

Algunas veces, instala un módem serial y un mouse, y de pronto ya no tiene un puerto serial disponible para más aparatitos. Este problemas es bastante difícil, así que vaya a los Capítulos 17 y 18. Los puertos seriales pueden volverse rápidamente en problemas serios y complicados. Su computadora solo puede utilizar dos puertos seriales al mismo tiempo y aun hay docenas de aparatos que desean tomar uno de ellos.

"Mi Mouse Inalámbrico Algunas veces Actúa de manera extraña"

Los mouse inalámbricos necesitan baterías frescas muy seguido. Si su mouse inalámbrico está actuando de manera extraña, trate cambiando las baterías. Algunas van en la unidad receptora del mouse, otras en la parte de abajo del mouse.

Un mouse inalámbrico infrarojo necesita una línea visual nítida entre sí mismo y su unidad receptora, esa cosa que se conecta en la parte de atrás de su PC. Pero, ya que esa línea visual nítida será el único lugar vacío en su escritorio, ese es el primer lugar donde podría colocar libros y correspondencia. Trate retirando todo eso del camino y el mouse probablemente se calmará.

Otros mouse inalámbricos utilizan señales de radio, así que no necesitan apuntar a ninguna dirección en particular (Excepto a la caja de baterías, desafortunadamente. Estas pequeñas creaturas se alimentan de baterías)..

"¿Cómo Puedo Obtener un Mejor Puntero de Mouse Windows?"

Esto no se aplica en las versiones viejas Windows, solo en Windows 95 y Windows 98.

Para obtener un mejor puntero de mouse en Windows, presione el botón de Inicio, escoja Panel de Control y presione dos veces el icono del mouse. Aparece la casilla de diálogo de Propiedades del Mouse. Presione la lengüeta de Punteros y Windows despliega sus opciones disponibles de punteros. Presione la casilla Esquema para ver la lista de opciones, como se muestra en la Figura 6-1.

Luego presione su elección de la lista desplegable. Windows muestra una lista de diferentes esquemas de punteros; algunos programas también incluyen sus propios punteros ahí.

Los usuarios de laptops deberían intentar con el esquema (largo) Estándar de Windows; algunas veces esto hace más fácil divisar un puntero pequeño.

Después de adquirir algunos punteros nuevos, un amigo del editor de IDG Books cambió el puntero a un dinosaurio y después no lograba hacer que este funcionara. ¿Por qué? No sabía que la cabeza del dinosaurio era el puntero. Intente con todas las partes de su nuevo puntero antes de perder la esperanza.

¿Cuál es el Mejor Mouse — PS/2, Serial, USB o IntelliMouse?

A primera vista, ninguno de los anteriores. Todas las cuatro variedades de ratones despliegan la pequeña flecha en la pantalla de la misma manera. No sabrá la diferencia por la sensación o apariencia del mouse. Así que su elección depende de las necesitades de su PC.

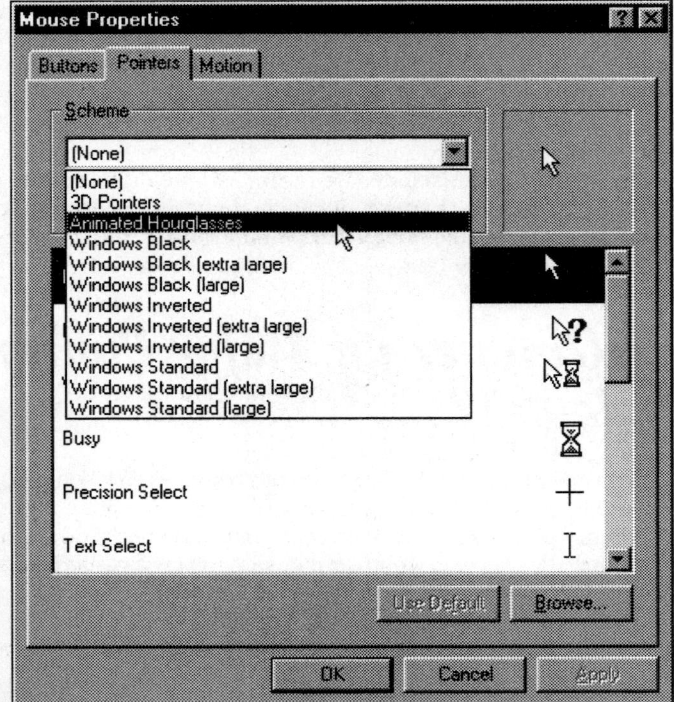

Figura 6-1: Presione la lista desplegable en Esquema para seleccionar una variedad de punteros.

Mouse PS/2: La mayoría de computadoras y laptops vienen con un puerto de mouse PS/2 incorporado, así que esa es la mejor opción. Ese puerto — usualmente etiquetado Mouse o PS/2 — le permite conectar muchos de los mouse que existen, incluyendo el elegante IntelliMouse de Microsoft (el que tiene una pequeña rueda en la parte de atrás).

Mouse Serial: El cable de un mouse serial se conecta al puerto serial de su PC — una de esas protuberancias a lo largo de la parte de atrás de la cubierta de su computadora. Simple y fácil — si dispone de un puerto serial. Muchos mouse PS/2 también funcionan en un puerto serial, siempre y cuando tenga un adaptador que le permita a la cola de ese mouse conectarse a un puerto serial de estilo viejo.

Mouse USB: Algunos mouse se conectan al puerto maravilla de su PC — el Bus Serial Universal o puerto USB. Estos son un poco más caros y no tienen enormes ventajas. Sin embargo, si todos sus puertos están ocupados, un USB podría ser su salvación.

IntelliMouse: Mi favorito, el IntelliMouse toma el queso. Parece un mouse normal, aunque en las versiones nuevas la cubierta se inclina un poco hacia un lado. Pero la característica distintiva es la pequeña "llanta" o rueda, que sobresale en la parte superior, entre los botones izquierdo y derecho del mouse. Cuando instala el software especial de un IntelliMouse, la rueda cobra vida. Gire la rueda con sus dedos y la página se mueve arriba y abajo en su pantalla. Ya no necesita apuntar esas barras a los lados de su pantalla. Desafortunadamente estos mouse son caros.

Entonces, si su computadora tiene puerto para mouse PS/2 y usted no tiene dinero, compre un mouse PS/2 compatible. ¿No tiene puerto PS/2? Entonces conecte un mouse serial a un puerto serial disponible. ¿Tiene un poco más de efectivo? Compre el Cadillac de los mouse, un IntelliMouse. Es divertido, útil y viene con un software fabuloso que le permite calcular el millaje de su mouse. Y lo que es mejor, el Intellimouse con el IntelliEye elimina las partes móviles y puede utilizarse en cualquier almohadilla. ¡No hay que limpiar esferas!

¿Por qué es tan Difícil esto de Puerto Serial o COM?

Todo esto de puertos es más fácil de lo que suena — a menos que ya tenga muchos juguetes conectados a su PC. Una computadora tiene un número límitado de recursos. Si trata de instalar más de dos aparatos, los restantes tienen problemas para comunicarse con su PC.

Si está instalando solo un mouse y un módem, probablemente todo resulte bien. Pero si trata de instalar un tercer sujeto — un escáner, una tarjeta de red o una tarjeta de sonido — los problemas potenciales se incrementan.

Todo esto se debe al hecho de que su PC fue diseñada más de una década atrás, cuando nadie podía adquirir más de dos juguetes. Ahora, con juguetes baratos por todos lados, el diseño antiguo de las PC regresa para aterrorizar a sus usuarios.

¿Cuándo un Mouse No es un Mouse?

Los últimos dispositivos de punteros no son mouse para nada, aunque aun le permiten perseguir a su cursor en la pantalla. Los *Trackballs* son, en esencia, mouse al revés. En lugar de rodar la esfera en una mesa, usted rueda la esfera con la yema de sus dedos.

Otro tipo de dispositivo señalador es *trackpoint* o *accupoint*. Unos años atrás, algunos fabricantes de computadoras notebook diseñaron un dispositivo señalador, el cual parece un borrador de lápiz, colocado en el medio del teclado. Este pequeño joystick mueve el cursor cuando usted lo acaricia con la yema de sus dedos. Aunque este dispositivo fue originalmente diseñado para notebooks, Lexmark ofrece esta tecnología en un teclado para PC.

La versión más reciente son los touchpads.Estos dispositivos cuadrados y planos le permiten mover el cursor simplemente con deslizar sus dedos a lo largo de su superficie. Los Touchpads son comunes en computadoras notebook, pero están también disponibles para PC.

"¿Cómo Remplazo un Mouse Serial, PS/2 o IntelliMouse?"

Nivel IQ: 80 a 100, dependiendo de la configuración de su PC.

Herramientas: Un destornillador.

Costo: Entre $10 y $120.

Poner Atención a: Cuando compre un mouse, asegúrese de que la caja diga "Modo Microsoft", "Microsoft compatible" o "Mouse Microsoft". La mayoría de los programas prefieren esta clase de mouse.

Algunos mouse pueden trabajar de dos modos: el modo Microsoft y algún otro extraño modo. Incremente sus posibilidades de éxito instalando su mouse para que trabaje del modo Microsoft. Luego, cuando un programa nuevo pregunte el tipo de mouse que usted utiliza, responda "Microsoft".

Un mouse viene con su propio software y cable. No tiene que comprar nada más. Puede adquirir mouse baratos — de $10. Los que tienen mejor garantía, mejores partes y mayores campañas publicitarias cuestan más que eso.

Para remplazar un mouse serial o PS/2, siga estos pasos:

1. **Busque el puerto serial en la parte de atrás de su PC (Capítulo 3) para ver donde se conecta su mouse. Luego siga las instrucciones para ese puerto en particular.**

   El puerto de su mouse viejo: Si está remplazando su mouse viejo, lleve sus restos a la tienda y compre otro igual. De esa manera, estará seguro de que podrá conectar su mouse nuevo al conector donde estaba el viejo.

   Puerto PS/2 pequeño y redondo: ¡Tiene suerte! El conector de este cable calza sin nungún problema. Puede comprar un mouse PS/2 y conectarlo de inmediato. Casi todos los mouse utilizan este puerto, incluyendo el IntelliMouse.

   Puerto serial pequeño: Algunos mouse se conectan directamente a este puerto, un mouse PS/2 también se puede conectar ahí con un adaptador PS/2-a-mouse serial, que cuesta menos de $10.

   Puerto serial pequeño: Este puerto más pequeño es llamado COM1. El software podría preguntarle esto más adelante, durante el proceso de instalación.

Puerto serial grande: Descrito en el Capítulo 3, este puerto es probablemente demasiado grande para el conector del cable de su mouse, así que compre un adaptador de 9 pines a 25 pines. Algunas personas lo llaman conector DB25 hembra/DB9 macho. Como sea que se llame, cuesta menos de $10 y permite que un conector de mouse serial pequeño calce en el conector serial grande de la PC. Este puerto largo es llamado COM2. El software podría preguntarle esto más adelante, durante el proceso de instalación.

Si tiene un puerto de mouse PS/2, ¡utilícelo a como de lugar! Usando este puerto, puede liberar uno de sus puertos seriales para algún otro aparato.

No hay puertos vacíos: Si no tiene ningún puerto serial o PS/2 visibles, busque un puerto USB. Si su computadora es viejita y no tiene estas opciones, vaya a la tienda y compre una tarjeta multifunción o una tarjeta serial (En el Capítulo 15 encontrará instrucciones de instalación). De hecho, si está utilizando Windows 98, considere agregar una tarjeta USB y comprar un mouse USB.

Si su PC tiene solo un puerto serial y su módem lo está utilizando, vuelva a la tienda y compre un segundo puerto serial para una tarjeta multifunción.

2. **Apague la computadora.**

   Primero asegúrese de haber cerrado todos los programas.

3. **Presione el conector que viene al final de la cola del mouse en el puerto de la parte de atrás de su PC.**

   Presione el conector hasta que esté seguro. Si no se ajusta correctamente, tal vez esté tratando de presionar en el puerto equivocado (Podría necesitar uno de los adaptadores descritos en el Paso 1). Después de conectar el cable firmemente, utilíce su destornillador pequeño para atornillarlo en su lugar. Algunos cables tienen tornillos grandes que solo se giran con sus dedos, lo que los hace muy fáciles de conectar; algunos conectores de mouse no se atornillan del todo.

4. **Corra el programa de instalación del mouse.**

   Los mouse vienen con disquete o CD. Si encuentra uno, colóquelo en la unidad correspondiente y vea los contenidos del controlador. Corra cualquier programa llamado SETUP o INSTALL.

   Algunos programas de instalación logran saber, por sí mismos, cuando usted ha conectado un mouse — ellos manejan todo automáticamente. Otros le interrogan como si estuviera aplicando para algún puesto. Algunos programas le preguntan si el mouse esta conectado a COM1 o COM2. Responda con el puerto COM según el Paso1.

El programa puede querer agregar algo en su archivo AUTOEXEC.BAT o CONFIG.SYS, aun si a usted no le importa lo que hagan estos archivos. Déjelo continuar. Puede encontrar más información sobre estos archivos en el Capítulo 16. Si está atascado en este asunto de puertos COM, vaya al Capítulo 18.

Puede que tenga que reiniciar su computadora antes de que el mouse inicie sus labores. Cuando el programa de instalación termine, escoja el Reiniciar desde el botón de Inicio.

Windows casi siempre reconoce un mouse nuevo y de inmediato lo trata como a un buen amigo. Si Windows corre a la cocina y empieza a contar los cubiertos de plata, vaya al Capítulo 17.

Capítulo 7

Módems Dañados

En este capítulo

- Entender el lenguaje de Módems
- Valorar su necesidad de velocidad
- Actualizar a un módem mejor
- Llamar a Internet y a otros lugares útiles
- Configurar Internet Explorer para un Proveedor de Servicios Internet
- Entender 56K, ISDN, DSL, cable y otras tecnologías de módems rápidos
- Depurar sus faxes
- Instalar un módem externo

Agregar un módem a su computadora significa un cambio dramático para su PC. De repente sus horizontes de cómputo saltan de usted + computadora a usted + computadora + el universo entero. Después de instalar un módem, puede utilizar Internet para enviar un mensaje a alguien al otro lado del mundo o enviar un fax a alguien al otro lado de su pueblo — todo desde la privacidad de su oficina.

Este capítulo se engancha a la Red y revisa su correo electrónico (email) — reuniéndolo con sus familiares, amigos, vecinos y el resto del universo conocido.

Ah, y ya nadie lo llama un fax–módem. Muchos módems vienen con capacidades de fax incorporadas, así que déjelo como módem. (¡Pero no compre un módem que no puede enviar faxes!).

¿Quién Entiende esto de Módems?

Nadie entiende a los módems, en realidad, pero he aquí suficiente información para que pueda pretender, como todos los demás, que entiende de lo que se trata.

El aspecto principal de los módems es la velocidad con la que transfieren información de aquí para allá. La Tabla 7-1 provee un reporte de los tipos más comunes de módems.

Tabla 7-1 Palabras Divertidas sobre Módems

Esta divertida palabra	*Significa Esto*
300 baud o bps	Introducido en 1968, este primer módem no es ni siquiera coleccionable — solo lentas reliquias que deben evi tarse.
1200 baud o bps	Marginalmente más rápido que los modelos de 300 bps, son botes de remos en un mar de cruceros.
2400 bps	Mucho mejor que los modelos anteriores, es aun un pequeño vagón rojo comparado con los trenes de hoy en día.
9600 bps	La tendencia de moda en los 80, estos son los pacificadores en la historia de los módems.
14400 bps	Hoy son considerados como terriblemente lentos. Los 14400 bps fueron populares hasta que los 28800 bps se hicieron accesibles.
28800 bps	Los caballos de trabajo del pasado, hoy conocidos como 28.8 Kbps.
33600 bps	Los fabricantes agregaron una arista a los modelos de 28800 bps que aceleraba la velocidad de transferencia de datos hasta 33600 bps —pero solo en condiciones ideales. Se les conoce como 33.6 Kbps. Muchos pueden ser actualizados a la próxima velocidad a través de software, descrito más adelante.
56000 bps	Conocido como 56K, este modelo (llamado también V.90) logra su velocidad máxima solo si es conectado a otro módem V.90 y solo bajo condiciones ideales. Por eso es que rara vez se conectan para navegar la en Red. Aun así, es el caballo de trabajo actual de las líneas telefónicas.

Esta divertida palabra	*Significa Esto*
Módem ISDN	Este corre a 64000 bps y requiere un enlace digital especial de la compañía telefónica local. La mayoría de las compañías telefóni cas ofrecen dos líneas ISDN, llamadas canales B. Aunque una es para voz y la otra para datos, las conecta para alcanzar 128 Kbps. Sin embargo, eso aun es relativamente lento para una tecnología que cada vez se acelera más.
DSL	DSL o Línea Digital Dedicada, viene en dos opciones de veloci dades: ADSL (Asimétrico) y SDSL (Simétrico). Estos formatos empacan información en líneas telefónicas normales, pero hay un problema: Necesita vivir cerca de una estación conmutadora telefónica. ADSL recibe datos desde 16 a 640 Kbps. SDSL envía información hasta a 3 Mbps.
Cable módem	Corra — no camine — inscríbase — si vive en uno de los pocos vecindarios que ofrecen el servicio de módem por cable. ¿Por qué el alboroto? Porque un cable módem toma información de Internet desde 3 a 10 Mbps y envía datos a velocidades de hasta 2 Mbps. Los usuarios de cable módem deben leer la sección en este capítulo sobre estar siempre en guardia contra los intrusos sin escrúpulos, conocidos como hakers o crakers.

- Entre más alto sea el número de bps, más rápido se mueve el módem en Internet — y más caro es el módem.
- Gracias a algo llamado compatibilidad hacia atrás, los módems más veloces pueden reducir la velocidad para comunicarse con los módems lentos. Así que, un módem 56K puede comunicarse con un módem 28800 bps, que a su vez puede comunicarse con un módem 14400 bps, que a su vez, bueno, creo que ya usted captó la idea.

- Las velocidades enlistadas aquí se aplican solo bajo condiciones óptimas. Solo porque la máquina de su carro puede correr a 100 m.p.h., no siempre puede manejar tan rápido debido a los semáforos, señales de alto y el tráfico.

¡Rápido, más rápido, el más rápido!

Los periódicos están llenos de historias en cable módems , DSL y ISDN — tecnologías super rápidas que esperan acelerar a las masas (es decir, usted y yo), en Internet. ¿Pero que es eso? ¿Cuál es el mejor? Y lo más importante, ¿en realidad vale la pena la velocidad extra?

56K y V.90

En un esfuerzo para exprimir máxima velocidad de su actual sistema de líneas telefónicas POTS (Servicio Telefónico Convencional) con cables de cobre, las compañías de módems lanzaron los modelos 56K a mediados de los 90. ¿El problema? Los modelos de la compañía 3Com utilizan el estándar X2 y lo modelos de Rockwell Semiconductor utilizan el K56flex, lo que significa que no pueden comunicarse entre sí.

Después de 1998, los fabricantes de módems cambiaron el modelo al V.90 estándar, así que todos los módems 56K podían conversar a 56K, sin importar su origen. ¿Por qué debería importarle? Si está utilizando un módem 56K, visite la página Web del fabricante, tal vez pueda descargar un software de actualización para convertirlo al nuevo estándar 56K, llamado V.90.

ISDN

Para ISDN, necesita un módem nuevo especial y un tipo especial de línea telefónica. Eso es porque ISDN (Red Digital de Servicios Integrados), toma ventaja de la capacidad de señales digitales de las compañías telefónicas. Después de la instalación, ISDN envía y recibe datos en dos canales separados hasta a 64000 bps, con una velocidad máxima de 128000 bps, si combina o enlaza, los dos canales en una sesión de Internet.

Una cosa importante sobre ISDN es que puede hablar por teléfono en una línea, mientras accesa Internet en la otra (Esta organización parece compleja, pero no lo es). Esta complejidad hace importante buscar un módem ISDN que incluya un puerto análogo, que es donde se conecta el aparato telefónico o de fax.

Por un costo moderado, la compañía telefónica le envía un técnico para cablear su casa con líneas telefónicas digitales; los precios varían. Usted facilita el módem; los productos 3Com están bien recomendados.

Cable módems

Cable módems — el nombre lo dice todo. Son módems que trabajan por medio de su cable de conexión de televisión.

En lugar de llegar por el cable telefónico, Internet entra a su casa a través del mismo cable coaxial que instaló su compañía de televisión por cable (si es subscriptor de televisión por cable). Y su compañía de cable se convierte en su compañía Proveedora de Internet.

El representante del cable visita su casa u oficina, instala una tarjeta de red en su computadora, divide la señal de cable y la engancha a un cable módem especial, el cual se renta por una tarifa nominal (igual a lo que solía hacer la compañía telefónica).

Después de conectado, su cable módem recibe información y se acelera a 10 Mbps — trillones de veces más rápido que el más popular de los módems de hoy, el modelo 56 Kbps.

Sin embargo, los cable módems no envían datos tan rápido como los reciben, pero eso no es un gran problema: Los usuarios de Internet reciben mucha más información de la que reciben. De hecho, el único inconveniente de los cable módems es tal vez que usted no tenga acceso a él — está disponible solo en muy pocas ciudades.... hasta ahora.

Hasta el precio es conveniente: Muchos proveedores cobran entre $30 y $50 al mes por acceso ilimitado a Internet — lo que significa que puede permanecer conectado 24 horas al día si lo desea (Aunque el costo de acceso normal a Internet es de $20 al mes, este requiere la línea telefónica, obligando a muchas personas a instalar una segunda línea, por la cual deben pagar $15 adicionales al mes).

En mi área, la compañía de cable local ofrece tres nombres de usuario separados y 5 megabytes de espacio Web para cada nombre de usuario.

Y sí, la familia puede seguir viendo televisión por cable o escuchar radio por cable — en cada habitación de la casa, si se quiere — al mismo tiempo que navega por Internet.

Cuando se utiliza un cable módem o un módem DSL, asegúrese de no compartir sus archivos con el resto de Internet. Abra un icono de Red desde el Panel de Control y presione el botón Compartir Archivos e Impresoras. Cuando aparezca la ventana de Compartir Archivos e Impresoras, asegúrese de que ninguna de las casillas esté marcada. Si necesita marcar una de las casillas para su propia red de cómputo, compre e instale un firewall, el cual se describe en el siguiente recuadro, para bloquear el acceso exterior no autorizado.

Los cable módems necesitan firewalls

Los cable módems pueden ser tan peligrosos como el deporte de los autos de carreras, ya que funcionan de manera diferente a las antiguas conexiones a Internet. Cada vez que su PC se conecta a Internet, su Proveedor de Internet le asigna un número conocido como dirección IP. Cada vez que se conecta a la red, su dirección IP cambia de número.

Eso significa que los usuarios de Internet a través de línea telefónica están a salvo de los maliciosos "crackers". Ya que el número cambia con cada conexión, a esta mal intencionada persona se le dificulta encontrar y reubicar una computadora en particular.

Un cable módem permanece constantemente conectado a la red, así que el número de su dirección IP nunca cambia. Después de que el "cracker" ubique la dirección de su PC en Internet, puede entrar a su computadora con mayor facilidad.

Los "crackers" corren programas de búsqueda especiales que seleccionan la dirección IP asignada a los usuarios de cable módem o módem DSL, en busca de alguna computadora en la cual irrumpir. Una vez dentro, pueden examinar los archivos del usuario o causar daños. También pueden tomar control de la conexión de la computadora, utilizando la dirección de la PC como plataforma de lanzamiento para entrar en otras computadoras. Eso preserva su anonimato mientras tratan de irrumpir en otras cuentas.

(continúa)

(continuación)

¿La solución? Utilizar software especial, llamado firewall, para evitar que los intrusos ingresen a su PC. He estado utilizando el programa BlackICE Defender, mostrado en la siguiente Figura, los últimos meses. Este programa hace a su computadora invisible para los "crackers", además de que le notifica cuando alguien ha intentado ingresar a su PC con una dirección IP. Y lo que es mejor, el programa graba la dirección IP del intruso, de manera que usted puede denunciarlo con el Proveedor de Internet del asaltante.

Si alguien toma su PC directamente como el blanco de su ataque, eleve el nivel de protección de BlackICE's para que el asaltante no logre ingresar.

En un solo día, el firewall del programa BlackICE Defender interceptó ocho intentos de ingresar a mi computadora.

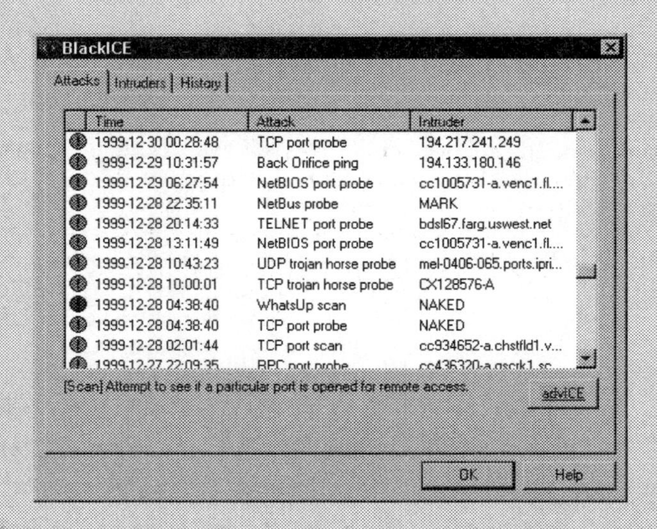

Módems DSL

La Tecnología de Línea Digital Dedicada (DSL) es otro intento para evitar lo inevitable; el día en que muestras líneas telefónicas convencionales sean remplazadas por líneas de fibra, con mayor ancho de banda.

Utilizando el proceso de señal digital para incrementar el ancho de banda de los alambres de cobre, el DSL recibe datos (para usted) de 128 Kbps a 1.5 Mbps y envía datos (suyos) en un rango de hasta 768 Kbps.

Aunque algunas instalaciones ya han sido realizadas, la tecnología avanza a paso lento, mayormente a manera de prueba.

¿El otro lado de la moneda? Es cara y los usuarios deben residir cerca de estaciones conmutadoras telefónicas para que el aparato funcione.

Baud, bps, Kbps, Mbps y otros

La velocidad de los módems es medida en bps (bits por segundo) — el número bits de información que un módem puede lanzar a otro es de un segundo. Algunas personas miden la velocidad del módem en baud, un término que solo los ingenieros entienden.

Aquí es donde las cosas se ponen difíciles. Un módem de 300 o 1200 bps es también un módem de 300 o 1200 baud. Pero los términos bps y baud no soportan las mismas velocidades de 2400 bps.

Si por alguna razón se encuentra a sí mismo en medio de una discusión sobre velocidades de módems, quédese con el bps. Así no tendrá que ver la cosa anaranjada atorada entre los dientes de estos expertos cuando se rían.

Ah, y si ve el término Kbps, están utilizando el sistema métrico para decir, "miles (Kilo) de bits por segundo". En lugar de tener que decir 56000 bps, usualmente lo abrevian a "56 Kbps" y hasta a 56K (pronunciado "fifty-six key").

Con la llegada de nueva tecnología como el cable módem, una nueva unidad de medida hizo su aparición: 1 Mbps significa 1,000 kilobits, o un millón de bits por segundo.

Los DSL o ADSL Asimétricos, lanzan información a diferentes velocidades, ya sea que venga o vaya de su casa. Los DSL Simétricos mueven la información a la misma velocidad, sin importar la dirección.

Poco después de digerir la abreviación DSL, encontrará otra: xDSL. Cuando un formato se ramifica en diferentes direcciones, los expertos colocan una x junto a la abreviación del formato para indicar todas las diferentes direcciones. Windows 9.x, por ejemplo, significa Windows 95 y Windows 98. De la misma manera, xDSL indica los nuevos sabores de DSL: ADSL, SDSL y cualquier otro sabor DSL del mes.

Módems Satelitales

Un Sistema Digital Satelital (DSS) solo descarga información, dándole una gran excusa para no contestar los correos electrónicos. Es de cuatro a ocho veces más rápido que un módem de 56 Kbps. Si desea enviar información, sin embargo, aun necesita comprar un módem y utilizar una línea telefónica. De hecho, así es como el DSS sabe lo que debe enviarle — usted envía solicitudes a su página Web a través del módem y el satélite envía la información solicitada a su PC.

¿Cuál es el mejor sistema?

¿Entonces? Cuando escuche todas las velocidades existentes, considere lo siguiente: La misma Internet es la parte más lenta de la conexión. Internet es simplemente un término minúsculo para una vasta red de computadoras conectadas. Muchas de estas PC aun utilizan módems de 56 Kbps. Eso significa que aun los usuarios de cable módems, de vez en cuando, golpearan sus dedos en el escritorio mientas esperan la información requerida de una página Web. Aun así, el cable es la mejor opción, si está disponible en su área y si instala un programa firewall.

¿Qué son Estándares de Módems?

Ya ha hojeado algunos términos sobre módems, pero aun no se ha librado de ellos. Un importante concepto, estándares de Módems es útil, ya sea que acaba de actualizar a un módem mejor o trata de entender al que ya tiene.

Con los años, los ingenieros han doblado la velocidad de los módems cada uno o dos años. Bueno, cada nueva velocidad corresponde a una estándar formal de módems, decidido por un comité de estándares. Su módem de 56000 bps, por ejemplo, cumple con el estándar V.9. También cumple con estándares anteriores, lo que lo hace compatible hacia atrás — capaz de comunicarse con modelos enteriores. Finalmente, los módems se someten a estándares adicionales que estandarizan funciones cruciales, como control de error y compresión de datos — funciones que aseguran que sus datos lleguen intactos … aun cuando viajen por líneas telefónicas bulliciosas.

¿A quién le importan los estándares? A usted. Los vendedores de módems con frecuencia exigen velocidades reales de transporte o velocidades de transmisión imposiblemente altas, reportando velocidades alcanzadas solo cuando sus módems están conectados a modelos idénticos al otro lado. Estas demandas no son del todo falsas — pero ¿cuántas veces se conecta usted a un módem exactamente idéntico al suyo?

Por otro lado, ningún fabricante puede fingir cumplimiento con un estándar de módem. Para asegurarse de recibir el mejor módem, compre estándares y no solo velocidades. El empaque de un módem indica los estándares de este en forma de letras V con punto, como V.90 (se lee “vi-dot ninety”) y otras. Para el historial de esos complicados números V-punto, revise la Tabla 7-2.

Tabla 7-2 Mantenga su vista en números V-punto

Este V-punto	*Corresponde a*
V.90	Velocidad de transferencia de datos 56000 bps.
V.34	Velocidad de transferencia de datos 28800 bps; 14400 bps fax.
V.34 plus o	Velocidad de transferencia de datos 33600 bps.mejorado
V.42/MNP 2–4	Control de error; el módem detecta y corrige bits extraviados durante conexiones bulliciosas u otras condiciones no ideales; asegúrese de comprar un módem con control de error de hardware.

Este V-punto	*Corresponde a*
V.42bis/MNP5	Compresión de datos; usa abreviación de módems para reducir datos y aumentar el número de bits transferidos; especifique la compresión de datos de hardware.
Clase 1/Class 2, Grupo III	Estándares de Fax que aseguran que el módem puede comunicarse con el más amplio rango de dispositivos fax.

Recuerde que ningún estándar puede trabajar a menos que sea soportado por los módems en cada extremo de la conexión — algo importante de recordar (Cuando escucha los gemidos del módem después de la conexión, es porque están negociando cuáles estándares utilizar). Cuando un módem más rápido llama a uno más lento, por ejemplo, ellos acuerdan utilizar el estándar que ambos pueden manejar (el lento).

Lo que Necesita para Entrar a la Internet

Muchos módems vienen con un software de "Herramientas para Inicio de Internet", el cual le ayuda a realizar su primera conexión.

Para ingresar a Internet necesita encontrar una compañía llamada Proveedor de Servicios Internet (ISP) y comprar acceso a la red, casi igual que llamar a la compañía telefónica para iniciar el servicio telefónico.

Muchas personas deciden que es más fácil accesar la Internet a través del servicio en línea de America Online (AOL) o CompuServe. Otros usuarios buscan proveedores nacionales o locales. De cualquier forma, si su nuevo modelo no incluye ningún software para Internet, examine la siguiente lista para saber lo que debe hacer:

- **AOL o CompuServe:** Obtenga e instale el software gratis; muchos módems incluyen pruebas de ambos servicios. Después de conectarse, cada servicio ofrece un botón Internet; solo presiónelo para empezar a explorar ¿No hay botón? Llame a: AOL, 800-516-0046; CompuServe, 800-292-3900) o por Internet, en *www.aol.com* o *www.compuserve.com.*
- **Proveedor de Internet local o nacional:** Solicite instrucciones de la manera en que puede configurar Windows para llamar a sus computadoras. Además solicite que le envíen cualquier software que pueda necesitar, si no utiliza Windows 98, demande un explorador de Web actualizado — software especial que le permite accesar el Mundo de la Red, enviar y recibir correos electrónicos, participar en grupos de noticias, discusiones, fóros, etc.

- **Windows 98:** Windows 98 ofrece una carpeta, llamada Servicios En Línea, justo en el escritorio. Presiónela para los iconos que lo lleven a los proveedores de Internet y servicios en línea, como America Online, CompuServe, Prodigy y otros. De hecho, Microsoft ofrece su propio icono de servicios en línea, MSN justo en el escritorio — hecho que molesta no solo a la competencia de Microsoft sino también al gobierno.

Después de conectarse, su módem puede examinar docenas de otros programas relacionados con Internet por usted, los cuales pueden ayudarlo a organizar su correo electrónico, actualizar sus grupos de interés especial, bloquear el acceso a la Internet a sus hijos y más. Trate con la página TUCOWS, un buen punto de partida para software Internet, en *www.tucows.com.*

¿Remplazará el Módem a la Máquina de Fax?

Noventa y nueve por ciento de todos los módems pueden enviar faxes, pero si usted ya tiene un fax, ¡no lo deseche! Aun lo necesita si quiere enviar tiras cómicas o un menú de Alberto's Tacos — y todo lo demás que no puede almacenar en un archivo de cómputo.

En realidad, si tiene un escáner, puede escanear el menú de Alberto's Tacos y salvarlo como un archivo de cómputo y luego enviarlo a través de su fax/módem. Todos los demás tienen que enviarlo por correo o hacen que sus amigos vayan a Alberto's por los benditos menúes o buscar una máquina de fax.

Además, note que algunos de los módems más nuevos y modernos — cable módems, por ejemplo — no pueden enviar o recibir faxes. Conserve su viejo fax módem (o máquina de fax) para completar su equipo de comunicaciones.

Enviar y recibir faxes

Casi todo módem 56K moderno puede enviar faxes, pero necesita un software especial de fax para que funcione. Por suerte, muchos módems vienen con un software llamado WinFax Lite (Windows 95 viene con el programa MS-Fax, pero Windows 98 no).

Si planea enviar muchos faxes desde su PC, adquiera un buen programa comercial, como WinFax Pro, de Symantec.

Aunque Windows 98 no instala un programa de fax, esconde uno en su CD de instalación. Abra la carpeta Tools\OldWin95\Messaging del CD y presione dos veces en el archivo WMS.EXE. Siga las instrucciones para instalar el programa del fax. No es sofisticado y es confuso, pero es gratis. Si está dispuesto a alejarse de Microsoft, visite *www.tucows.com* o *www.winfiles.com*, donde encontrará algunos programas de prueba, así como programas gratis para fax.

Enviar un fax

Después de instalar el software para fax, aparece el programa de este en la lista Windows de impresoras instaladas. Después de crear el documento que desea enviar, seleccione su procesador de palabras o el comando de Imprimir de otro software y escoja el programa del fax en lugar de su impresora (Puede que necesite bajar la pantalla para ver las otras impresoras instaladas). El software de su fax se carga, hace unas cuantas preguntas (como el nombre y número del dueño del fax y si quiere agregar una hoja de cubierta de fax), y presionando el botón Enviar, su documento viaja a través de líneas telefónicas.

Recibir un fax

Recibir un fax requiere un poco más de preparación — a menos que usted se encuentre sentado justo frente a su PC, con el software del fax cargado y listo.

Primero, cargue el software de su fax — de lo contrario, su programa de fax no escuchará timbrar al módem (Muchos programas de fax pueden ser configurados para trabajar en un segundo plano y recibir una llamada, dentro de un número de timbres que usted especifique).

Segundo, configure el programa de su módem y fax para auto-contestar llamadas entrantes. Por suerte, el manual de su módem explica la manera de configurar el módem para atender llamadas solo después de cierto número de timbres — de manera que no se adelante a su teléfono (seis u ocho timbres funcionan bien).

Por estas razones, muchos dueños de negocios prefieren una máquina de fax para recibir faxes inesperados. Luego, el único problema viene con esos faxes "basura" generados a través de Internet, que son enviados indiscriminadamente y ¡gastan todo su papel!

Reparar un fax

¿Experimentando frustración "faxial" ? Uno o más de estos trucos podría hacer que su computadora se comporte como debe:

- Reduzca la velocidad disminuyendo el ritmo de recepción de fax a un número más bajo de bps.
- Asegúrese de que la configuración de Clase 1/Class 2 del software refleje con exactitud las capacidades de su módem (el manual del módem se lo indica).

Utilizar un Módem en una Laptop o Palmtop

Dependiendo de la edad de su laptop, puede prepararla para un módem de diferentes maneras. Muchas laptops vienen equipadas con ranuras de tarjetas PC, las cuales pueden acomodar módems de tarjetas PC del tamaño de una tarjeta de crédito (Podría ver algunos módems de Tarjeta PC que se autodenominan módems PCMCIA). Revise la Figura 7-1.

Las laptops muy viejas o sin ranuras siempre pueden acomodar un cable serial y un módem externo. Con frecuencia se encuentran pequeños módems externos diseñados para los viajeros.

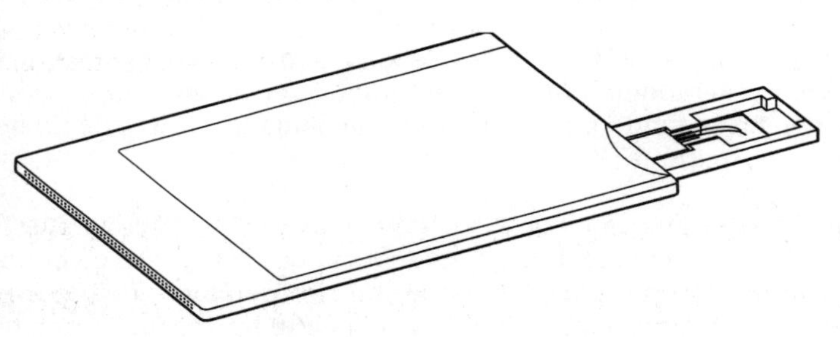

Figura 7-1: Módem de tamaño de una tarjeta de crédito, que se desliza en la ranura de la tarjeta PC en muchas laptop.

Windows 95 y 98 automáticamente reconocen e instalan muchos de los módems de tarjetas PC estos días; pero aun así, asegúrese de que el módem diga "Plug and Play" en la caja.

Si su laptop vienen con un módem incorporado pero quiere utilizar uno más rápido en una Tarjeta PC, puede que necesite ir a los archivos de configuración de la laptop e inhabilitar el módem incorporado. El manual de su laptop puede ser de mucha ayuda aquí.

"¡Mi Módem Cuelga Cada Vez que Alguien Llama!"

Algunas personas populares tiene un sistema de "llamada en espera" instalado en sus líneas telefónicas. Cuando la persona está hablando por teléfono y alguien más llama, el teléfono emite un pequeño beep. La persona entonces interrumpe la conversación diciendo "¿Puede esperara un segundo? Tengo otra llamada".

Pero su módem es aun más grosero. Si su módem está hablando con otro módem y un beep de llamada en espera aparece en la conversación, su módem simplemente cuelga.

¿La solución? Digite estos cuatro caracteres *70, (es decir, asterisco, el número siete, el número cero y la coma) antes de marcar el número del otro módem. Por ejemplo, en lugar de marcar 555-1212, marque *70,555-1212, para eliminar la llamada en espera. Las llamadas entrantes obtendrán el tono de ocupado. Entonces, cuando termine esa llamada, su llamada en espera se configura de nuevo automáticamente.

Nota: El comando *70, funciona solo con teléfonos de tono (botones). Si usted es una de las últimas diez personas en el planeta con teléfonos de pulso, marque 1170, (los números 1170 seguidos por una coma).

Es difícil recordar que debe apagar la llamada en espera antes de cada llamada, así que puede indicar al software de su módem que lo haga automáticamente. Busque un área de "comando de marcación" en el software. El comando de marcación generalmente está configurado a ATDT. Cámbielo a ATDT*70, (o cámbielo a ATDT 1170, si su teléfono es de pulso), y la llamada en espera es apagada automáticamente antes de cada llamada.

"¿Cómo Configuro mi Internet Explorer para Trabajar con un Proveedor de Servicio Internet?"

Nivel de IQ: De 90 a 110, dependiendo de lo amigable que sea su ISP.

Herramientas: Antes de conectarse a Internet, analice estas tres cosas:

- Un Proveedor de Servicios Internet o ISP: Esta es la compañía que provee una conexión a Internet. Pida a un amigo, compañero de trabajo, adolescente o un experto en cómputo, una recomendación. ¿No tiene ninguna? El Asistente para Conexión a Internet encontrará una por usted, que se encuentre en su área.
- Su nombre de usuario, contraseña y número de teléfono de su Proveedor de Servicio Internet: Anote esta información. La necesita para configurar su explorador Internet. ¿No tiene un ISP? Si el asistente le encuentra un proveedor de servicio, también le solicitará esta información.
- Un módem: Muchas de las computadoras nuevas vienen con un módem cargado en su interior. Para ver si su computadora tiene uno, busque enchufes de teléfono en la parte de atrás de su PC, cerca de donde sobresalen todos los otros cables. Si hay servicio de cable módem disponible en su área, afíliese. Es trillones de veces más rápido y no necesita su línea telefónica (Además, no necesitará pagar una segunda línea telefónica para navegar por Internet).

Costo: La mayoría de ISPs cobran un aproximado de $20 a $40 mensuales (Windows incluye un explorador de Internet gratis).

Poner atención a: Microsoft notó el nivel de dificultad para hacer que Internet Explorer trabaje con un ISP, así que crearon un asistente que camine junto a usted en el proceso.

Para configurar Internet Explorer y trabajar con su ISP, siga estos pasos:

De hecho, cada vez que encuentre dificultades con su conexión a Internet, vuelva a esta sección y recorra los pasos. El Asistente despliega su configuración actual y le permite cambiarla.

1. **Presione el botón de Inicio y luego Programas, escoja Accesorios y cargue el Asistente de Conexión a Internet del área de Comunicaciones.**
2. **Escoja una de estas tres opciones:**
   - Afíliese a una cuenta Internet.

     ¿No tiene cuenta Internet? Escoja esta opción y Windows le ayuda a seleccionar una. Cuando escoge esta opción, el Asistente marca un número para ubicar un Proveedor de Servicio Internet en su área y despliega sus tarifas y opciones. Quizás se pueda afiliar a uno de los proveedores, incluyendo America Online, Prodigy, AT&T WorldNet Service y otros.

     Después de elegir al proveedor, el Asistente le solicita llenar un formulario con su nombre, dirección y la información de su tarjeta de crédito, antes de continuar con el Paso 3.
   - Transferir su cuenta de Internet actual a su computadora.

     ¿Ya tiene una cuenta Internet? Presione aquí para configurar su computadora y accederla. Su módem marca un número para encontrar un proveedor en su área. Esta vez, sin embargo, busca solo proveedores que estén afiliados a la nueva "configuración automática", de la Segunda Edición de Windows 98.

     Puede ser que su proveedor no esté en la lista. Indique en el formulario que su proveedor no aparece en la lista y Windows le guiará en la configuración manual del proceso de conexión de Internet — igual que en el siguiente paso.
   - Configure su cuenta de Internet actual manualmente o a través de una red.

     Probablemente tenga que realizar este paso si está configurando una computadora para utilizar un ISP existente. Continúe con los pasos para introducir su computadora a su actual cuenta de Internet, completando formularios y presionando botones.

3. **Indique a Windows 98 si se conecta por línea telefónica o red.**

   Si su línea telefónica se conecta en el enchufe de pared y la parte de atrás de su PC o a una caja pequeña cerca de su PC, usted se conecta a través de la línea telefónica y un módem. Escoja esta opción.

   Si utiliza una red, encuentre un adolescente sabiondo que le ayude o lea el libro MAS Windows 98 Para Dummies, escrito por mí (publicado por IDG Books Worldwide, Inc.). O, si suficientes personas visitan mi página Web en www.andyrathbone.com y solicitan información sobre redes, lo incluiré en mi próxima edición.

4. **Ingrese el número de teléfono de su ISP y presione Siguiente, ingrese la información correspondiente en los espacios de Nombre de usuario y Contraseña.**

   Su ISP debe darle estas tres cosas. Si no, llame y solicite más información.

5. **Digite el nombre de su Proveedor de Internet.**

   Solo invente un nombre que le guste o digite Mi Proveedor.

6. **Crear una cuenta de correo.**

   En la siguiente página, suponga que quiere configurar una cuenta de correo. En las páginas siguientes, ingrese su nombre, nombre de usuario y dirección de correo electrónico — usualmente su nombre, el signo @ y el nombre de su proveedor. Si su proveedor es home.com y su nombre de usuario es q-a, por ejemplo, digite *q-a@home.com*.

   La siguiente página es la más confusa. A menos que su Proveedor Internet le indique lo contrario, simplemente digite la palabra correo en las casillas del servidor de correo Entrante y correo Saliente.

   En la siguiente página, digite su nombre de cuenta. Igual que en el ejemplo anterior, digite q-a. Luego, digite su contraseña en la casilla de abajo. Si quiere ingresar automáticamente sin tener que digitar su contraseña cada vez, marque la casilla de Recordar Contraseña. Sin embargo, ya que esto elimina la necesidad de una contraseña, todo el mundo puede sentarse frente a su PC y leer su correo.

   Marque la casilla de Autenticación de Contraseña Segura si el proveedor Internet lo solicita.

7. **Presione el botón de Finalizar.**

   ¡Listo! La última versión de Internet Explorer 5.0, entra automáticamente en acción y utiliza sus configuraciones para llamar al proveedor de Internet.

Si todo sale bien, su módem marca y pronto está conectado a la Internet y listo para navegar. ¿Necesita un lugar para hacer la prueba? Trate ingresando a *www.dummies.com* y vea lo que sucede.

Algunas versiones de Windows podrían no tener el Asistente para Conexión Internet en el menú de Inicio. Para encontrarlo, presione dos veces en el icono de Internet Explorer, escoja Propiedades, presione la lengüeta de Conexiones y el botón Configurar.

"¿Cómo Instalo o Remplazo un Módem Externo?"

Nivel IQ: De 80 a100, dependiendo de la configuración de su computadora.

Herramientas: Una mano.

Costo: De $25 a $150.

Poner atención a: Los módems internos son los más baratos, seguidos por los módems externos y luego las Tarjetas PC. No compre un módem de tarjeta PC para laptop en lugar de un módem de escritorio.

Los módems son tan fáciles de instalar como los mouse. La parte difícil es tratar de que hagan algo útil. El software del mouse es mayormente automático; trabaja a un segundo plano. El software del módem lo obliga a tomar todas las decisiones complicadas, aun cuando usted no está de humor.

Además, los mouse necesitan controladores especiales. Los módems no. Pero, los módems externos necesitan cables. A diferencia de los mouse, los módems no vienen con cables y muchos de los módems no incluyen ningún cable en la caja.

Finalmente, los módems internos vienen en tarjetas, así que son cubiertos en el Capítulo 15.

Para instalar un módem externo siga estos pasos:

1. **Localice el enchufe del módem.**

   Busque en la parte de atrás de su PC y luego observe la sección de los puertos seriales, en el Capítulo 3, para encontrar el lugar correcto para conectar su módem. Luego siga las instrucciones de ese puerto.

   Si está cambiando su módem viejo, retire el cable de la parte de atrás de su módem viejo y conéctelo a la parte de atrás de su módem nuevo. Luego salte al Paso 3.

   Puerto serial pequeño: Un puerto serial pequeño tiene 9 pines. La mayoría de módems externos tienen un puerto hembra largo de 25 pines. Así que su cable necesita un conector hembra de 9 pines en un extremo y un conector macho de 25 pines en el otro.

   Este puerto más pequeño es usualmente llamado COM1. El software de su módem querrá saber cual es el nombre del puerto.

Puerto serial grande: Para esta tarea, necesita un cable con un conector hembra de 25 pines en un extremo y un conector macho de 25 pines al otro extremo.

Este puerto serial mas grande es llamado COM2. Los softwares de módems siempre quieren saber estas cosas para poder encontrar los módems.

¿Tiene problemas recordando todo eso de adaptadores de pines hembra/macho? Tome un papel y dibuje el puerto de la parte trasera del su módem y el puerto de la parte trasera de su PC. Luego lleve el papel a la tienda de cómputo (No se preocupe en contar todos los pines y agujeros. El número siempre es 9 o 25). Esta información también ayuda cuando compra el cable.

No hay puertos disponibles: Si no tiene ningún puerto serial , compre una tarjeta multifunción (En el Capítulo 15 encontrará instrucciones de instalación).

Si su PC tienen solo un puerto serial y su mouse ya está utilizándolo, vuelva a la tienda y pregunte por un segundo puerto serial para su tarjeta multifunción. Su tarjeta multifunción probablemente sea uno de los puertos seriales grandes que describí unos párrafos atrás. O compre un módem interno, descrito en el siguiente párrafo.

Si tiene dos puertos seriales y ambos están siendo utilizados, deje de lado todos estos pasos y compre un módem interno. Vienen en una tarjeta, así que visite el Capítulo 15.

2. **Conecte el cable entre el extremo de su módem y el puerto de la parte trasera de su PC.**

   El cable debería calzar perfectamente en ambos extremos. Si no, vuelva al Paso 1 hasta que encuentre el cable que calce correctamente. Algunas veces ayuda dibujarlo. Cuando finalmente conecte el cable, utilice un pequeño destornillador para asegurar los dos tornillos que lo sostienen en su lugar. Los cables más caros tienen tornillos grandes que se aseguran con solo girarlos con sus dedos.

3. **Conecte la línea telefónica en la parte trasera de su módem.**

   Si su módem tiene enchufe telefónico atrás, conecte ahí un extremo del cable telefónico y conecte el otro extremo del cable al enchufe de pared del teléfono. Sin embargo, si su módem tiene dos enchufes telefónicos, el procedimiento es un poco más difícil. Un enchufe es para la línea telefónica y el otro es para conectar el teléfono. Debe conectar el cable correcto en el enchufe correcto o el módem no funcionará.

   Si tiene suerte, los dos enchufes estarán rotulados. El que dice teléfono es donde se conecta el aparato. El otro que dice línea es donde se conecta el cable que va al enchufe telefónico de la pared.

   Si ambos enchufes no están rotulados, revise el manual mientras sostiene su respiración. Vuelva el módem hacia abajo primero. Algunas veces podrá encontrar imágenes útiles en la parte de abajo de su módem que no están en el manual. Si los dos enchufes no están rotulados y no encuentra el manual, solo adivine cuál línea se conecta a cada enchufe. Si el módem o su teléfono no funcionan, solo cambie los cables de enchufe (Equivocarse al principio no mata a nadie).

4. **Conecte el adaptador AC del módem a la pared y conecte el otro extremo al módem. Luego encienda el módem.**

Los módems no son autosuficientes. Casi todos ellos necesitan un adaptador AC. Luego necesitan ser encendidos (Estas son dos cosas que pueden salir mal).

5. **Corra el software del módem.**

Los módems usualmente no necesitan controladores complicados, como los mouse. El software de comunicaciones del módem ya es de por sí demasiado complicado. El software viene en un disquete dentro de la caja del módem. Cuando digita SETUP o INSTALL, el software toma el control y empieza a formular preguntas. ¿Recuerda a cual puerto COM conectó el módem, verdad?

El software también pregunta la velocidad del módem, así que tenga esa información a la mano (Viene en la caja).

Si el software de su módem protesta sobre conflictos IRQ o problemas con el puerto COM, suspire tristemente. Luego vaya al Capítulo 18 por ayuda sobre ese asunto de IRQ.

Los módems externos rápidos algunas veces tienen problemas cuando son instalados en computadoras pre-Pentium, especialmente cuando se utilizan con programas Windows. Eso es porque el chip utilizado en los puertos seriales de las computadoras viejas no puede mantener el ritmo de la información que fluye de su nuevo y veloz módem. Si este parece perder información después de las transmisiones, apriete sus dientes y compre un módem interno. Los nuevos modelos vienen con los juegos de chips actualizados ya instalados.

Tranquilo, no lo voy a dejar colgando. Si está utilizando Windows 95 o más reciente, presione el botón de Inicio, escoja Correr, digite MSD y presione Enter. El Programa de Diagnóstico Microsoft identifica los chips de su puerto serial. Los usuarios de Windows 98 necesitan retirar la cubierta de sus computadoras e inspeccionar los chips — si están preocupados por esto. Esas computadoras más nuevas usualmente no tienen el mismo problema.

Capítulo 8

Afinar el Monitor

En este capítulo

- Limpiar el polvo de la pantalla
- Reparar monitores que no encienden
- Entender al vocabulario de vídeo
- Ajustar la pantalla del monitor
- Calzar monitores con tarjetas
- Comprar una tarjeta 3D aceleradora
- Encontrar cursores extraviados
- Eliminar sonidos extraños
- Prevenir pruebas de fuego
- Ajustar la pantalla de la laptop
- Instalar un monitor nuevo

Muchos de los términos de cómputo suenan terriblemente aburridos: Alta densidad, Controlador de Dispositivos, Adaptador de vídeo. ¡Aburrido!

Al parecer los ingenieros aparentemente acababan de regresar de una película de horror cuando inventaron los términos para los monitores:¡Cañón de electrodos!, ¡Rayos Catódicos!, ¡Cristal líquido!

Este capítulo habla sobre esa cosa que todo el mundo mira y en la que todos pegamos papelitos — el monitor de su computadora. Además, obtendrá unos cuantos aperitivos sobre su tarjeta de vídeo, que es el aparato dentro de su PC que dirige al monitor.

"La Pantalla está Cubierta de Polvo"

Los monitores no solo atraen su atención, sino que también atraen polvo. Gruesas capas de polvo. Y ese polvo es atraído semanalmente.

¡No limpie el monitor mientras esté encendido! La carga estática que se forma en la superficie puede dañar algunas partes pequeñas de su PC. Espere tres o cinco minutos después de apagarlo y podrá limpiarlo.

Los vendedores de computadoras limpian las pantallas rápidamente con la manga de sus camisas. ¿Tiene usted un abrigo deportivo de color beige? Un trapo suave y un poco de limpiador de vidrios harán el trabajo. En realidad solo tiene una cosa que recordar: Rocíe el Windex en el trapo, no en la pantalla. El monitor no explotará si la pantalla se humedece, pero el líquido puede gotear y humedecer otras partes internas de su PC. Si le atrae la letra pequeña, revise las recomendaciones en el manual del fabricante para la limpieza de la pantalla de su PC.

Y no rocíe Windex en la parte superior del monitor, donde están las rejillas de ventilación, aun si le gusta el olor a quemado.

"¡Mi Monitor No Enciende!"

¿Está seguro de que el monitor está conectado? En realidad su monitor tiene cuatro conectores que debe revisar:

- Revise que el cable de poder esté bien conectado al enchufe de la pared y asegúrese de que el protector de picos esté encendido.
- Revise la conexión entre cable del monitor y la parte de atrás de su PC.
- Revise la parte de atrás del monitor.

  Algunos cables no vienen incorporados al monitor, lo que genera que las conexiones se aflojen. Presione firmemente el cable al conector.
- Revise la parte de atrás de su computadora.

  En algunos modelos viejos, el cable de poder del monitor se conecta a la parte de atrás de la PC, no a la pared.

¿Sabe usted que algunos enchufes están conectados al interruptor de la luz? Por ejemplo, usted presiona un interruptor cerca de la puerta y la lámpara al otro lado de la habitación se apaga. Bueno, no conecte el cable de poder de su monitor (o computadora) a este enchufe. Si lo hiciera, puede encontrarse a sí mismo rascando su cabeza, preguntándose porqué su monitor no funciona siempre.

"¿Qué significan todas esas palabras de vídeo?"

Las tarjetas de vídeo y monitores están llenos de palabrerías técnicas. Pero usted no necesita saber todo lo que ellas significan. En cambio, confíe en sus ojos.

Aunque usted no lo crea, una de las mejores formas de comprar un monitor y una tarjeta de vídeo es ir a la tienda y jugar solitarios en una gama diferente de monitores. Cuando decida cual monitor se ve mejor, cómprelo con todo y tarjeta de vídeo.

Si busca un monitor para ver películas multimedia, pida que le muestren algunos vídeos con alguien navegando en un yate de 60 pies o comiendo galletas mientras se lanza en paracaídas desde la torre Eiffel. Compare los vídeos en diferentes pantallas y confíe en sus ojos.

Algunos vendedores podrían confundirlo con tamaños de puntos aquí y sincronización vertical allá. Pero no compre un monitor ni una tarjeta de vídeo a menos que las vea en acción. Todas las especificaciones técnicas del mundo no significan nada comparado con lo que usted ve con sus propios ojos.

Si siente curiosidad sobre la terminología, revise la Tabla 8-1.

Tabla 8-1 Terminología Fea de Vídeos

Esta palabra	*Significa esto*	*¿Y?*
Pixel ("PIX-el")	Un solo puntito en una sola pantalla	Las imágenes en la pantalla son una colección de millones de puntitos.
Resolución	Puntos Pixel apilados en su monitor en red, como botellas de vino en un portavinos. La resolución describe el número de líneas y columnas que puede desplegar su monitor su tarjeta	Resoluciones comúnes son 640 de filas x 480 columnas, 800 filas x 600 columnas y 1,024 filas x 768 columnas. Números mayores resultan en filas y columnas más pequeñas, lo que significa que puede empacar más información en la pantalla (Números más grandesy = a precios más grandes).
Color	El número de colores que puede ver en la. pantalla.	Aquí, la tarjeta es el factor limitante. Muchos monitores nuevos pueden plegar cualquier número de colores.

(continúa)

Tabla 8-1 (continuación)

Esta palabra	*Significa esto*	*¿Y?*
Modo	Una combinación de resolución y color.	Muchas tarjetas y monitores pueden desplegar varios "modos" diferentes. Por ejemplo, puede correr Windows en resolución 640 x 480 con 65,000 colores. O cambiar la resolución a 800 x 600 con 256 colores. No hay modo correcto o incorrecto, es cuestión de gustos.
Tamaños de puntos	La distancia entre los pixesl en el monitor. Entre más pequeño sea el tamaño de los pixeles, más clara será la imagen.	Truco: No compre un monitor con un tamaño de puntos mayor a 28 o la imagen se verá borrosa
Digital	La tecnología Digital fue utilizada en monitores viejos que no pudieron manejar tarjetas nuevas, así que se eliminó. Ahora está de regreso, pero en las pantallas planas LCD que se ven geniales.	Truco: Revise si su monitor CRT viejo tiene interruptor "digital/análogo". De ser así, este tal vez pueda manejar algunas tarjetas nuevas.
Monitores CRT y LCD	Abreviatura de tubo de rayos catódicos, estos monitores parecen TVs. LCD significa pantalla de cristal líquido. Parecen pantallas de laptops.	Los monitores LCD son más caros que los CRT.
Análogo	Nueva tecnología que despliega imágenes en un monitor parecido a una TV (la mayoría).	Todas las tarjetas de vídeo de hoy requieren monitores análogos, excepto las de las pantallas LCD (Esas requieren salida digital).
Multisincrónico, Multifrecuencia o Multisync	Estos amigables monitores pueden ajustarse para trabajar con una amplia variedad de tarjetas de vídeo.	Ya que son los monitores más fáciles de complacer, son también los más caros.

Esta palabra	*Significa esto*	*¿Y?*
Ancho de banda	La velocidad a la cual su tarjeta puede enviar información a su monitor. Entre más rápido mejor. Es medida en megahertz (MHz), 70 MHz es mejor para los ojos (Los números más grandes son más rápidos).	Un monitor debe ser capaz de aceptar información tan rápido como la envía la tarjeta. Por eso los monitores miltisincrónicos son tan populares. Pueden aceptar datos en una amplia variedad de anchos de banda.
Velocidad de actualización	Que tan rápido pueden el monitor y la tarjetas "repintar" la imagen.	Entre más grande sea el número, menos parpadeo tendrá la pantalla.
Acelerador 3D	Estas tarjetas tienen un chip especial que ayuda a su PC a desplegar imágenes en la pantalla más rápidamente.	Truco: Para trabajar más rápido en Windows y otros programas de gráficos, cambie la tarjeta vieja por una tarjeta aceleradora (Son geniales para juegos).
Memoria	La cantidad de chips RAM en su tarjeta de vídeo. Algunas tarjetas pueden ser actualizadas agregando más chips. Entre más alta sea la resolución, más memoria necesita. Las imágenes de resolución, con muchos colores requieren 4MB o más de memoria.	No confunda la memoria de vídeo con la memoria de su PC. La primera está en la tarjeta de vídeo; la segunda está en la tarjeta madre de su PC. Ellas nunca pueden estar juntas. Truco: No compre una tarjeta de vídeo con una pequeña cantidad de memoria, pensando que puede agregar más memoria luego. Eso usualmente, trae problemas.
Controlador	Pieza de software que traduce los números de un programa en imágenes fabulosas.	Si utiliza Windows NT o OS/2 asegúrese de que la tarjeta tenga un controlador Windows o OS/2. Truco: Windows 98 y las versiones más recientes trabajan con las tarjetas de vídeo más populares; OS/2 no.
Entrelazado no-entrelazado en aprenderlo.	Término técnico demasiado feo como para molestarse en aprenderlo	Solo recuerde que una pantalla no-entrelazada tiene menos papadeo, lo que es mejor para sus ojos.

"Compré un Monitor Caro, Pero mi Pantalla Sigue Igual de Fea"

Un televisor solo despliega imágenes que vienen a través de ondas en el aire, como la Película de la Semana. Aun con televisión por cable, usted debe conformarse con lo que sea que venga por el cable.

Lo mismo se aplica a los monitores de computadoras. Estos despliegan solo lo que está enviando la tarjeta de vídeo de la computadora, ubicada dentro de su cubierta.

Actualizar el monitor de su PC puede encarecerse mucho — muy rápido. Esto es debido a que usualmente necesita una tarjeta de vídeo nueva, además de un monitor nuevo.

Básicamente, comprar una tarjeta y monitor se resume en lo siguiente:

- Asegúrese de que su tarjeta de vídeo y monitor tengan la misma resolución — el número de pequeñas líneas y columnas que pueden desplegar. Las resoluciones más comunes son 640 x 480, 800 x 600, 1,024 x 768 y 1,280 x 1,024. Las mejores tarjetas de vídeo alcanzan 1,280 x 1,024 o más.

- Si busca calidad SuperVGA, asegúrese de contar con un monitor y tarjeta SuperVGA. Estos monitores funciona con una tarjeta SuperVGA, pero solo en modo VGA. Un monitor VGA no pueden desplegar ninguno de los fabulosos modos de una tarjeta SuperVGA.

"La pantalla del monitor se ve desteñida"

Igual que un televisor, un monitor viene con una fila de perillas giratorias. Aunque muchas personas solo las giran una y otra vez hasta que todo se vea mejor, en realidad existe una forma oficial de afinar la imagen.

Hela aquí:

1. **Ubique los botones o perillas del contraste y brillo de su monitor.**

   Las perillas o botones usualmente se ubican a lo largo del borde derecho del monitor, donde irritan a los zurdos. O están en algún lado debajo del borde inferior, en la parte del frente, con frecuencia ocultos por una cubierta.

   Las perillas o botones no siempre están etiquetadas, desafortunadamente, pero casi siempre tienen pequeños símbolos a la par, como se muestra en la Figura 8-1.

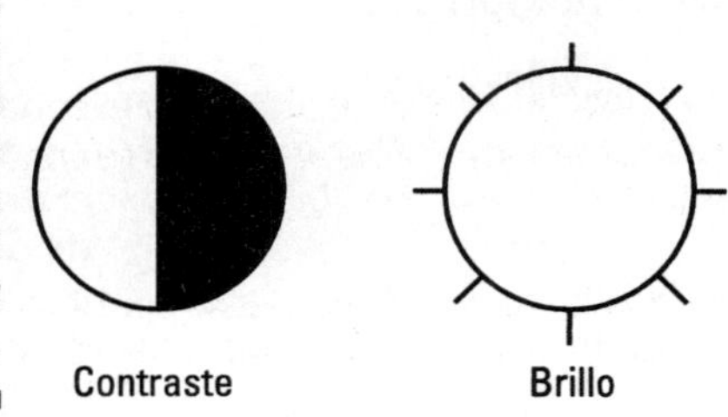

Figura 8-1: Los símbolos de luna y sol aparecen junto a los botones de contraste y brillo.

2. **Abra un procesador de palabras e ingrese algún texto en la pantalla.**

   Con los caracteres en la pantalla, gire la perilla de brillo del monitor totalmente, siguiendo las manecillas del reloj, lo que eleva el brillo del monitor al máximo. Un borde coloreado brilla en todo el contorno de la pantalla.

3. **Gire la perilla de contraste para atrás y adelante hasta que las palabras en la pantalla se vean nítidas.**

   Busque una marcada diferencia entre las áreas clara y oscura de su monitor. Puede que tenga que travesear las perillas por un rato hasta que se vea bien. Además, trate moviendo su lámpara de mesa de un lado a otro, hasta que encuentre la imagen perfecta.

4. **Disminuya el brillo hasta que el borde coloreado de la pantalla desaparezca.**

   Su monitor debería estar en su mejor momento. Puede que necesite repetir el truco hasta que su monitor se caliente o que un compañero de trabajo le ayude con las perillas.

"Los colores se ven terribles en uno de mis programas"

Puede ajustar el contraste y brillo de su monitor. Pero a diferencia de un televisor, no puede jugar con los colores en muchos de los monitores. Se ahorra la molestia de tratar de rectificar a los presentadores o locutores que se ven de color verde.

En cambio, usted rectifica los colores de sus programas. Busque la pantalla de configuraciones del programa o Panel de Control. Puede ser que alguna de ellas le permitan cambiar los colores por algo más agradable.

Los usuarios de Windows — y de laptops a color — pueden ir al Capítulo 17 para cambiar los colores de su escritorio, del azul tradicional y aburrido, a motivos egipcios esculpidos en piedras (También encontrará algunas configuraciones particularmente beneficiosas para los usuarios de laptops).

Cuando un monitor ha estado encendido por varias horas, los colores empiezan a verse cansados y borrosos con frecuencia. Algunos de los monitores mejor equipados poseen un botón de desmagnetización, que restaura los colores correctos, algo así como un facial rejuvenecedor para el monitor. ¿No hay botón de desmagnetización? Muchos de los monitores más nuevos se desmagnetizan automáticamente cuando se encienden (Apagar el monitor por 15 minutos tiene el mismo efecto).

Si está utilizando una laptop muy vieja sin pantalla en color, revise si el programa soporta configuraciones monocromáticas LCD.

"¿Funcionará mi Monitor Viejo con mi tarjeta Nueva?"

Las tarjetas nuevas casi siempre funcionan con monitores viejos, sin embargo, los monitores viejos con frecuencia no pueden desplegar todos los colores y resoluciones que ofrece la tarjeta nueva.

La única forma de saber si su monitor y su tarjeta pueden trabajar en equipo es jugar de técnicos. Revise el manual del monitor viejo y asegúrese de que este tenga la misma resolución y velocidad de actualización de la tarjeta nueva. Estas extrañas palabras se explican en la Tabla 8-1.

O puede conectar el monitor, encenderlo y ver que pasa.

"¿Qué es un Bus Local, PCI y Vídeo AGP?"

Por años, la gente simplemente presionaba las tarjetas de vídeo en las filas de ranuras dentro de su PC. Hoy en día es un poco más complicado. El concepto es el mismo — presionar una tarjeta en su ranura — pero las ranuras son tramposas.

Mi computadora no tiene tarjeta de vídeo!"

Algunas computadoras no tienen tarjeta de vídeo. Este asunto del vídeo está incorporado en la tarjeta madre de la PC. Esta característica fue la moda durante los primeros días del vídeo de bus local 486 — una forma de acelerar el flujo de imágenes en el monitor. Desafortunadamente, estas computadoras con vídeo incluido tienen un problema al tratar de actualizarlas: necesita apagar el vídeo incorporado antes de que su computadora pueda utilizar su tarjeta recién instalada.

Puede que necesite el manual de la computadora. Algunas PC requieren que usted mueva un puente, acto que se describe en el Capítulo 18. Otras computadoras lo hacen correr un programa de configuración que viene con la PC.

Finalmente, algunas computadoras son lo suficientemente listas para saber que usted ha conectado una tarjeta nueva y ellas deberían apagar su propia tarjeta. Imagine eso —¡una computadora inteligente!

Los fabricantes de computadoras descubrieron que las ranuras viejas no permitían a la computadora tomar información de las tarjetas, lo suficientemente rápido para hacer cosas sofisticadas, como mostrar películas de esquiadores en el monitor. Así que crearon una ranura especial que toma información más rápido. El primer Bus VL surgió para las 486 y las ranuras PCI tomaron el control con la aparición de las primeras Pentium.

Las computadoras más recientes vienen con ranuras llamadas AGP. Descritas en el capítulo 3, estas ranuras toman ventaja de su tarjeta de vídeo para mover imágenes en pantalla a su máxima velocidad.

Antes de comprar una tarjeta de vídeo nueva, revise el manual de la computadora o tarjeta madre para saber cual ranura de vídeo debe utilizar (El Capítulo 3 ayuda a identificar ranuras y tarjetas de vídeo). Cuando sepa cual ranura usa su PC, asegúrese de que su tarjeta de vídeo calce en esa ranura. Los fabricantes hacen tarjetas para ranuras de diferentes tamaños, así que revise que su nueva tarjeta tenga el tipo correcto de ranura especificada en la caja.

"¿Debería comprar una Tarjeta Aceleradora 3D?"

Por años, las personas han comprado tarjetas de vídeo con el fin de que sus imágenes se vean más realistas en pantalla. Esa pequeña lora verde se vería más y más, como si acabara de salir volando de "National Geographic".

Pero conforme se incrementaba la calidad de vídeo, la computadora tenía que reducir su velocidad. Lanzar todos esos cientos de miles de puntos coloreados a la pantalla requiere de mucho músculo.

Así que alguien inventó un chip acelerador de gráficos. En lugar de enviar puntos a la pantalla, la computadora solo lanza la tarea al chip acelerador de gráficos. Este toma control de todos los gráficos y la PC vuelve a realizar las tareas para las que fue creada.

Estas tarjetas aceleradoras vienen con el chip acelerador incorporado, de manera que usted solo tiene que instalar la tarjeta. Las últimas tarjetas aceleradoras 3D, aceleran la acción en muchos juegos de vídeo, desplegando objetos tridimensionales, de forma realista, en su monitor tridimensional. Si usted disfruta de los juegos de vídeo, necesita una de estas tarjetas.

- Si usa Windows y está en busca de una nueva tarjeta de vídeo, asegúrese de adquirir una tarjeta aceleradora 3D. Esto le asegura compatibilidad con futuros programas.
- Las tarjetas de vídeo de muchas Pentium viejas tienen solo 1MB de memoria de vídeo, pero la Pentium puede procesar mucha más información. Las tarjetas de vídeo más rápidas de hoy vienen con 16MB de memoria de vídeo o más.

Los fanáticos de los juegos deberían revisar las mejores tarjetas de hoy: La maravillosa tarjeta ATI no solo ofrece acción aceleradora 2D y 3D, sino que también puede desplegar la imagen en un televisor, desplegar un TV en la pantalla de su monitor y capturar imágenes de la pantalla, salvándolas como archivos.

"¡Mi Monitor hace Ruidos Extraños!"

Casi todos los monitores emiten sonidos, como los de las palomitas de maíz cuando revientan, cada vez que se encienden o cuando están calentando. No hay de que preocuparse. Pero nunca debe emitir zumbidos o hacer ruidos amenazadores, como si estuviese a punto de explotar.

Normalmente los monitores son una de las partes más silenciosas de su PC. Si alguna vez empieza a emitir ruidos, algo anda mal. Si estos son acompañados por un olor extraño, como humo, apague el monitor de inmediato.

Si su monitor se está convirtiendo en un viejo chirriante, casi al final de sus días surgirán un par de sonidos extraños. Mejor empiece a ahorrar dinero para uno nuevo.

Si instala una tarjeta de vídeo nueva y el monitor grita, la tarjeta está tratando que este haga algo cruel y antinatural. Posiblemente no sean compatibles. Trate con el software de la tarjeta madre para hacerla correr en un modo de vídeo diferente.

- Aun si ha tenido la tarjeta y el monitor por mucho tiempo, cambiar el modo de vídeo de la tarjeta puede hacer que el monitor chille. Evite el modo de vídeo que está causando el problema. Solo a los abanicos de las fuentes de poder se les permite chillar.
- Si el monitor chilla solo en un programa, es porque este lo está forzando a desplegar un modo que no puede manejar. Los televisores en colores pueden desplegar alegremente las viejas películas en blanco y negro, pero los monitores se pueden fundir si no están construidos para el modo en que están recibiendo el vídeo. Vaya al área de configuración de ese programa y escoja un modo o resolución de vídeo diferente.

"¡No Quiero que mi Pantalla se Calcine!"

¿Alguna vez ha visto un viejo monitor monocromático que parece estar corriendo WordPerfect, aun cuando está apagado? Esa imagen constante y permanente es llamada pantalla fantasma.

Para prevenir este fenómeno, algún gurú de la computación inventó un protector de pantalla. Si nadie toca el teclado o el mouse de la PC por algunos minutos, la computadora asume que el usuario anda vagabundeando por ahí y apaga la pantalla para protegerla.

Los monitores en colores de hoy no tienen ese problema de pantalla fantasma. Pero algún astuto y ahora millonario gurú, inventó un protector de pantalla a todo color. En lugar de dejar la pantalla en blanco cuando el usuario está ausente, la computadora despliega una pecera con peces animados (o tostadores volando u otras imágenes llenas de color).

- Windows viene con una amplia gama de protectores de pantalla; las cuales se describen en el Capítulo 17.
- Algunas personas usan los protectores de pantalla, ya que ojos indiscretos podrían leer lo que tiene en pantalla mientras están en su receso para el café.
- La mayoría de las personas los utilizan porque son divertidos. Además, nunca tiene que limpiar los vidrios de la pecera en su pantalla.

"¡La Pantalla de mi Laptop se ve extraña!"

La mayoría de las pantallas de laptops son sensibles a la temperatura. Por ejemplo, cada vez que cargo la batería de mi laptop , se recalienta y esto a su vez calienta la esquina inferior de la pantalla. Luego, cuando enciendo mi laptop, esa esquina inferior se ve extraña hasta que se enfría.

Además, revise la pantalla de configuraciones del programa. Algunos le permiten cambiar los colores. Siga circulando a través de ellos hasta que encuentre el más legible.

Las temperaturas congelantes también pueden dañar su computadora. Tampoco aplique presión en la pantalla para formar circulitos con las yemas de sus dedos, no importa cuan divertido sea.

"¿Cómo Instalo un Monitor Nuevo?"

Nivel de IQ: 70.

Herramientas: Un destornillador.

Costo: De $150 a $2,000.

Poner atención a: Asegúrese de que su tarjeta de vídeo y su monitor estén en el mismo nivel. Igual que Donny y Marie, su tarjeta de vídeo y su monitor trabajan en equipo. Cuando compre una pantalla LCD, asegúrese de comprar también una tarjeta de vídeo que funcione con esa marca de monitor en particular.

Si está instalando una tarjeta de vídeo y un monitor al mismo tiempo, vaya al Capítulo 15 primero. Ahí encontrará todas las instrucciones para la instalación de tarjetas. Cuando la tarjeta esta se encuentra, vuelva aquí.

A menos que esté instalando una tarjeta nueva mientras agrega un monitor nuevo, la pantalla de su nuevo monitor no se verá muy diferente a la del anterior.

Finalmente, no tiemble tanto por el rango de precios que mencioné antes, de $150 a $2,000. Los monitores más baratos son cosas borrosas de 14 pulgadas; los más caros son aparatos enormes, a todo color, que pueden desplegar dos páginas completas en la pantalla al mismo tiempo. Aunque el tamaño más común de pantalla es el de 15 pulgadas, las configuraciones de vídeo de más alta resolución producen iconos Windows más pequeños. Los usuarios de Windows experimentados demandan monitores de 17 pulgadas o más. Los fanáticos de los juegos en PC hasta conectan las computadoras a sus televisores de pantalla gigante.

Además, si compra una tarjeta que puede desplegar programas de televisión en su monitor, definitivamente querrá un monitor más grande, de manera que pueda ver Dawson's Creek en una esquina de su monitor mientras sigue trabajando.

Para instalar un monitor nuevo, siga estos pasos:

1. **Apague su computadora y desconecte su monitor viejo.**

   Salve su trabajo y abandone cualquier programa. Luego, después de apagar su PC, desconecte el cable de poder de su monitor viejo de la pared. Luego, desconecte el cable de la tarjeta de vídeo del monitor de su puerto, en la parte de atrás de la cubierta de su PC. Podría necesitar un destornillador pequeño para aflojar los diminutos tornillos.

   Recuerde a cuál puerto se conecta el cable del monitor, ya que ahí mismo debe conectar el nuevo.

2. **Retire el monitor viejo de su área de trabajo.**

   Puede almacenar su monitor viejo en el cementerio de aparatos eléctricos de su garaje o tratar de venderlo a algún amigo o desconocido.

3. **Remueva el monitor nuevo de la caja.**

   Los monitores vienen empacados de manera muy segura, así que debe retirar muchas de las tiras de estereofón y envolturas plásticas. El cable viene envuelto en su propio paquete.

4. **Coloque el monitor sobre la mesa y conéctelo al puerto de vídeo, como se muestra en la Figura 8-2.**

Figura 8-2: Muchos monitores se conectan a un puerto que luce como este.

5. **Conecte el cable del monitor a la parte trasera de su PC y asegure firmemente el extremo del cable que va al monitor.**

   Si el cable no calza bien, puede ser que el monitor no sea el correcto o que lo está tratando de conectar a la tarjeta equivocada.

   ¿Tiene una de esas geniales bases giratorias? Entonces asegúrese de dejar los cables con una longitud suficientemente amplia. De lo contrario, cada vez que ajuste el ángulo del monitor, podría halar y aflojar los cables de sus conectores.

6. **Conecte el cable de poder del monitor al enchufe de pared o al protector de picos.**

   O, si el cable de poder de su monitor se conecta a la parte trasera de la cubierta de su PC, hágalo.

7. **Encienda su monitor y después la computadora.**

   ¿Puede ver las letras en la pantalla conforme su computadora se carga? De ser así, ¡lo ha logrado! ¡Bravo!. Pero si no, siga hojeando algunas de las reparaciones indicadas en este capítulo. El monitor debería ser muy fácil de reparar.

Si compró un monitor sofisticado con parlantes, cámara y otros, tiene que realizar dos trucos más: Conecte los cables de los parlantes y la cámara a los conectores en la parte de atrás de su PC —usualmente son tarjetas (Capítulo 15). Luego, si Windows no reconoce las características especiales de su nuevo monitor, probablemente tenga que instalar el controlador que está en el disquete que viene en su monitor (¿Su monitor venía con un disquete, verdad?). De cualquier forma, el Capítulo 17 puede ayudarlo.

Capítulo 9

Impresoras (Esas Gastapapel)

En este capítulo

- Entender términos de impresoras
- Reparar atascos de papel
- Entender tipos de letras
- Reparar los problemas de espacios
- Curar páginas manchadas
- Depurar la impresora

Muchos de los programas recién instalados se arrastran dentro de su computadora. Después de buscar y encontrar algunas partes electrónicas, el programa puede determinar, por sí mismo, cuáles son las partes escondidas ahí. Pero aun el programa más astuto no puede descifrar lo que hay al final del cable de su impresora.

Windows hace este proceso un poco más fácil. Si su impresora es compatible con "Plug and Play", Windows 95 y 98 automáticamente detecta la clase de impresora que hay al otro lado del cable y se lo deja saber a través de la instalación del controlador de software correcto. Aun si no tiene una impresora "Plug and Play", puede indicar la marca y modelo de su impresora a Windows y este, amablemente, transferirá la información a cualquier otro programa que la solicite.

Aun sin Windows, las impresoras son más fáciles de utilizar cada día. El único problema es si está en uno de esos días. Usted sabe, cuando el margen no se ve bien, la carta para la compañía telefónica parece un mapa del clima o la impresora ni siquiera enciende.

Cuando las páginas impresas se ven extrañas — o el papel ni siquiera sale de la impresora — este es el capítulo por analizar.

"No sé Que Significa Todo eso de Impresoras"

Igual que los monitores, las impresoras han adoptado algunos términos bastante extraños con los años. Ninguno de estos términos suenan en realidad violentos, a menos que cuente la palabra láser. Los términos son solo cosas aburridísimas — a menos, por supuesto, que estén en una tabla agradable a la vista, como la Tabla 9-1.

¿Necesita información sobre diferentes tipos de impresora? Vaya a la sección de Impresoras en el Capítulo 3.

Tabla 9-1 Palabras Aburridas de Impresoras

El término aburrido	*Lo que significa*
Emulación o modo de impresora	Algunas impresoras pretenden ser lo que no son para poder trabajar con más variedades de softwares. Las impresoras y diseños más comúnmente imitados incluyen IBM, Hewlett-Packard LaserJet, PostScript y Epson.
Hewlett-Packard LaserJet	Una de las impresoras láser más populares. Esta impresora es muy imitada. Truco: Para mejores resultados ajuste su impresora al modo LaserJet y escoja LaserJet en el menú de impresoras de su programa.
Epson	Cuando dude de la impresora de matriz de puntos que usted tiene, escoja Epson. Aunque muchas IBM y Okidata siguen flotando por ahí, la mayoría pueden ser configuradas para trabajar en modo de emulación Epson. Y si por casualidad tiene una Epson de matriz de puntos, no tendrá problemas.
PostScript	El lenguaje de programación de Adobe para impresoras. Este lenguaje emociona a los fanáticos de gráficos con plumas de pavo real en sus escritorios. Las impresoras PostScript pueden manejar gráficos de altísima calidad y muchas fuentes elegantes. Truco: Si tiene una de estas, configúrela en modo PostScript. Escoja PostScript en el menú de impresoras de su programa.
Lenguaje de Control de Impresora (pcl)	La forma en que un programa explica una página a la impresora (Vea el siguiente punto, lenguaje de descripción de página).

El término aburrido	*Lo que significa*
Lenguaje de Descripción de página (pdl)	Otra forma en la que el programa explica la página a la impresora. Por ejemplo, PostScript y LaserJet utilizan sus propios pdls.
Páginas por minuto (ppm)	El número de páginas que la impresora láser puede imprimir en un minuto. Aunque se trata de la misma página. Si imprime varias páginas, estas no saldrán tan rápido.
Puntos por pulgada (dpi)	El número de puntos que puede empacar la impresora láser en una pulgada. Entre más puntos por pulgada, mejor se verán sus impresiones.
Controlador	Esta pequeña pieza de software traduce las cosas de su pantalla a las cosas que usted ve en una página impresa. Windows utiliza diferentes controladores para hablar con distintas marcas de impresoras. ¿No encuentra el controlador correcto para el modelo de su impresora? Muchas impresoras imitan las marcas populares, así que escoja el controlador de la impresora a la que imita la suya. Probablemente sea Hewlett-Packard LaserJet, PostScript o Epson. Lo que es mejor, si Windows no incluye el controlador correcto para su impresora, visite la página Web del fabricante y descargue uno gratis.
Tamaño de punto	El tamaño de una solo letra. Esta palabra utiliza un tamaño de punto más grande que esta palabra.
Tipo de letra	Describe el estilo distintivo de una letra. Courier es un tipo de letra diferente a TimesRoman.
Fuente	Un tipo de letra de cierto tamaño y características. Por ejemplo, TimesRoman es un tipo de letra y, TimesRoman Bold es una fuente dentro de esa familia de tipo de letra.
Paso	La cantidad de espacio entre las letras.
Avance de línea	Cambie este interruptor solo si todo está siempre a doble espacio. O cámbielo si todo se imprime en la misma línea, una y otra vez. De lo contrario, ignórelo. Note que algunas impresoras de matriz de puntos le permiten presionar este botón para avanzar el papel una línea a la vez.

(continúa)

Tabla 9-1 continuación

Este término aburrido	***Lo que significa***
Alimentación de papel	En algunas impresoras, seleccionar este botón lleva hacia arriba la parte superior de la página de manera que quede lista para imprimir.
Cartucho de tóner	Esta caja plástica dentro de una impresora láser tiene un polvo negro, conocido como tóner. Este tóner es transferido al papel electrostáticamente y derretido por las barras fundidoras. Lo que sea que esto signifique.
Salto de perforación	¿Sigue su impresora de matriz de puntos imprimiendo en la parte superior de la perforación, donde se separan las páginas? ¿O salta la perforación y deja una pulgada entre cada página? De ser así, este interruptor le permite escoger saltar o no saltar. Truco: Después de cambiar las configuraciones de su impresora, usualmente tiene que apagar y encender su impresora (Apáguela y enciéndala despacio, a los componentes eléctricos no les gustan los cambios drásticos).

"Mi Impresora no Funciona Nada"

¿Está seguro de que la impresora está conectada y encendida ?

Revise que la luz de encendido de la impresora parpadee alegremente. Si no, conecte una lámpara a ese enchufe para asegurarse de que esté funcionando. Si la lámpara enciende en ese enchufe donde su impresora no enciende, la impresora está sufriendo de una fuente de poder quemada. Debe llevarla al taller de reparación y esperar a que se la reparen en un par de semanas. Pero, si la luz de encendido funciona, siga leyendo.

- ¿Tiene papel su impresora? ¿Está el papel atascado en alguna parte? Algunas impresoras tienen un indicador que dice "papel atascado" cada vez que este se pega dentro de la máquina. En otras impresoras usted mismo tiene que buscar el problema.
- ¿Está conectado correctamente el cable a su puerto? Asegúrese de revisar el puerto en la computadora o en la impresora.

- ¿Tiene un dispositivo interruptor ("Data Switch") que le permita conectar dos computadoras a una impresora? Asegúrese de que el "Data Switch" esté asignado a la computadora correcta. Mientras se encuentra ahí, dé un tirón a los cables para asegurarse de que estén firmemente conectados.
- ¿Está la impresora en línea? Significado: ¿Está la luz de En línea, encendida? Si no, presione el botón de En Línea.
- Además, trate de imprimir desde un programa diferente. Puede ser que su programa esté dañado, y que la impresora sea inocente. Si el programa está dañado, probablemente no sepa cuál es la marca de su impresora. Vaya a la siguiente sección "¡Cuando trato de imprimir, obtengo Griego!"

Las impresoras láser se supone que se calientan. Por eso es que no debe colocar fundas de almohadas o cubiertas en las impresoras láser mientras estén funcionando. Si no les proporciona suficiente ventilación, su impresora láser podría recalentarse. Cuando no la está utilizando, asegúrese de que se enfríe y luego cúbrala para mantener el polvo y las moscas muertas fuera de ella.

"¡Cuando Trato de Imprimir Obtengo Griego!"

Cuando ve griego en lugar de español (o, para ustedes lectores extranjeros, español en lugar de griego), puede que su impresora este funcionando bien. Es el software el que está mal. El software piensa que usted tiene un tipo de impresora diferente al final del cable. Por ejemplo, la Figura 9-1 muestra lo que imprime Microsoft Word para Windows cuando piensa que una impresora PostScript está en línea, cuando en realidad es una Hewlett-Packard LaserJet.

Puede reutilizar el papel de desecho. Colóquelo en la bandeja de su impresora, ya sea para abajo o para arriba, dependiendo de la dirección en la que imprima la impresora. No querrá utilizar el papel de desecho para las cosas importantes, pero utilícelo para las cosas que no va a mostrar a nadie.

En lugar de tener griego saliendo de su impresora, lo opuesto — no tener nada impreso — puede ser igual de mortificante. Cuando Word para Windows imprime en formato LaserJet para PostScript, no sale nada de la impresora.

El problema es que el software está utilizando el controlador equivocado. Necesita ir al menú de Configuración de Impresora del Programa y luego escoger el controlador correcto para su impresora.

```
%!PS-Adobe-3.0
%%Creator: Windows PSCRIPT
%%Title: Microsoft Word - CHAP08.DOC
%%BoundingBox: 13 15 595 778
%%DocumentNeededResources: (atend)
%%DocumentSuppliedResources: (atend)
%%Pages: (atend)
%%BeginResource: procset Win35Dict 3 1
/Win35Dict 290 dict def Win35Dict begin/bd{bind def}bind def/in{72
mul}bd/ed{exch def}bd/ld{load def}bd/tr/translate ld/gs/gsave ld/gr
/grestore ld/M/moveto ld/L/lineto ld/rmt/rmoveto ld/rlt/rlineto ld
/rct/rcurveto ld/st/stroke ld/n/newpath ld/sm/setmatrix ld/cm/currentmatrix
ld/cp/closepath ld/ARC/arcn ld/TR{65536 div}bd/lj/setlinejoin ld/lc
/setlinecap ld/ml/setmiterlimit ld/sl/setlinewidth ld/scignore false
def/sc{scignore{pop pop pop}{0 index 2 index eq 2 index 4 index eq
and{pop pop 255 div setgray}{3{255 div 3 1 roll}repeat setrgbcolor}ifelse}ifelse
/FC{bR bG bB sc}bd/fC{/bB ed/bG ed/bR ed}bd/HC{hR hG hB sc}bd/hC{
/hB ed/hG ed/hR ed}bd/PC{pR pG pB sc}bd/pC{/pB ed/pG ed/pR ed}bd/sM
matrix def/PenW 1 def/iPen 5 def/mxF matrix def/mxE matrix def/mxUE
matrix def/mxUF matrix def/fBE false def/iDevRes 72 0 matrix defaultmatrix
dtransform dup mul exch dup mul add sqrt def/fPP false def/SS{fPP{
/SV save def}{gs}ifelse}bd/RS{fPP{SV restore}{gr}ifelse}bd/EJ{gsave
showpage grestore}bd/#C{userdict begin/#copies ed end}bd/FEbuf 2 string
def/FEglyph(G  )def/FE{1 exch{dup 16 FEbuf cvrs FEglyph exch 1 exch
putinterval 1 index exch FEglyph cvn put}for}bd/SM{/iRes ed/cyP ed
/cxPg ed/cyM ed/cxM ed 72 100 div dup scale dup 0 ne{90 eq{cyM exch
0 eq{cxM exch tr -90 rotate -1 1 scale}{cxM cxPg add exch tr +90 rotate}ifelse}{
cyM sub exch 0 ne{cxM exch tr -90 rotate}{cxM cxPg add exch tr -90
rotate 1 -1 scale}ifelse}ifelse}{pop cyP cyM sub exch 0 ne{cxM cxPg
add exch tr 180 rotate}{cxM exch tr 1 -1 scale}ifelse}ifelse 100 iRes
div dup scale 0 0 transform .25 add round .25 sub exch .25 add round
.25 sub exch itransform translate}bd/SJ{1 index 0 eq{pop pop/fBE false
def}{1 index/Break ed div/dxBreak ed/fBE true def}ifelse}bd/ANSIVec[
16#0/grave 16#1/acute 16#2/circumflex 16#3/tilde 16#4/macron 16#5/breve
16#6/dotaccent 16#7/dieresis 16#8/ring 16#9/cedilla 16#A/hungarumlaut
16#B/ogonek 16#C/caron 16#D/dotlessi 16#27/quotesingle 16#60/grave
16#7C/bar 16#82/quotesinglbase 16#83/florin 16#84/quotedblbase 16#85
/ellipsis 16#86/dagger 16#87/daggerdbl 16#89/perthousand 16#8A/Scaron
16#8B/guilsinglleft 16#8C/OE 16#91/quoteleft 16#92/quoteright 16#93
/quotedblleft 16#94/quotedblright 16#95/bullet 16#96/endash 16#97
/emdash 16#99/trademark 16#9A/scaron 16#9B/guilsinglright 16#9C/oe
16#9F/Ydieresis 16#A0/space 16#A4/currency 16#A6/brokenbar 16#A7/section
16#A8/dieresis 16#A9/copyright 16#AA/ordfeminine 16#AB/guillemotleft
16#AC/logicalnot 16#AD/hyphen 16#AE/registered 16#AF/macron 16#B0/degree
16#B1/plusminus 16#B2/twosuperior 16#B3/threesuperior 16#B4/acute 16#B5
/mu 16#B6/paragraph 16#B7/periodcentered 16#B8/cedilla 16#B9/onesuperior
16#BA/ordmasculine 16#BB/guillemotright 16#BC/onequarter 16#BD/onehalf
16#BE/threequarters 16#BF/questiondown 16#C0/Agrave 16#C1/Aacute 16#C2
/Acircumflex 16#C3/Atilde 16#C4/Adieresis 16#C5/Aring 16#C6/AE 16#C7
/Ccedilla 16#C8/Egrave 16#C9/Eacute 16#CA/Ecircumflex 16#CB/Edieresis
16#CC/Igrave 16#CD/Iacute 16#CE/Icircumflex 16#CF/Idieresis 16#D0/Eth
16#D1/Ntilde 16#D2/Ograve 16#D3/Oacute 16#D4/Ocircumflex 16#D5/Otilde
16#D6/Odieresis 16#D7/multiply 16#D8/Oslash 16#D9/Ugrave 16#DA/Uacute
16#DB/Ucircumflex 16#DC/Udieresis 16#DD/Yacute 16#DE/Thorn 16#DF/germandbls
16#E0/agrave 16#E1/aacute 16#E2/acircumflex 16#E3/atilde 16#E4/adieresis
16#E5/aring 16#E6/ae 16#E7/ccedilla 16#E8/egrave 16#E9/eacute 16#EA
/ecircumflex 16#EB/edieresis 16#EC/igrave 16#ED/iacute 16#EE/icircumflex
16#EF/idieresis 16#F0/eth 16#F1/ntilde 16#F2/ograve 16#F3/oacute 16#F4
/ocircumflex 16#F5/otilde 16#F6/odieresis 16#F7/divide 16#F8/oslash
16#F9/ugrave 16#FA/uacute 16#FB/ucircumflex 16#FC/udieresis 16#FD/yacute
```

- En Windows 98, abra el icono Mi Computadora desde el escritorio y presione dos veces en la carpeta de Impresoras. Presione dos veces el icono de Agregar Impresora y siga los pasos para presentar Windows a su impresora (Encontrará mayores detalles en el Capítulo 18).
- Si está utilizando un programa DOS, puede que tenga que reinstalar el programa e indicarle el nombre de la impresora correcta.
- Windows ya viene con los controladores para la mayoría de las impresoras.
- Puede encontrar más información sobre el PostScript en el Capítulo 3.

Si su impresora vieja puede cambiar entre emulación PostScript y LaserJet, asegúrese de seleccionar el controlador correcto en Windows, antes de empezar a imprimir. Nadie puede recordar esto siempre, pero puede al menos tratar. Por suerte, la mayoría de los modelos nuevos tienen autodetección .

"¡El Papel Sigue Atascándose en mi Impresora Láser!"

Eso suena a que su impresora necesita limpieza profesional. Mientras tanto, abra la cubierta de la impresora láser y cuidadosamente retire la hoja de papel atascada.

Tome la resma de papel, sosténgala suavemente con ambas manos y deje pasar las hojas una a una, como se hace para mostrar el movimiento de las caricaturas en papel. Este proceso afloja el papel y lo hace fluir a través del alimentador de papel más fácilmente.

Mantenga a los gatos alejados de una impresora láser. El gato de una amiga se orinó sobre su impresora láser y esto le costó varios cientos de dólares en reparaciones.

No corra etiquetas en su impresora láser — a menos que la caja de etiquetas indique lo contrario. El calor dentro de la impresora puede hacer que las etiquetas se desprendan y caigan dentro de la impresora. Las etiquetas lo paralizan todo, lo que hace que usted se sienta mal.

"Mi Impresora Dice Tener 35 Fuentes Incorporadas —¿Dónde?"

El departamento de mercadeo de las compañías de impresoras con frecuencia juegan a confundir tipos de letras con fuentes.

Un tipo de letra es una familia de las letras. Arial es un tipo de letra, por ejemplo. `Courier` también es un tipo de letra.

Una fuente describe una variedad particular de tipos de letra. **Arial Bold** es una fuente, así como *Arial Italic*.

Su impresora considera Arial, **Arial Bold** y *Arial Italic* como tres fuentes diferentes. Por eso el término "35 fuentes incorporadas" es muy aburrido después de verificar como lucen las letras en realidad.

"Todo Está a Doble Espacio o Impreso en la Misma Línea"

Después de que la impresora coloca una sola línea de texto en el papel, necesita bajar una línea y empezar a imprimir la siguiente . ¿Pero, debería su impresora hacerlo automáticamente? ¿O debería esperar a que la impresora se lo indique?

Estas dosis de diplomacia computarizada pueden en realidad crear desastres. Si su computadora e impresora, ambas bajan una línea, todo queda impreso a doble espacio. Pero si ninguna de las dos baja esa línea, entonces todo queda impreso en la misma línea, una y otra vez.

¿La solución? Si sus líneas están siempre a doble espacio o si todos sus textos se imprimen en la misma línea, cambie el interruptor de avance de línea de su impresora.

- Después de cambiar el interruptor de avance de línea, necesita apagar la computadora, esperar diez segundos y luego encenderla de nuevo. Las impresoras notan los interruptores solo cuando se encienden por primera vez.
- Si este problema surge con solo uno de sus programas, no cambie el interruptor de avance de línea de su impresora. Cambiar este interruptor hace que la impresora se comporte de manera extraña con el resto de los programas. En cambio, indique a ese programa renegado que reverse su configuración de avance de línea. Encontrará las configuraciones en el área de configuración de ese programa o del programa de instalación.

- Algunas impresoras cambian sus líneas de avance con un interruptor DIP. Este interruptor es del tamaño de dos hormigas juntas, una al lado de la otra. Necesita un sujetapapeles para cambiar el interruptor DIP (Ese delicado procedimiento se cubre en el Capítulo 18). El interruptor usualmente está cerca de la parte trasera.
- Si todo se están imprimiendo bien, ignore el interruptor de avance de línea. De lo contrario, sus cosas no se imprimirán correctamente.
- Algunas impresoras vienen con software para controlar al avance de línea. En lugar de buscar interruptores, tiene que buscar el software correcto.

"Las Páginas Salen Manchadas de mi Impresora Láser"

Algunas veces la página se ve manchada, con grandes parches de tinta negra aquí y allá, o grandes espacios vacíos. Esos parches y manchas usualmente significan que es tiempo de un viaje al taller de reparación. Su impresora láser necesita ser mimada, limpiada y facturada por un profesional. Los próximos párrafos describen algunos problemas y como repararlos.

Rayas negras: Este problema puede significar que usted necesita un fotoconductor — una cosa grande y muy cara dentro de su impresora. Algunas veces las talleres pueden limpiar el fotoconductor para corregir el problema. Otras veces, lo que necesita es solo un cartucho de tóner — un creciente número de impresoras, hoy en día, colocan el fotoconductor dentro del cartucho de tóner.

Impresión desteñida: Probablemente necesite un nuevo cartucho de tóner. Pero, antes de comprarlo, trate este turco:

Cuando sus impresiones se vean desteñidas o desvanecidas, su impresora probablemente se esté quedando sin tóner. Abra la cubierta de la impresora láser y busque una cosa plástica, negra y grande. Hálela hacia afuera y luego balancéela de un lado a otro, suavemente. No vuelva el cartucho al revés a menos que quiera crear un increíble caos. Luego deslice al cartucho de nuevo en su lugar de la misma manera. Este procedimiento algunas veces permite a su impresora exprimir algunas docenas más de páginas extra.

Papel arrugado: Mantenga el papel almacenado en un lugar seco y no en una esquina del garaje o debajo del percolador. El papel húmedo puede arrugarse conforme corre a través de la impresora láser.

Jeff Wiedenfeld, editor técnico de este libro, afirma que el recipiente plástico para lasagna, marca Tupperware, es el mejor lugar para almacenar el papel.

Además, todas esas cosas láser en realidad calientan la impresora. Si está corriendo alguna página con membrete preimpreso a través de la impresora, la tinta del membrete podría manchar.

Mantener Feliz a su Impresora

Su impresora por lo general prefiere a los Técnicos de Servicio Autorizado, con batas blancas. Sin embrago, siéntase en libertad de realizar las tareas apropiadas, enlistadas a continuación, para mantener feliz a su impresora:

- Descargue los últimos controladores y software. Cada cierta cantidad de meses — o cuando su impresora esté actuando de manera demasiado extraña como para ignorarla — visite la página Web del fabricante de su impresora y descargue la última versión del controlador y el software. Son dos cosas diferentes. Un controlador es un software que permite que Windows se comunique con su impresora cuando envía las páginas. El software es un programa de servicio que le permite ajustar las configuraciones de su impresora.
- Corra el software de la impresora. Por ejemplo, Hewlett-Packard incluye un disco de software con una impresora de inyección de tinta a870Cse, lo que le ayuda a diagnosticar y afinar su impresora. El software, disponible en su página Web y mostrado en la Figura 9-2, incluye páginas de ayuda para remplazar los cartuchos de impresión y las configuraciones de impresión.

Además depura su impresora, ofreciendo sugerencias cuando las cosas salen mal. Finalmente, alínie su impresora cada vez que remplaza el cartucho de tinta, asegurando cuidadosamente una óptima calidad.

- Apague su impresora cuando no la esté utilizando. Las impresoras de inyección de tinta, especialmente, deberían estar apagadas cuando no se están utilizando. El calor tiende a secar los cartuchos, acortando su vida útil.

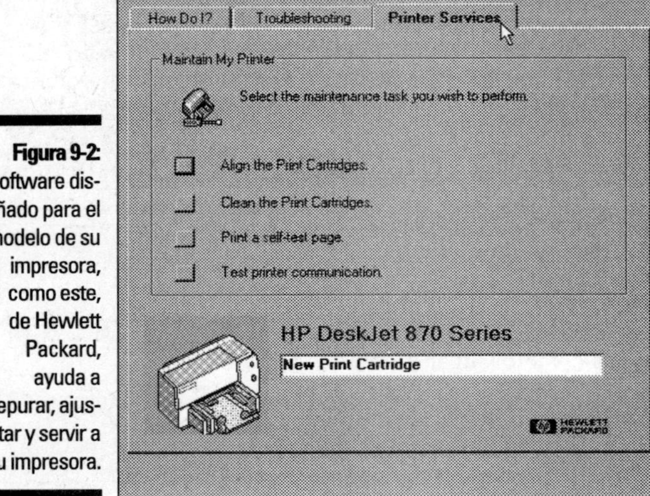

Figura 9-2: Software diseñado para el modelo de su impresora, como este, de Hewlett Packard, ayuda a depurar, ajustar y servir a su impresora.

No desconecte una impresora de inyección de tinta para apagarla. Siempre utilice el interruptor de encendido/apagado. Este interruptor asegura que los cartuchos hayan sido deslizados hacia atrás, "a su posición base", evitando que se sequen o se vuelvan pegajosos.

"¿Cómo Instalo un Nuevo Cartucho de Tóner o de Tinta?"

Las impresoras necesitan tinta o tóner para imprimir en la página. Cuando sus páginas empiezan a verse manchadas o desteñidas, probablemente necesite un nuevo cartucho.

Las impresoras trabajan de diferentes maneras, pero he aquí un resumen general:

1. **Apague su impresora y retire la cubierta.**

   Las impresoras generalmente tienen una tapa o cubierta que se levanta. Tal vez necesite retirar la bandeja de papel primero.

Si su impresora láser ha estado encendida, déjela enfriar por 15 minutos. Estas se recalientan por dentro lo suficiente como para marcar ganado. Las partes que parecen calientes en realidad lo están, así que podrían herir sus dedos.

2. **Hale en cartucho viejo hacia afuera.**

   El cartucho por lo general se desliza fácilmente. Una vez afuera, limpie el polvo o suciedad dentro de la impresora. El manual le indica los lugares más apropiados para limpiar. Una pequeña frotadita con alcohol usualmente funciona bien. Revise el manual de la impresora para estar seguro de que el alcohol no va a dañar las partes internas.

   Las impresoras en colores vienen con dos cartuchos, el cartucho de tinta negra y el cartucho de tinta a color. Usualmente están rotulados para evitar confusiones. Si tienen dudas, el cartucho más pequeño es el de tinta negra. Algunas impresoras de inyección de tinta viejas vienen con solo una base para cartucho, lo que requiere que sus dueños los alternen.

3. **Deslice el nuevo cartucho hacia adentro.**

   Antes de eso balancee el cartucho de un lado a otro para distribuir el tóner. No vuelva el cartucho al revés ni lo incline para un solo lado completamente.

   Algunos cartuchos de tóner tienen una banda protectora de plástico que debe retirar antes de instalar el cartucho. Mejor revise el libro de instrucciones.

4. **Cuando el nuevo cartucho esté en su lugar, cierre la cubierta de la impresora y enciéndala de nuevo.**

   Debe colocar la bandeja de papel de nuevo en la impresora.

5. **Corra el software de la impresora, si lo tiene.**

   Algunas impresoras de inyección de tinta, por ejemplo, vienen con un software que alínea el cartucho. Imprime varios diseños codificados y luego le pide examinarlos y escoger los mejores. La impresora entonces conoce la mejor forma para imprimir.

- Debería revisar el manual de su impresora donde se mencionan las “almohadillas fundidoras” o “alambres corona”, los cuales necesitan ser cambiados al mismo tiempo.
- Los cartuchos de tóner nuevos, algunas veces, manchan las primeras páginas, así que no imprima ningún currículum justo después de cambiarlos.
- Si tiene problemas, lleve la impresora al taller de reparación, probablemente necesite una buena limpieza de todas maneras.

"¿Puedo Ahorrar Dinero Recargando los Cartuchos?"

Algunas personas dicen que reciclar es una buena forma de ahorra dinero y proteger el medio ambiente. Otras personas dicen que un cartucho reciclado puede dañar la impresora. No existe una respuesta clara.

Deje que su propia experiencia sea su guía. Si decide recargar los cartuchos, sin embargo, no trate de hacerlo usted mismo. Deje que el taller de reparación realice este trabajo. Un técnico calificado es quien puede juzgar mejor si sus cartuchos deberían ser recargados o no.

Los cartuchos de inyección de tinta también pueden ser recargados. Revise las páginas traseras de las revistas de cómputo, en busca de compañías que venden los estuches para recargar cartuchos. Pero asegúrese de utilizar la tinta formulada especialmente para estos cartuchos.

"¿Puedo Actualizar mi Impresora Láser?"

Igual que las computadoras, las impresoras láser, con frecuencia, tienen compartimentos secretos donde usted puede agregar aparatos. Encontrará un resumen a continuación:

Cartuchos: Algunas impresoras funcionan como el viejo sistema "Atari": puede adherir diferentes cartuchos para que hagan cosas diferentes. Puede agregar fuentes diferentes, por ejemplo, o agregar PostScript, si en realidad quiere imprimir cosas de muy alta calidad.

Memoria: Los textos no requieren de mucha para ser impresos. Pero si quiere agregar gráficos en una pagina — imágenes, bordes elegantes o gráficos circulares — la impresora necesitará mucha memoria para manejar todo eso. Algunas impresoras le permiten agregar pequeños módulos de memoria dentro de ellas, de manera que puedan imprimir páginas más sofisticadas en menor tiempo.

La memoria que va dentro de la impresora usualmente no es del mismo tipo que la que va dentro de su computadora. No las puede intercambiar (Tampoco puede tomar memoria de su tarjeta de vídeo).

Desafortunadamente, la mayoría de estos dispositivos se compran en la compañía fabricante de la impresora. Rara vez son intercambiables con otras marcas.

"Mi impresora láser huele extraño"

Las impresoras láser contribuyen con la capa de Ozono de la Tierra. Desafortunadamente, liberan el ozono justo en su escritorio y no 12 o 15 millas dentro la atmósfera terrestre.

Las impresoras láser vienen con un filtro de ozono que absorbe el gas peligroso antes de que alcance sus cavidades nasales. Sin embargo el filtro se gasta. Revise el manual de su impresora para corroborar con que frecuencia necesita cambiar el filtro. Algunas veces puede cambiarlo usted mismo; otras impresoras requieren ser llevadas al taller.

"¿Por qué es tan Corto el Cable de mi Impresora?"

Es corto porque los puertos paralelos son WIMPY. Les hacen falta los músculos de la lengua para poder lanzar datos a largas distancias, así que los cables por lo general son de 6 pies de largo. Algunos cables más caros agregan unos pocos pies, pero usualmente su impresora necesita estar cerca de la computadora (Revise el siguiente recuadro con las especificaciones IEEE 1284, no solo si usted es aventurero, sino también si su impresora necesita estar a más de 6 pies de distancia).

IEEE 1284 y otras palabras pavorosas

El BIOS de muchas computadoras le permiten configurar el puerto de la impresora en ECP (Puerto de Capacidades Extendidas), EPP (Puerto Paralelo Mejorado), AT y PS/2 (ver Capítulo 3).

Escoja ECP o EPP si su sistema los soporta (Esa información está en el manual). Pero para una comunicación más rápida y con menos problemas, revise si su computadora soporta el puerto paralelo IEEE 1284. Ese protocolo trabaja con todos lo modelos anteriores, así que no debería tener problemas.

Además, IEEE 1284 viene con un cable de impresora nuevo, un conector miniatura Centronics de 26 pines, llamado conector tipo C. Los cables paralelos tradicionales no pueden ser de mas de 6 pies de largo, pero el nuevo conector Tipo C y el cable permiten una longitud de hasta 30 pies.

Por supuesto, estos cables son más caros. Pero su impresora y computadora pueden comunicarse más rápidamente, lo que significa que se pierde menos tiempo esperando que la computadora lance los gráficos elegantes.

¿Cómo Pueden Dos Computadoras Compartir una Impresora?

Muchas personas resuelven el problema de tener dos computadoras y una sola impresora con una "Data Switch A/B". La impresora se conecta al puerto de la impresora de la caja. Una computadora se conecta al puerto A de la caja y la otra al puerto B.

Cuando quiera imprimir desde una computadora, cambie el interruptor a A. Cuando requiera impresión desde la otra PC, cambie el interruptor a B.

En realidad es una organización muy simple. El único problema ocurre cuando olvida cambiar el interruptor de A a B. Todo el mundo lo hace. Algunas personas hasta alardean de olvidar cambiar el interruptor.

Cuando las personas se jacten de olvidar cambiar el interruptor de sus cajas, recuérdeles que esos vejestorios fueron diseñados antes que las sensitivas (y caras) impresoras láser. Para evitar daños, apague su impresora antes de cambiar el interruptor. Lo que es mejor, compre uno de los "Data Switch" nuevos, descritos en la siguiente sección.

Los nuevos "Data Switch A/B" pueden detectar, automáticamente, cuál impresora está tratando de imprimir y envía la página entrante a la impresora apropiada. Aunque estas cajas son más caras, pueden acarrear muchos problemas potenciales.

Una red — una costosa versión de "Data Switch A/B" de alta calidad — conecta muchas computadoras con cables y tarjetas. Si está utilizando una red en Windows, puede imprimir en cualquier impresora activa enlistada en la red. Aun tiene que levantarse y caminar para alcanzar la impresión, pero con suerte la impresora red no esta muy lejos.

¿Cuál es el Mejor Papel para una Impresora de Inyección de Tinta en Color?

Las últimas y más grandes versiones de impresoras, las baratas y poderosas impresoras de inyección de tinta, pueden imprimir preciosas imágenes en color, siempre y cuando utilice el papel adecuado. En papel de oficina ordinario, las fibras de este se empapan de tinta, lo que resulta en manchas y goteos. Sobre papel especialmente diseñado (y especialmente caro), papel para inyección de tinta en color, los colores se quedan en su lugar, creando una imagen nítida.

Revise las etiquetas del papel antes de comprarlo y asegúrese de comprar un poco de cada marca.

¿Utiliza una cámara digital? Compre el papel de mejor calidad para imprimir fotografías en modo de alta calidad. Visite la página Web del fabricante de la impresora y asegúrese de utilizar los controladores más recientes para el modelo de su impresora. De hecho, considere adquirir una impresora dedicada para su cámara.

"¿Cómo Instalo una Impresora Nueva?"

Nivel IQ: 70.

Herramientas: Una mano y un destornillador.

Costo: De $150 a $2,500.

Poner atención a: Cuando compre una impresora láser, compare las impresiones de varios tipos de impresoras diferentes. Las impresoras láser utilizan diferentes mecanismos para imprimir, cada uno con sus propias ventajas y desventajas. Por ejemplo, una impresora puede ser mejor para gráficos, pero terrible para cartas. Otras impresoras pueden ser lo opuesto.

Asegúrese de comparar la salida de varias impresoras de inyección de tinta antes de tomar una decisión final. Sin importar la impresora que escoja, puede que tenga que comprar un cable; las impresoras usualmente no vienen con cable. Todos los cables de impresoras para PC hacen la misma cosa (a menos que tenga una impresora serial, la cual se describe al final de este capítulo).

Para instalar una impresora, siga estos pasos:

1. **Apague la computadora.**

   Apagar la computadora es siempre una buena idea cuando se está instalando cualquier cosa que no sea software. Asegúrese de salvar su trabajo y salir de los programas antes de apagarla.

2. **Remueva la impresora de su caja.**

   Retire cualquier estereofón, cinta, bolsas plásticas, etc. Tome todos los manuales y disquetes; pueden perderse entre los materiales de empaque.

3. **Encuentre el cable de la impresora, el puerto de impresora de su computadora y el puerto en la parte de atrás de su impresora.**

   El puerto de la impresora se ve igual, ya sea en la parte de atrás de su PC, XT, AT, 386 o Pentiums viejas, así como en cualquier otro tipo de computadora IBM compatible. Busque un puerto grande de 25 agujeros, como se muestra en la Figura 9-3 (El puerto grande de 25 agujeros es un puerto serial).

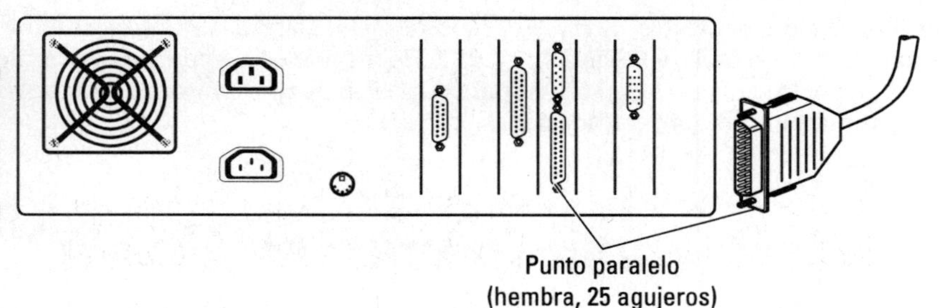

Figura 9-3: El puerto de su impresora.

4. **Conecte el cable entre la computadora y la impresora.**

   Presione el lado del cable que parece la boca de un robot en la impresora y conecte el otro lado al puerto de impresora de su computadora.

   Las diferentes impresoras aceptan el papel de distintas maneras. Revise el manual.

   ¿Tiene una impresora de matriz de puntos o de inyección de tinta ? Probablemente necesite un cartucho de tinta o cinta, de manera que la impresora pueda imprimir las páginas.

5. **Corra cualquier software que venga con la impresora.**

   Muchas de las impresoras de hoy vienen con controladores especiales y programas elegantes. Asegúrese de instalar cualquier software que venga con su impresora.

Algunas impresoras traen un programa de autoprueba incorporado. Puede correr este programa presionando los botones del Panel de Control de la impresora. El programa lanza una hoja de papel mostrando líneas de letras en orden alfabético. La prueba solo muestra que la impresora funcionan bien, no demuestra si está correctamente enlazada a la computadora. El software de su impresora, descrito anteriormente en este capítulo, ayuda a alinear los cartuchos de inyección de tinta de la impresora. Windows imprime una página de prueba para asegurarse de que todo esté debidamente conectado a la computadora.

Parte III

Las Cosas Ocultas Dentro de su PC

OH, OH, AHI ESTA EL PROBLEMA. ALGO ESTA CAUSANDO CORTOS EN LA ESTRUCTURA PRINCIPAL

En esta parte . . .

Probablemente ya esté familiarizado con las cosas que están fuera de su PC. Ya ha organizado cada parte en su escritorio, con ocasionales pausas para acomodar los cables que van detrás de su computadora.

Sin embargo, esta parte del libro describe las cosas que nunca ha tocado. Aquí, usted descubrirá las partes ocultas de su computadora — las piezas que se esconden en lo profundo, detrás de todos esos ruidos.

Esta parte del libro revela lo que está bajo la cubierta de su PC.

Capítulo 10

La Tarjeta Madre (Y Su CPU, BIOS y Hasta una Batería)

En este capítulo

- Encontrar y cambiar la batería de su computadora
- Entender los enchufes para OverDrive
- Remplazar y actualizar su CPU
- Remplazar o actualizar la tarjeta madre
- Entender su BIOS y cambiar sus configuraciones
- Actualizar el BIOS de su computadora

Si su computadora es un gran omelet, entonces su tarjeta madre es la gran masa de huevo que mantiene juntos los hongos, queso y embutidos.

Es por esto que cambiar la tarjeta madre de su computadora es una tarea tan colosal. Necesita sacar todo de la tarjeta madre antes de removerla. No puede pasar por alto ni una pizca de embutido.

Remplazar la tarjeta madre no es un trabajo para el chef de los fines de semana. Este trabajo es mejor dejarlo a los "tecnococineros" de la tienda de computación.

Si está seguro de querer remplazar su tarjeta madre, encontrará la receta al final de este capítulo. Sin embargo, unos cuantos proyectos fáciles son esparcidos en el camino. De hecho, la primera sección explica como cambiar algo que nadie espera encontrar en una computadora: la batería.

Finalmente, si está pensando en remplazar su tarjeta madre, probablemente sea tiempo de pensar en comprar una computadora totalmente nueva. Compare precios y características en todos lados antes de dar el efectivo. Una computadora nueva puede que no sea un mal trato, considerando el tiempo, problemas y lo caro de remplazar la tarjeta madre.

Mucho esfuerzo en poco tiempo

Las PC y computadoras XT viejas de los 80 no tenían batería, por lo que no podían recordar la fecha.

Algunos dueños conscientes del tiempo las abrieron e instalaron una tarjeta de reloj especial dentro. Estas tarjetas tenían baterías que mantenían al reloj andando (hasta que la batería expiraba, por supuesto, pero volveremos a esto después).

Pero estas computadoras eran muy tontas como para buscar la hora y fecha en la tarjeta. Ellas necesitan un programa especial que les diga donde buscar. Sin este programa, la tarjeta de reloj es inútil.

Si compra una PC o computadora XT vieja en una venta de garage, asegúrese de que incluya los discos flexibles con el programa. Usualmente se llama SET-CLOCK o algo igualmente orientado al reloj.

Los usuarios de Savvy PC y XT copian el programa especial en sus discos duros y ponen un nombre y ubicación del programa en una línea de sus archivos AUTOEXEC.BAT. Así, cada vez que encienden su computadora ese programa corre y busca la hora y fecha.

Este asunto del archivo AUTOEXEC.BAT es incluido en el Capítulo 16. Ah, y puede instalar tarjetas de reloj como cualquier otra tarjeta, como describo en el Capítulo 15.

"¡Mi Computadora Pierde La Noción Del Tiempo!"

Como un reloj de pulsera barato, su computadora confía en la batería para mantener la hora y fecha. Este flujo contante de electricidad le permite recordar la fecha y hora actuales, aunque sea desconectada de la pared. Cuando la batería está lista para jubilarse (en algún momento después de 1 a 10 años), el reloj de la computadora empieza a atrasarse. Al principio es únicamente molesto, pero eventualmente lo vuelve loco.

Se pone peor. Las computadoras también confían en la batería para que les recuerde cuales son las partes que han sido colocadas dentro. Algunas computadoras olvidan el tipo de disco duro que han estado utilizando por años. Asustadas, estas computadoras envían un mensaje aterrador como este:

```
Invalid Configuration Information
Hard Disk Failure
```

Este mensaje usualmente es la forma amistosa en la que su computadora le dice que necesita una batería nueva.

"¡No puedo encontrar la batería de mi computadora!"

No se moleste en buscar la batería en la mayoría de las XT o PC viejas — no siempre vienen con una. Por eso es que usualmente le ruegan que ingrese la fecha y hora actuales cada vez que son encendidas.

Algunas personas ignoran su computadora cuando les pide ingresar la fecha y hora actuales. Entonces, la computadora simplemente pone la fecha 1 de Enero de 1980 en cada archivo que crea ese día. Esto hace difícil buscar archivos que se crearon ayer, porque todos aparecen como de 20 años atrás.

Si su computadora sabe la fecha correcta cuando usted la enciende, significa que alberga una batería en algún lugar adentro. Pero ¿Dónde? Las baterías de computadora rara vez parecen baterías.

Las baterías de computadoras usualmente proceden de alguna de estas tribus:

- Muchas computadoras utilzan una batería enorme, como de una cuarta, dentro de un pequeño enchufe en la tarjeta madre.
- Las baterías más escurridizas se esconden dentro de un chip que no se parece en nada a una batería. El chip dice *Dallas* y tiene un pequeño dibujo de un reloj despertador (Se supone que este chip dura unos 10 años). Cuando el chip expira, solicite a la tienda de cómputo local un Chip de Tiempo Real Dallas. Si el vendedor lo mira extrañado, llame al 1-800-430-7030. La compañía también vende este chip en su sitio Web, `www.resource800.com/`, de $25 a $30.

- Los chips de reloj Dallas frecuentemente fallan en computadoras accionadas por fuentes de poder de menor tamaño. Si la de su computadora es menor a 250 vatios y si está agregando muchos periféricos o 32MB de RAM o más, el chip podría fallar. Asegúrese de actualizar su fuente de poder a más de 250 vatios si su computadora utiliza uno de estos chips.
- Algunas computadoras "ensambladas en un cuarto trasero" utilizan baterías AA en un pequeño paquete plástico que está pegado a la fuente de poder — esa cosa grande y plateada en una esquina de atrás de su computadora. Los cables del paquete plástico se conectan a pequeños pines en la tarjeta madre. Estas baterías AA duran como tres años y las consigue en cualquier farmacia.
- Otras computadoras utilizan baterías en forma de cubo, que también están pegadas a la fuente de poder (Algunos cambiaron la cinta por el Velcro). Igual que las baterías AA, tienen cables que se conectan a pines en la tarjeta madre. La vida útil de estas baterías es de 3 años. Llame al 1-800-430-7030 o visite el sitio Web `www.resource800.com/`, para ordenar su batería.

- Las computadoras más viejas utilizan baterías en forma de pequeños cilindros. Llame al 1-800-430-7030 o visite `www.resource800.com`, para estas baterías difíciles de encontrar. Estas se encuentran en un pequeño enchufe en la tarjeta madre, como se muestra en la Figura 10-1.

La batería de una computadora más nueva usualmente se encuentra cerca de donde el teclado o el CPU son enchufados a la tarjeta madre.

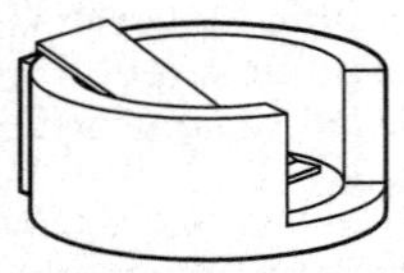

Figura 10-1: Muchas baterías de aproximadamente una cuarta, se deslizan en un enchufe redondo en la tarjeta madre.

"¿Cómo instalo una batería nueva?"

Nivel de IQ : 80

Herramientas: desatornillador, linterna y dedos curiosos.

Costo: De $5 a $25.

Poner atención a: Si la batería parece no humana, intente en Radio Shack. Un vendedor de ahí usualmente puede ordenar baterías de tamaños inusuales en una amplia variedad de planetas.

Algunos fabricantes son demasiado viles y soldan la batería de la computadora a la tarjeta madre. Soldar es como fundir plomo así que dese por vencido. Aunque se puede derretir la soldadura con un soldador, hacerlo puede ser tan atemorizante como peligroso para principiantes, porque es muy fácil dañar la computadora. Lleve esta al taller a menos que haya soldado algo antes y disfrutado la experiencia. ¡La soldadura derretida hasta huele a demonios!

No olvide lo que se supone que su computadora debe recordar

Cuando remueva la batería, su computadora olvida mucha información sobre sí misma. Si su batería ha exprirado, su computadora ya habrá olvidado información, así que este truco llegó demasiado tarde.

Para ignorar esto, presione Enter

Aun las computadoras con relojes en funcionamiento ocasionalmente le preguntan la hora y fecha. Su computadora toma la hora y fecha actuales de su reloj interno, como siempre. Pero luego despliega en la pantalla la hora y fecha y pregunta si esta información es correcta.

Solo presione Enter para confirmar que sí, de hecho, la computadora ya sabe la hora y fecha correctas. Esta rareza solo aparece cuando la computadora no puede encontrar el archivo AUTOEXEC.BAT. Con este archivo perdido, la computadora sospecha que algo anda mal y le pregunta si en realidad la hora y fecha son correctas.

Su computadora cuestionará su reloj interno cuando usted reinicia con discos flexibles que no tienen el archivo AUTOEXEC.BAT. ¿Duda usted de que es lo qué se supone que hace el archivo AUTOEXEC.BAT? Dirígase al Capítulo 16

Si su batería aun continúa con vida, vaya al Capítulo 18. En este capítulo descubrirá cómo acceder el CMOS de su computadora (Semiconductor Complementario de Óxido Metálico) y encontrar el número del tipo de su disco duro. Mientras esté allí, imprima toda la información del CMOS y guárdela en la carpeta de emergencia. Usualmente es útil.

Después de instalar una batería nueva, necesitará decirle a su computadora el número del tipo de disco duro. Si no escribió esta información de antemano, deberá recorrer los manuales empolvados y buscar el número correcto del tipo.

Para instalar la batería siga estos pasos:

1. **Apague la computadora, desconectela y remueva la cubierta.**

   Este asunto es cubierto en la Referencia Rápida al inicio de este libro.

2. **Encuentre y remueva la batería vieja.**

   ¿No sabe cómo es la batería? Vaya a la sección "No puedo encontrar la batería de mi computadora", de este capítulo.

   Asegúrese de dibujar la posición de la batería vieja. Cada extremo tiene un signo + o -. Los signos en la batería nueva deben ser colocados en la misma forma en que estaba la batería vieja. ¿Utiliza un chip Dallas? Observe en que dirección estaban colocadas las letras del chip.

   Las baterías AA simplemente salen del paquete plástico, como en un radio pequeño. Las baterías con forma de cilindro se deslizan fuera del enchufe, pero este proceso puede requerir de alguna presion. Cambie la batería cada año para que no se derrame dentro de su computadora.

No fuerce nada; algunas baterías podrían estar soldadas, lo que significa que debe llevar la computadora al taller.

Si tiene un chip de reloj Dallas, investige cuidadosamente. Si no tiene una herramienta para sacar chips (¿Y quién la tiene?), tome el chip entre sus dedos pulgar e índice y hale hacia arriba con un movimiento de mecedora muy suave. El chip es algo grande, por lo que es fácil de sujetar. Mantenga en mente la posición del chip, el nuevo debe estar en la misma posición.

3. **Lleve la batería vieja a la tienda de cómputo y compre el repuesto.**

   El mejor lugar que he encontrado para comprar baterías de computadoras (e información detallada sobre estas) es llamando al 1-800-430-7030 o `www.resource800.com/`.

4. **Coloque la batería nueva donde estaba la vieja.**

   Asegúrese de que los extremos + y – , de la nueva batería, estén en la misma posición que la batería vieja. Cuando instale un chip, asegúrese de que sea colocado en la misma dirección en el enchufe que el anterior.

Si accidentalmente despega algún cable de su pin en la tarjeta madre, busque el pin con el número 1 escrito cerca de él. El cable rojo siempre se conecta al pin 1. Después de conectar el cable rojo, los otros usualmente se colocan en su lugar lógicamente.

5. **Coloque la cubierta de la computadora y conecte la computadora de nuevo.**

   El problema de la batería debería estar resuelto, aunque la computadora no lo agradezca. Cuando la encienda por primera vez, la computadora podría emitir un horrible sonido de mensaje de error sobre el CMOS incorrecto.

   Generalmente necesita indicar al CMOS de su computadora el tipo de disco duro que tiene (¿Recordó escribir esta información antes de empezar, verdad?). Encontrará este asunto del MCMOS en el Capítulo 18.

"¿Remplazar El CPU Viejo Por Uno Nuevo lo Acelerará?"

¿Se convertirá su CPU en un demonio de la velocidad con la nueva tecnología en CPUs? La respuesta es un definitivo algunas veces. Los propietarios de una 486 no deberían molestarse. Deben primero agregar más RAM, un disco duro más grande, una tarjeta de vídeo más rápida, una unidad de CD-ROM más rápida, software nuevo, una tarjeta de puerto USB y cuando hayan hecho todo esto, habrán alcanzado el precio de una computadora nueva —que automáticamente viene con garantía y el software más reciente.

Velocidades Bus, Velocidades de reloj Multiplicadores de reloj y otros

En los primeros años de la computación, las tarjetas madre y los CPUs trabajaban mano a mano. Cuando un CPU nuevo aparecía en escena, lo hacía también una tarjeta madre tan rápida como el nuevo CPU. Pero cuando estos empezaron a ser más y más rápidos, las tarjetas madre simplemente no pudieron seguir el ritmo.

La solución Intel lanzó CPUs con "doble velocidad de reloj". Estos podían "pensar" dos veces más rápido, pero se comunicaban con la tarjeta madre y sus componentes a la mitad de esa velocidad. Esta situación aceleró el desempeño de la computadora, funcionaba en tarjetas madre más lentas y satisfacía al comsumidor.

Los chips de hoy siguen corriendo más rápido con cálculos internos, pero corren más despacio al comunicarse con la tarjeta madre.

Hay más. Los fabricantes de tarjetas madre ya no hacen una nueva tarjeta madre para cada CPU. Crean una sola tarjeta madre con interruptores para manejar una varíe de estos. Cambiando los interruptores y moviendo los puentes de conexión, se ajusta la velocidad adecuada para que la tarjeta madre y el CPU se comuniquen.

Algunas tarjetas madre le permiten hacer cambios para los CPUs en el área CMOS.

Ahora, siga conmigo, aquí hay algunos horribles términos de cómputo:

Velocidad de reloj: Se refiere a la velocidad en que el CPU puede pensar internamente — no necesariamente qué tan rápido se comunica con la tarjeta madre (Los CPUs son estimados por su velocidad interna, ya que suena mejor. Aunque un CPU de 300 MHz podría estar comunicándose con la tarjeta madre a 66 MHz, la casilla del CPU lo identificará como un CPU de 300 MHz)

Velocidad Bus: La velocidad de su tarjeta madre.

Multiplicador de reloj: Multiplique este número por la velocidad bus de su tarjeta madre para determinar el CPU apropiado. Por ejemplo, instalar un CPU de 400 MHZ en una tarjeta madre con una velocidad bus de 100 MHz, requiere un multiplicador de reloj de 4.0.

¡Moraleja de esta historia! Revise el manual de la tarjeta madre para ver su velocidad Bus y la configuración del multiplicador de reloj. Así sabrá que tipo de CPU puede manejar. ¿No encuentra el manual? Vaya al sitio Web del fabricante de la tarjeta madre. Muchos mantienen copias ahí.

De hecho, la velocidad de la PC es usualmente determinada, en su mayoría, por sus periféricos —su tarjeta de vídeo, disco duro, memoria y otras partes — que por la velocidad de su CPU. No espere milagros instalando un CPU de acción rápida en una computadora con componentes viejos. Esas partes lentas segurán retrasando el desempeño general de su computadora.

En resumen, remplazar una Pentium lenta con un chip más rápido puede, algunas veces, acelerar su computadora. Pero el CPU por sí solo no es la única cosa que impulsa su computadora. Puede que ni siquiera note la diferencia en la velocidad.

- Primero, lleve su computadora al menos a 32 MB de RAM; algunas veces solo este paso acelera su sistema más rápido que remplazar el CPU viejo.

  También, asegúrese que esté comprando en chip correcto para la tarjeta madre correcta. No todas las actualizaciones funcionan en todas las tarjetas madre. No puede simplemente sacar el chip viejo y poner uno más rápido. Llame a los técnicos de soporte de la compañía que vende el chip para averiguar si sus mercancías funcionan en la marca de su tarjeta madre (También puede encontrar esta información en el sitio Web de la compañía, si lo tienen). Puede encontrar más información sobre el remplazo de CPUs en el Capítulo 3.

- Los chips Pentium frecuentemente corren a mayores temperaturas que sus antecesores. Por lo tanto, espeficican que poseen un abanico de enfriamiento. Este minúsculo abanico —igual al de la fuente de pode — pegado al chip, sopla aire dentro de este y lo mantiene confortable. Cuando instale el chip, asegúrese de conectar el abanico en algunos de los cables de su fuente de poder que no esté siendo utilizado.

Si compra una computadora nueva, rescate la tarjeta de vídeo y el monitor de su antigua computadora. Adjuntelos a su nueva computadora. Desde que apareció Windows 98, las computadoras son capaces de extender su trabajo a dos monitores, doblando el espacio de su pantalla.

"¿Cómo Instalo un CPU Más Rápido o Actualizado?"

Nivel de IQ: 100 a 120.

Herramientas: Pinzas para chip, desatornillador y dedos fuertes.

Costo: Varía mucho.

Poner atención a: Esto parece muy simple — pareciera como si ya hubiera tirado el chip viejo y colocado el nuevo. Pero podría encontrar diferentes problemas. Empiece leyendo la sección de CPUs en el Capítulo 3. Luego lea el recuadro en este capítulo acerca de la velocidad bus, velocidad de reloj y multiplicadores de reloj. Luego respire.

Después, y solo después, asegúrese de haber comprado el CPU de estilo y velocidad correctos para la tarjeta madre de su computadora. Estas han utilizado diferentes tamaños de enchufes de CPU durante años, como vimos en el Capítulo 3. Además, el juego de chips de una tarjeta madre ajusta su velocidad bus — el cual limita la velocidad del CPU que puede aceptar. Algunas tarjetas madre simplemente no pueden manejar un CPU más rápido.

¿La respuesta más rápida y fácil? Revise el manual de su computadora o inspeccione la tarjeta madre para averiguar su fabricante. Luego visite el Sitio Web de esta compañía para ver cual CPU acepta su tarjeta madre.

Paso siguiente, recuerde que el CPU debe calzar en el enchufe en solo una vía. La esquina marcada (conocida como Pin 1), en el chip de actualización del CPU, debe ser igual a la esquina marcada del enchufe. La esquina marcada tiene una muesca, un punto, un agujero extra o algo aun más difícil de ver. La Figura 10-2 muestra un enchufe con una muesca en una esquina y un agujero menos. La esquina del CPU con el pin menos corresponde a esa esquina del enchufe.

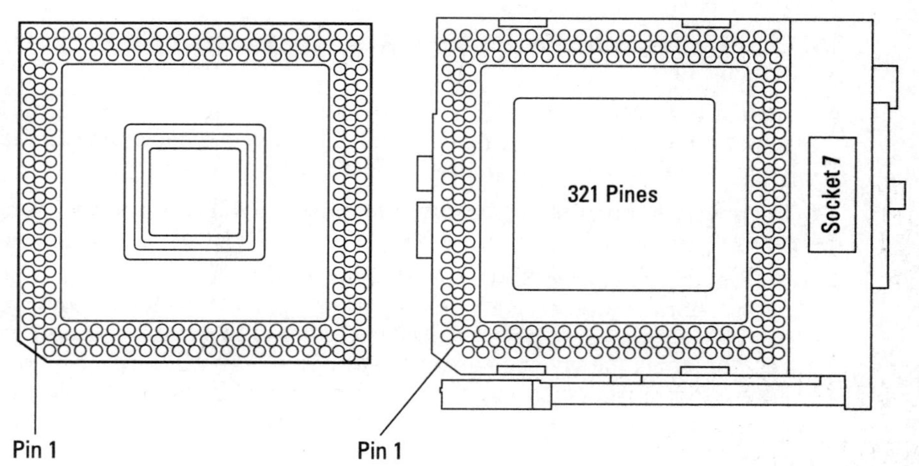

Figura 10-2: La esquina del chip con la muesca, conocida como Pin 1, se conecta a la esquina marcada de su enchufe.

Tercero, no todos los chip funcionan con todos los BIOS, en particular los viejos (Por suerte, algunos CPU vienen con software de instalación que inspeccionan su computadora y la aprueban o rechazan).

Si su BIOS es incompatible, siempre puede actualizarlo — este proceso se demuestra al final de este capítulo.

Finalmente, asegúrese de haber registrado la información del CMOS de su computadora antes de empezar a urgar dentro de esta (El Capítulo 18 cubre la navegación CMOS y es más fácil de lo que suena). Ah, y no se olvide de hacer un respaldo de toda la información importante de su disco duro — pero eso es algo que de todas formas debería hacer siempre.

Para instalar un CPU nuevo siga estos pasos:

1. **Apague la PC, desconéctela y remueva la cubierta.**

   La Referencia Rápida, al inicio de este libro, explica cómo dar este paso.

2. **Encuentre el enchufe del CPU y asegúrese de haber comprado el chip actualizado correcto.**

   Primero, encuentre su CPU. Casi siempre es el chip negro cuadrado más grande en la tarjeta madre. El número del chip usualmente esta impreso en algún lado de su parte superior, en un estilo algo confuso. Algunas veces no se puede ver la parte superior del CPU, debido a su disipador de calor, una cosa metálica larga diseñada para enfriar el chip.

   Asegúrese de que el chip de actualización en su mano sea el mismo que se supone remplazará el tipo específico de su CPU. Instalar el chip equivocado puede dañar su computadora permanentemente, fundir su CPU, hacerlo ver como un tonto o todas las anteriores.

3. **Configure el multiplicador de reloj de la tarjeta madre para ajustarse a su nuevo CPU.**

   Algunas tarjetas madre requieren que levante un interruptor y otras requieren que mueva pequeños puentes. Algunas le permiten cambiar esta crucial configuración en su CMOS, descrita en el Capítulo 18.

4. **Encuentre la esquina especialmente marcada del CPU nuevo y luego remueva el viejo.**

   No toque ningún chip hasta que libere cualquier electricidad estática atrapada. Cubra cualquier agarradera, perilla o partes metálicas expuestas de su escritorio. Solo así es seguro tocar cualquier chip de computadora sensible. Las personas que viven en áreas propensas a la estática deberían tirar una línea a tierra. Además, si la computadora a sido apagada recientemente, ese chip podría estar lo suficientemente caliente como para quemar sus dedos.

   Una esquina de su CPU está marcada con un pequeño punto o muesca, como se muestra en la Figura 10-2. Esa esquina no tiene pin. Recuerde la dirección que apuntaba esa esquina marcada; necesita instalar el nuevo chip de actualización del CPU en la misma dirección.

   El equipo de actualización de CPUs, para computadoras viejas, debe venir con una herramienta especial para remover chips e instrucciones de cómo trabaja la herramienta. Sea cuidadoso cuando retira el chip del enchufe — no sea que por error trate de sacar el enchufe de la tarjeta madre. En muy pocas computadoras el chip descansa sobre un enchufe ZIF, como se muestra en la Figura 10-3. Solo levante la palanca y el chip prácticamente sale solo.

   El CPU podría estar enterrado bajo otros componentes. Esté listo para remover algunas tarjetas, un disco duro o la fuente de poder para lograr alcanzar el CPU.

   Algunos CPUs AMD 386DX están sujetos, directamente, a la tarjeta madre, sin enchufe. Desafortunadamente, no se pueden actualizar estos chips, por lo tanto regrese el chip a la tienda para su rembolso (O, si no le gustan las sorpresas, revise las letras pequeñas del manual de su computadora antes de intentar actualizar el procesador).

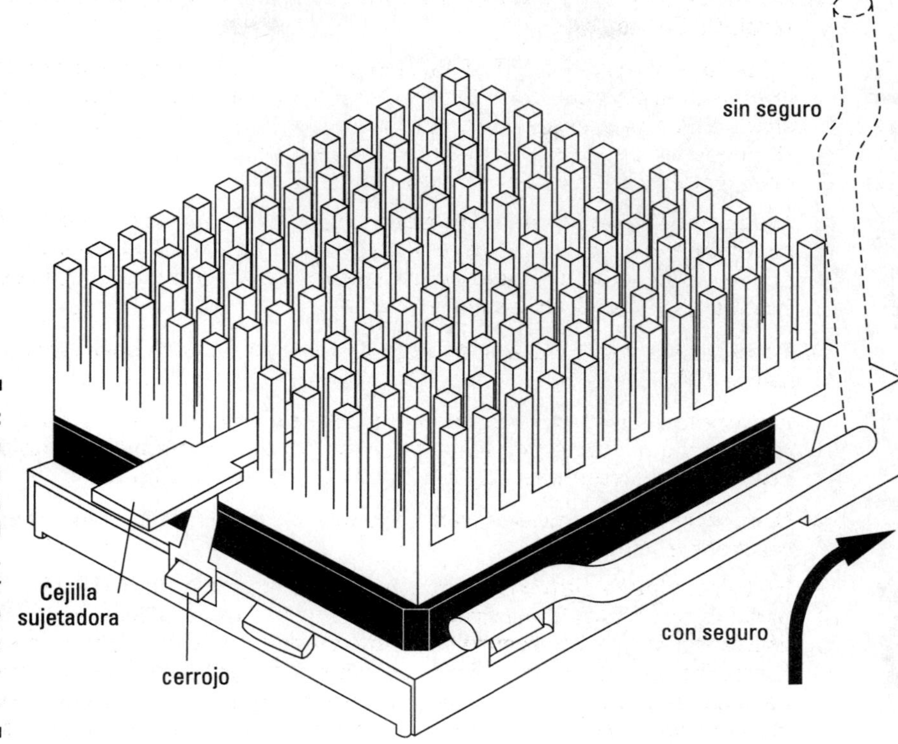

Figura 10-3: Levante la palanca para remover el CPU viejo. Podría ser necesario liberar la cejilla sujetadora.

5. **Presione el chip de actualización dentro del enchufe.**

   La esquina marcada del nuevo chip descansa sobre el enchufe en la misma dirección que la anterior, como notó en el Paso 3.

   ¿Ha alineado la esquina marcada del chip con la esquina marcada del enchufe? Ahora asegúrese de que todos esos pequeños pines estén alineados sobre todos los pequeños agujeros. Entonces baje la palanca para mantener el CPU en su lugar, como se muestra en la Figura 10-4.

   ¿No hay palanca en su enchufe? Entonces cuidadosamente presione el chip hacia abajo en el enchufe. Puede requerir alguna presión, pero no doble su tarjeta madre. Si su tarjeta madre se dobla, aunque sea solo un poco, deténgase y deje que el técnico de la tienda termine el trabajo.

   A menos que tenga un enchufe ZIF, con una pequeña y útil palanca, presionar ese chip dentro del enchufe puede requerir más fuerza de la que se imagina. Sea muy cuidadoso de no quebrar su tarjeta madre mientras presiona.

   Algunas veces, deslizar una revista debajo de la tarjeta madre puede evitar que se doble mientras presiona el chip dentro del enchufe.

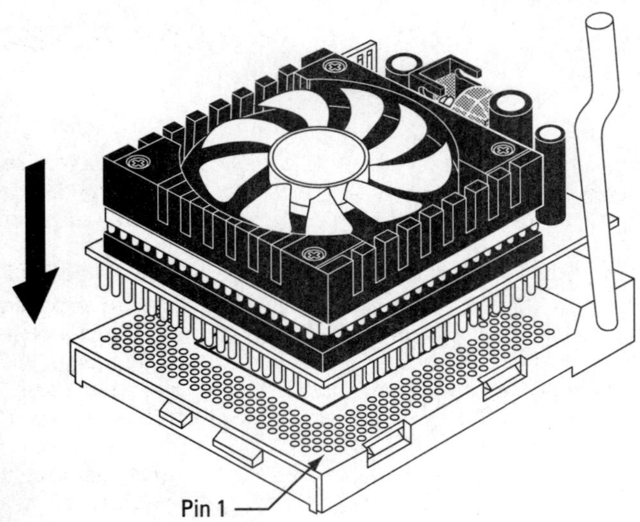

Figura 10-4: Inserte el CPU en el enchufe con sus esquinas marcadas alineadas y presione la palanca para mantener el CPU en su lugar.

Los CPUs Pentium requieren un abanico de enfriamiento — un pequeño abanico que descansa sobre el chip y sopla aire para mantenerlo frío. Aunque algunos vienen con el abanico adjunto, otros lo hacen comprarlo y adjuntarlo, utilizando cables de repuesto de su fuente de poder.

6. **Conecte de nuevo su computadora y enciéndala.**

   Si el chip viene con software, corra el programa para ver si funciona. Si el chip no está funcionando revise que esté bien sentado en su enchufe y en la dirección correcta.

7. **Cierre la cubierta de su computadora.**

   Si todo parece trabajar bien, cierre la cubierta de su computadora. Ha terminado la operación. ¡Bravo!

   Si su computadora no reconoce el disco duro, revise la configuración de su CMOS, como se describe en el Capítulo 18. Ingrese el tipo de disco duro que utiliza su computadora, salve las configuraciones y reinicie su computadora.

   Revise el manual del chip de actualización — podría necesitar adherir un disipador de calor en la parte superior del chip nuevo. El disipador de calor — que parece un cojín metálico — se adhiere a la parte superior del chip y absorbe el calor, evitando que el este se recaliente.

"¿Puedo Poner una Tarjeta Madre Nueva Dentro de mi PC Vieja?"

Sí, pero empecemos con el primer problema: tamaño. Las tarjetas madre vienen en una amplia variedad de tamaños. Las opciones son que su nueva tarjeta madre no calce dentro de su computadora actual. Pero ese no es el mayor problema.

Ya ve, aunque logre apretujar una tarjeta madre nueva dentro de una 486, tendría que comprar memoria nueva — los viejos chips de memoria no servirán. Necesita una fuente de poder nueva, porque la vieja no es lo suficientemente poderosa. También agregue un teclado nuevo a la cuenta. Además, posiblemente también quiera unidades de disco nuevas, más rápidos y grandes. Las nuevas unidades de CD-ROM son probablemente 10 veces más rápidas que las viejas.

La realidad es que una computadora totalmente nueva cuesta casi lo mismo que todas estas partes. Además, una computadora nueva tiene garantía y algunos vendedores agregan una copia gratis de la versión más reciente de Windows y otros programas.

Cierto que puede atualizar su tarjeta madre vieja. Sin embargo, asegúrese de tomar en cuenta el costo de las partes adicionales que no podrán ser recicladas de su tarjeta madre vieja. Como mencioné antes en este capítulo, comprar una computadora nueva es usualmente mejor.

Algunas compañías tocaron fondo cuando surgió el tamaño estándar de las tarjetas madre. Algunas computadoras Compaq utilizan tarjetas madre de tamaños extraños, que hacen difícil su remplazo. Probablemente deba recurrir al representante de Compaq para conseguir una de estas.

Cosas Que Debe Tomar en Cuenta Cuando Compre un CPU o Tarjeta Madre

Comprar una tarjeta madre puede ser tan confuso como instalar una. He aquí alguna terminología que encontrará, que diantres se supone que significa y si debe importarle o no.

Marca: Igual que los carros vienen de diferentes fabricantes, una gran variedad de compañías hacen tarjetas madre. No compre solo por el precio, ya que las diferentes compañías hacen tarjetas madre de diferentas calidades.

Enchufe: Su CPU calza en este enchufe y, desafortunadamente, estos varían de acuerdo al tipo de CPU. Escoja su CPU, averigue cuál enchufe es el que requiere, como se describe en el Capítulo 3, y luego escoja una tarjeta madre con ese enchufe en particular. Mientras hace esto, visite el sitio Web del fabricante del CPU, usualmente incluye una lista de las tarjetas madre recomendadas.

Velocidades de Bus o Reloj: Las tarjetas madre usualmente soportan más de un tipo de CPU, por lo que deben ser ajustadas para correr a diferentes velocidades. Las más recientes alcanzan 200 MHz del AMD Athlon; la mayoría de las tarjetas madre con enchufe 7 son ajustables para velocidades de 66, 75, 83, 95 y 100.

Voltaje: Las CPUs son diseñadas para correr a cierto voltaje. Si la tarjeta madre no puede distribuirlo, quizás dañe su CPU. Visite el sitio Web del fabricante del CPU y tarjeta madre para ver si hacen buena pareja. O, considere comprar su tarjeta madre con el CPU ya instalado. Si el paquete tiene garantía, probablemente sean una buena pareja.

Tamaño: La mayoría de las tarjetas madre vienen en dos tanaños — "Baby AT" y ATX. Los cuadrados pequeños son Baby AT; los rectángulos pequeños son ATX. Si tiene dudas, lleve la tarjeta madre vieja para corroborar que la nueva sea del mismo tamaño.

Flash BIOS: Busque un BIOS con software actualizable, usualmente conocido como Flash BIOS. Este le permite actualizar su tarjeta madre para aceptar las partes más nuevas y reparar cualquier error.

Controladores incorporados: Aunque todas las tarjetas madre vienen con controladores incoporados para las unidades, busque la que viene con controladores para los puertos paralelos, seriales y USB. ***Precaución:*** Si viene con controladores para sonido y video, asegúrese de que estos circuitos incorporados puedan ser rehabilitadas. Puede que usted quiera actualizar estas partes agregando las tarjetas de sonido y vídeo más recientes.

Ranuras de Expansión: Usted querrá por lo menos ranuras de 16 bits, para sus viejas tarjeras ISA, tres ranuras PCI, para las partes más nuevas y una ranura AGP para lo más reciente en tarjetas de vídeo.

Memoria: Las tarjetas madre vienen con ranuras para agregar chips de memoria. Asegúrese de que el chip maneje por lo menos 256MB de RAM (Otros usuarios necesitarán 512MB de RAM.) Las tarjetas madre también tienen memoria cache para uso del CPU. Busque 512K de memoria caché.

Si tiene dudas, compre más potencia de la que necesita, no querrá meterse en problemas de nuevo.

Encontrará más información al respecto en el Capítulo 3.

"Uh, ¿De verdad debería instalar la tarjeta madre yo mismo?"

No remplace la tarjeta madre a menos que esté acostumbrado a urgar dentro de su computadora.

Remplazar la tarjeta madre es una tarea tediosa y laboriosa. Necesita remover todo cable que se conecte en la tarjeta madre vieja y luego conectar los cables en la tarjeta madre nueva. ¡Y estos cables probablemente se conectan en lugares diferentes!

Tendrá que sacar toda tarjeta y toda memoria de la tarjeta madre. Luego deberá poner todas estas cosas de vuelta en la tarjeta nueva, en exactamente la misma ubicación.

Además, las tarjetas madre son muy frágiles. Cuando se doblan mucho se quiebran. Y no verá la quebradura porque es uno de esos cables pequeños de la parte inferior el que se quiebra.

Y la tarjeta madre no siempre estará quebrada. Puede que trabaje bien al principio, pero cuando se caliente como una hora después, puede expandirse un poco, lo que agravará la situación. Esto lleva al peor tipo de error en las computadoras, — un "glitch" (interrupción momentánea de suministro eléctrico), que sucede solo de vez en cuando, especialmente cuando no hay nadie más alrededor para creerle.

No se involucre con su tarjeta madre, a menos que tenga experiencia con otras partes de su computadora y se sienta seguro de poder hacerlo.

"¿Cómo instalo una tarjeta madre nueva?"

Nivel de IQ: 120.

Herramientas: Desatornillador Phillips grande, un desatornillador plano pequeño, pinzas o alicates de punta fina, dos manos y mucha paciencia.

Costo: De $100 a $1,000.

Poner atención a: Tómese el tiempo necesario. Necesita remover casi absolutamente todo dentro de su computadora y luego ponerlo todo de nuevo cuando la nueva tarjeta madre esté dentro. Necesita un área de trabajo suficientemente amplia. Necesita espacio para trabajar.

Si está tratando con una computadora vieja, considere comprar una cubierta nueva junto con la tarjeta madre. De esta forma se asegurará de que ambas calcen bien.

Finalmente, recuerde que está tratando con muchas de las partes de su computadora. Si se traba en el paso de la memoria, por ejemplo, vaya al Capítulo 11, donde encontrará información de memoria. Toda la información de tarjetas está en el capítulo 15. ¿Necesita más información de CPUs? El Capítulo 3 contiene la información general y detalles de todo lo demás. Solo revise la tabla de contenidos de este libro para ver donde se discute cada parte.

Buena Suerte (Todavía tiene tiempo para llevar su computadora al taller. O comprar una nueva, eso puede ser más barato).

Para instalar una tarjeta madre nueva, siga estos pasos:

1. **Haga respaldo de su disco duro y compre la tarjeta madre nueva.**

   El primer paso en la reparación de computadoras es siempre hacer respaldo del disco duro.

   La tarjeta madre nueva no tienen que ser de tamaño idéntico a la vieja. De hecho, la nueva tarjeta madre probablemente será más pequeña. Sin embargo, los agujeros de los tornillos deben estar en la misma posición que la vieja, o no cabrá dentro de la cubierta.

2. **Anote la información CMOS de su computadora.**

   La nueva tarjeta madre no sabrá las mismas cosas que la anterior. Por eso, escriba el tipo de disco duro que utiliza su computadora (Encontrará esta información en el CMOS de su computadora, como se describe en el Capítulo 18). Asegúrese de conocer la densidad de sus unidades de disco (Pueden ser unidades de 1.44 MB de alta densidad).

3. **Desempaque la nueva tarjeta madre.**

   Remueva la nueva tarjeta de su envoltura y busque lo que evidentemente este mal: plástico desgarrado, cables rotos o cualquier cosa suelta o que haga falta. Ahora es cuando debe devolverla si encuentra algo que no esta bien.

   No me cansaré de decir esto — no toque su tarjeta madre a menos que libere cualquier energía estática atrapada. Toque las perillas, agarraderas o cualquier parte metálica expuesta de su escritorio.Y aun así, tome la tarjeta por los bordes.

   Esos puntos plateados aparentemente inocentes en los lados de su tarjeta madre son usualmente salvajes atizadores metálicos. Si se rozan con su mano, dejan raspones extraños.

   Busque cualquier interruptor DIP y puentes; podría necesitarlos luego (Esa información de DIP es descrita en el Capítulo 18).

4. **Apague su computadora, desconéctela y remueva la cubierta.**

   Toda esta información es descrita en la Referencia Rápida, en el inicio de este libro.

5. **Desconecte todos los cables de la tarjeta madre.**

   No toque nada dentro de su computadora hasta que libere la energía estática. Cubra las perillas, agarraderas o partes metálicas expuestas de su escritorio.

   Montones de cables se conectan a pequeños pines o enchufes en la tarjeta madre. Mientras desconecta cada uno, anote cualquier número, palabra o letra que vea en el lugar donde lo desconectó de la tarjeta madre. Estas palabras, letras o números le ayudarán a conectar cada cable de nuevo en el lugar correcto de la tarjeta madre nueva.

Ponga un pedazo de cinta en las puntas de cada cable desconectado de la tarjeta madre. Anote cualquier cosa escrita en el conector de donde viene el cable y escriba esa información en la cinta para indentificación posterior.

Asegúrese de desconectar estos cables:

- **Fuente de Poder:** La fuente de poder consiste de dos cables grandes que se conectan a enchufes grandes.
- **Luces:** Desconecte los cables de las luces delanteras de la cubierta de su computadora. Muchas computadoras tienen una luz de unidad de disco duro y luz de energía, algunas computadoras más sofisticadas tienen más luces.
- **Interruptores:** Los cables de su botón de reinicio terminan en algún lugar de la tarjeta madre. Usualmente estos cables van a la par de donde se conectan las luces.

6. **Remueva todas las tarjetas y cables.**

   Los cables de la impresora, mouse, monitor y otras partes se conectan a los extremos de las tarjetas. Necesita remover cada cable. Luego necesita remover todas las tarjetas, las cuales son sostenidas en su lugar con un solo tornillo en la parte trasera de la cubierta. Después de remover los tornillos, cada tarjeta debe moverse fácilmente hacia arriba y hacia afuera.

   Mantenga el control de cuál tarjeta va en cada ranura. Las tarjetas probablemente no necesiten ser reinsertadas en el mismo orden, pero bueno, ¿por qué correr riesgos?

7. **Desconecte el teclado.**

   El teclado se conecta en un agujero en la parte de atrás de la cubierta. Hale el conector del teclado hacia afuera sin girarlo.

8. **Remueva todos los chips de memoria.**

   El Capítulo 11 cubre toda la información de la memoria. Ahí encontrará que tipo de memoria buscar y como tomarla.

   También descubrirá si puede agregar esa memoria a su tarjeta madre nueva (La respuesta rara vez es una buena noticia).

   De cuaquier manera, guarde esos chips en bolsas plásticas. Algunas tiendas le permiten cambiar los chips viejos por descuentos en chips nuevos.

9. **Ponga chips de memoria en la tarjeta madre nueva.**

   Si pudo rescatar memoria de su tarjeta vieja, agréguela a la nueva. Ponga tantos chips como pueda. ¿No sabe por qué? El Capítulo 11 tiene instrucciones detalladas al respecto.

10. **Ajuste el voltaje y multiplicador de velocidad de reloj de la tarjeta madre apropiados para su CPU en particular.**

    Primero, fije el voltaje apropiado de la tarjeta madre. El CPU utiliza dos voltajes: uno de núcleo y otro In/Out. Revise el manual de la tarjeta madre para ver las configuraciones de voltaje. Probablemente deba mover puentes para ajustar el voltaje de la tarjeta madre con el voltaje del CPU.

El manual también indica como ajustar el multiplicador de la tarjeta madre para ajustarlo a la velocidad del reloj de su computadora. Usualmente es 2.5, 3, 4, 4.5, 5.5 o algo similar. Este paso también conlleva mover puentes.

11. **Inserte el CPU nuevo.**

    Los CPUs en forma de galletas cuadradas se presionan en un enchufe plano y pequeño en la tarjeta madre. Los CPUs montados en tarjetas se presionan en ranuras grandes. Algunos enchufes vienen con palancas conocidas como *ZIF (Cero Fuerza de Inserción):* Levante la palanca, inserte el CPU y baje la palanda para asegurar el chip (Este proceso se cubre en la sección "¿Cómo Instalo un CPU más rápido o actualizado?" de este capítulo).

12. **Observe como está montada la tarjeta madre vieja.**

    Usualmente, de 4 a 8 tornillos mantienen a esta cosa en su lugar. Recuerde donde van los tornillos, de manera que pueda atornillar los nuevos en el mismo lugar.

13. **Remueva la tarjeta madre vieja.**

    Remueva los tornillos que sostienen la tarjeta madre en su lugar. Luego, suavemente, tome las orillas de la tarjeta y hálela fuera de la computadora. Puede que necesite mover la tarjeta un poco hacia atrás y adelante hasta que salga.

14. **Remueva los espaciadores plásticos.**

    Los tornillos mantienen la tarjeta madre en su lugar, pero los pequeños espaciadores plásticos evitan que la tarjeta madre toque la parte inferior de la cubierta.

    Puede remover los espaciadores oprimiendo las puntas y presionándolos hacia abajo por los agujeros, como se muestra en la Figura 10-5.

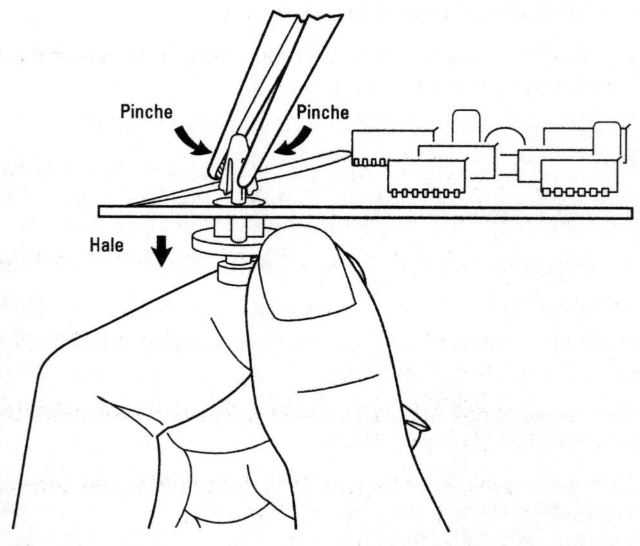

Figura 10-5: Oprima la punta del espaciador y presiónelo hacia abajo de su agujero para removerlo.

15. **Coloque los espaciadores plásticos en la tarjeta nueva.**

    Luego presione esos espaciadores en la tarjeta madre nueva, por los agujeros desde la parte de abajo.

16. **Deslice la tarjeta madre nueva y asegure los tornillos.**

    Deslice la tarjeta nueva igual que cuando sacó la vieja. Busque el agujero del conector del cable del teclado — el conector del teclado en la tarjeta madre debe ir justo junto a este.

    Puede que tenga que agenciárselas con la tarjeta madre por un rato, hasta que los espaciadores plásticos sean alineados con los agujeros. Cuando la tarjeta este firme y todos los agujeros alineados, atorníllela no muy fuerte porque podría quebrarse.

17. **Remplace los cables.**

    ¿Ya está la tarjeta madre adentro? Entonces enganche todos esos cables pequeños de las luces e interruptores en su lugar, en la tarjeta madre nueva. Si tiene suerte, los cables estarán marcados. Si no, tendrá que revisar el manual de la tarjeta madre nueva.

    El cable rojo siempre se conecta al Pin 1. Los dos cables negros siempre van uno junto al otro en los dos cables de la fuente de poder.

18. **Remplace tarjetas y cables.**

    Ponga todas las tarjetas de nuevo en sus ranuras, como se describe en el capítulo 15. Asegúrese de no dejar caer ningún tonillo dentro de la cubierta; si lo hace, encuéntrelo antes de seguir adelante. Si un tornillo se aloja en el lugar incorrecto, podría dañar su tarjeta madre (Trucos para extraer tornillos, en el Capítulo 2).

    ¿Compró una tarjeta de vídeo AGP nueva y más rápida? Entonces colóquela dentro de la ranura AGP de su tarjeta madre nueva.

    Conecte los cables de las tarjetas: la impresora, mouse, monitor y cualquier otro que necesite ser conectado en la tarjeta.

19. **Conecte el teclado.**

    El teclado se conecta en su agujero en la parte trasera de la cubierta.

20. **Conecte la PC y enciéndala.**

    Esta es la prueba de fuego. ¿Se enciende? ¿Puede ver letras en el monitor?

21. **Ponga la tapa de nuevo.**

    Si todo funciona bien, coloque la tapa y respire aliviado. Si la PC no está funcionando, pude haber varios problemas:

    - Asegúrese de que todas las tarjetas y la memoria estén sentadas firmemente en sus enchufes.
    - ¿Ajustó correctamente el voltaje de la tarjeta madre, así como el reloj para el nuevo CPU?
    - Puede que necesite ajustar las nuevas configuraciones CMOS de la computadora.

- Desafortunadamente, algunas de sus tarjetas podrían no ser compatibles con su nueva tarjeta madre.
- Mediante el proceso de prueba y error (y alguna búsqueda de capítulo a capítulo en este libro), probablemente pueda encontrar el problema. Como último recurso, lleve todo al taller. Ya que usted ha instalado la tarjeta, el taller podría cobrarle menos.

"¿Qué es Este Asunto del BIOS?"

Algunas veces puede agregar un juguete nuevo en su computadora y empezar a jugar.

Otras veces la computadora se detiene. Si por ejemplo, esta fue construída en 1993, no sabrá como manejar la tecnología que surgió cinco años después.

Por ejemplo, puede instalar un disco duro nuevo gigante en una computadora construída dos años atrás. Pero como la computadora no estuvo presente en la creación del disco duro de tan alta capacidad, no será capaz de utilizarlo. Ese BIOS de la computadora de dos años de edad — las intrucciones incorporadas para manejar partes de computadora — se encuentra en los años obscuros de la era de la computación.

Muchas de la nuevas computadoras vienen con un Flash BIOS. Esa es una palabra pomposa para decir que no necesita comprar nuevos chips de BIOS. Puede actualizarlo simplemente corriendo un programa de software. Actualizar un Flash BIOS es tan fácil que muchos sabelotodos están armados con eso. Visite el sitio Web del fabricante de la computadora y descargue el Flash BIOS que necesita.

- Una actuaikzación de flash BIOS algunas veces corrige errores y problemas en el software de BIOS viejos. Pero, la actualización puede introducir problemas nuevos. A menos que tenga problemas con el BIOS viejo, no lo actualice a la versión más reciente utilizando el programa Flash BIOS.
- Un BIOS nuevo no hará que la computadora corra más rápido. El BIOS es solo una curita que permite a la computadora vieja utilizar algunas partes nuevas. Las tarjetas madre nuevas siempre vienen con los chips de BIOS más recientes como parte del paquete.

- El decrépito BIOS de algunas computadoras viejas no pueden manejar Windows, tarjetas VGA, OverDrive de CPUs, el año 2000 u otras cosas nuevas. Por suerte, esos chips de BIOS son fáciles de remplazar. Puede sacar los chips viejos de la tarjeta madre y colocar los nuevos en su lugar.

- El problema está en encontrar esos chips de repuesto. Trate con la persona que le vendió la computadora. Muéstrele el recibo con la marca específica de la tarjeta madre que compró. Puede que el vendedor tenga chips más nuevos en algún lado.

- Si compró la computadora en una venta de garage, revise la parte de atrás de las revistas de cómputo, en la parte de los anuncios clasificados. Puede que encuentre a alguien que venda actualizaciones ROM BIOS. Por último, `www.unicore.com` vende actualizaciones de BIOS para muchas computadoras.

- Tiene una Pentium III? Entonces llame a su BIOS y revise que el número de serie de su Pentium III esté deshabilitado. Si está habilitada, deshabilítela, salve las configuraciones y reinicie su computadora.

- Su computadora probablemente tenga varios tipos de chips BIOS. Por ejemplo,probablemente encuentre un chip BIOS de vídeo en su tarjeta de vídeo, para asegurarse de que la figura sea desplegada en la pantalla. Pero cuando escuche la palabra BIOS en una conversación, se refiere al BIOS de su tarjeta madre.

Eventualmente escuchará dos palabras, CMOS y BIOS, en la misma oración. He aquí la diferencia: El BIOS es una pieza de hardware que contiene un formulario sobre los componentes de su computadora que usted debe llenar. Cuando enciende la computadora, el BIOS lee el formulario, realiza pruebas para asegurarse de que todo esté funcionando y luego entrega el trono a Windows. El CMOS es la memoria que contiene las configuraciones que usted ha ingresado en el formulario del BIOS. Una batería pequeña mantiene esa información.

"¿Cómo Remplazo mi BIOS?"

Nivel de IQ: 80.

Herramientas: Una mano y unas pinzas para chip.

Costo: De $35 a $100.

Poner atención a: Revise si su computadora tiene un *flash BIOS.* De ser así, simplemente actualice el BIOS corriendo el programa de software que generalmente está disponible en el sitio Web del fabricante.

La mayoría de la información en esta sección es para gente que tiene computadoras viejas, que no trabajan con el año 2000. Necesitan remplazar el BIOS viejo con algo que pueda manejar al año 2000.

Como todos los chips, los BIOS no gustan de la estática. Asegúrese de tocar algo metálico — la cubierta de su computadora o las manijas de las gavetas — antes de tocar el chip.

Asegúrese de que todos los pines de los chips estén derechos y alineados. Enderece cualquier pin doblado.

Ah, y asegúrese de poder regresar los chips en caso de que no funcionen. Los chips BIOS pueden ser delicados en diferentes tipos de computadoras y puede que se rehusen a trabajar.

Para remplazar el BIOS de una computadora vieja, siga estos pasos:

1. **Apague la computadora, desconéctela y remueva la cubierta.**

   Si es principiante, visite la Referencia Rápida, al inicio de este libro. Y no olvide tocar la cubierta de la computadora para librarse de la estática antes de tocar cualquiera de las partes internas sensitivas de su computadora.

2. **Encuentre los chips BIOS viejos.**

   Usualmente, son los chips con la palabra BIOS en una etiqueta adhesiva. Puede que encuentre de 1 a 5 chips (Puede que también encuentre un chip BIOS para el teclado).

   Si tiene más de un chip BIOS, busque números distintivos en ellos: BIOS-1, BIOS-2, BIOS-3 o algo similar. Anote cual chip va en cada enchufe y la posición exacta. Los chips nuevos deben ser colocados exactamente igual.

3. **Remueva los chip BIOS viejos.**

   Algunas de sus tarjetas u otros componentes de la computadora pueden estar obstaculizando el camino. Tiene que remover absolutamente todo antes de alcanzar los chips.

   Para facilitar esta tarea, algunos vendedores agregan unas pinzas para chips —una cosa rara parecida a un alicate. No cargue las pinzas por todos lados. Trate este truco: Utilizando un desatornillador pequeño, suavemente saque un lado primero y luego el otro. Sea cuidadoso, alzando cada lado solo un poco a la vez, podrá sacar el chip del enchufe.

   O, busque una de esas cosas metálicas, en forma de L, que cubren las ranuras en la parte de atrás de la computadora. Estos cobertores de las ranuras de expansión también sirven para sacar chips.

   No trate de sacar el chip solo de un lado, ya que doblará o quebrará sus diminutos pines. En cambio, saque un lado solo una fracción de pulgada y luego el otro. Alternando este movimiento y aplicando poca presión, puede remover el chip sin dañarlo.

4. **Inserte los chips BIOS nuevos.**

   Lea sus anotaciones y asegúrese de saber cual chip va en cada enchufe y la posición correcta. ¿No puede encontrar sus notas? Entonces asegúrese de que la esquina marcada de cada chip esté en dirección a la esquina marcada de su enchufe.

   Después, asegúrese de que los pines del chip estén derechos, un par de alicates de punta fina pueden ayudar a enderezarlos. O, puede presionarlos contra una superficie plana para asegurarse de que estén derechos y alineados.

Coloque la primera fila de pines en la primera fila de agujeros y verifique que las filas estén perfectamente alineadas. Luego, coloque la otra fila de pines alineados sobre la fila de agujeros y presione hacia abajo. Finalmente, presione firmemente el chip con su pulgar hasta que descanse en el enchufe.

5. **Coloque cualquier tarjeta u otros componentes que hayan bloqueado su visión.**

6. **Coloque la cubierta de la computadora, conéctela y enciéndala.**

   Su computadora debe reconocer los chips BIOS nuevos de inmediato. Cuando encienda la computadora, podrá ver la información de los nuevos chips desplegada en el primer o segundo párrafo de la pantalla.

   ¿No funciona? Entonces desconecte la computadora, retire la cubierta y asegúrese de haber presionado esos chips correctamente en sus enchufes. También, asegúrese de que todos esos pines estén en sus enchufes. Si alguno está colgando, como en la Figura 10-6, las cosas se pueden poner difíciles.

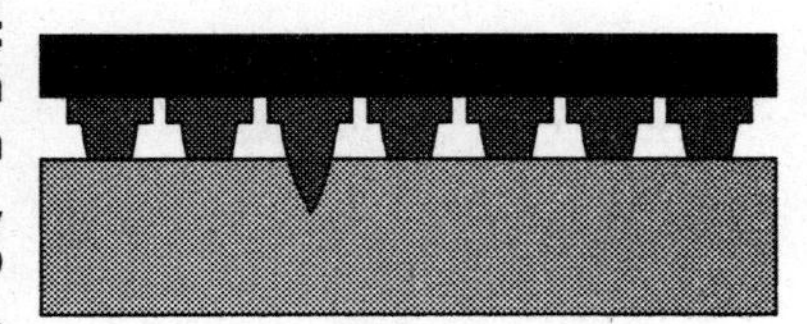

Figura 10-6: Si algún pin no está en su agujero, el chip no funciona.

Capítulo 11

Cosas de la Memoria que Desearía Olvidar

En este capítulo

- Entender los mensajes de memoria de Windows
- Tratar con errores de paridad
- Encontrar la memoria actual de su computadora
- Informar a la computadora sobre su memoria
- Comprar la memoria correcta para su computadora
- Instalar o actualizar la memoria

Algunas partes de su computadora son divertidísimas: joysticks, unidades de disco compacto, tarjetas de sonido y juegos geniales, como Stunt Island de Disney, donde puede volar un pato alrededor de los rascacielos de la ciudad de Nueva York.

Desafortunadamente, una parte de su computadora puede mandarlo gritando en otra dirección: la memoria, especialmente cuando no tiene suficiente. La memoria de su computadora puede ser o la más simple o la más devastadoramente complicada parte de las computadoras compatibles IBM.

Y, aunque sea simple o complicada, sin duda alguna la memoria es aburrida. De hecho, este capítulo inicia con algunos horribles productos de la memoria, llamados errores de paridad y cierra con detalles que inspiran migrañas sobre presionar chips de memoria en su tarjeta madre.

Si no quiere ser molestado con detalles aburridos de la memoria, visite a sus amigos del taller de cómputo para que se encarguen de estos problemas. Ellos saben cual chip utilizar y si los existentes en su computadora pueden coexistir con los recién llegados.

"Mi PC continúa Diciendo Error de Paridad o algo igualmente extraño"

Esta cosa de la paridad significa que su computadora no se está llevando bien con su memoria y esto no es bueno.

Si acaba de instalar alguna memoria nueva, tal vez su computadora esté confundida. Ejecute el programa de configuración de la computadora o ajuste las configuraciones CMOS, tarea que se describe en el Capítulo 18. Asegúrese de que la computadora reconozca su trabajo — es memoria nueva.

Si el mensaje persiste, lo mejor es llevarla al taller. Uno de los chips de memoria esta chillando y los magos técnicos del taller pueden rastrearlo más rápido que usted.

Antes de darse por vencido totalmente, dé un empujoncito a los módulos de memoria de su computadora. Estos son unas bandas plásticas que tienen chips colgando de los lados. Apague la computadora, retire la cubierta y presione esos módulos para asegurarse de que se encuentran bien colocados.

Además, antes de manipular algún chip, toque una superficie metálica para descargar cualquier energía estática. Una sola chispita — aun de la clase que no se ve ni se siente — puede perturbar demasiado a sus chips.

"Windows Continúa Diciendo: No hay Memoria Suficiente o Memoria Insuficiente"

Windows utiliza la memoria de la misma manera en que las papas asadas utilizan la mantequilla: Cuanto más le ponga, mejor es su sabor.

Si no tiene suficiente mantequilla, la papa solo está ahí con un sabor seco. Pero si usted no tiene suficiente memoria Windows se lo recuerda constantemente, como se muestra en la Figura 11-1. De hecho, un sistema Windows 95 difícilmente correrá bien con menos de 16MB de memoria (también conocida como *RAM*). Y si usted está corriendo varios programas a la vez, jugando o corriendo programas de gráficos de trabajo pesado, piense en doblar esa cantidad.

Windows 98 corre mejor con 64MB de RAM y se obtienen mejores resultados con más de 128MB.

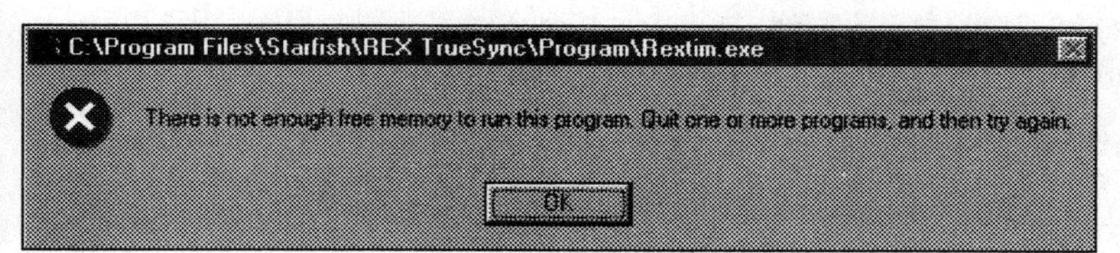

Figura 11-1: Cuando Windows se queda sin memoria, emite este incómodo mensaje sonoro.

Puede hacer que Windows deje de quejarse de dos maneras. Una es comprar más memoria. La otra es asegurarse de que su computadora sepa como utilizar la que ya tiene.

- Agregar memoria puede ser muy fácil. Solo compre más chips de memoria y colóquelos en los enchufes vacíos dentro de su computadora (por supuesto, después de leer las instrucciones de instalación, al final de este capítulo).
- Desafortunadamente, algunas computadoras están saturadas, es decir, sus tarjetas madre no saben como comunicarse con más memoria, aun si tienen Millones de chips de memoria. En este caso, simplemente debe comprar una computadora más nueva que tenga capacidad para más memoria. O si se siente realmente ambicioso, observe las instrucciones para instalar una tarjeta madre nueva, en el capítulo 10.
- El escenario más truculento es cuando todas las ranuras de la computadora están llenas, pero la computadora puede manejar más memoria. ¿La respuesta? Saque los chips de menos capacidad — los de16MB, por ejemplo — y remplácelos con chips de 32MB. El problema viene cuando usted alcanza el total actual, ya que está sustrayendo chips de 16MB de su sistema y cambiándolos por chips de 32MB, en realidad solo está agregando 16MB de memoria.

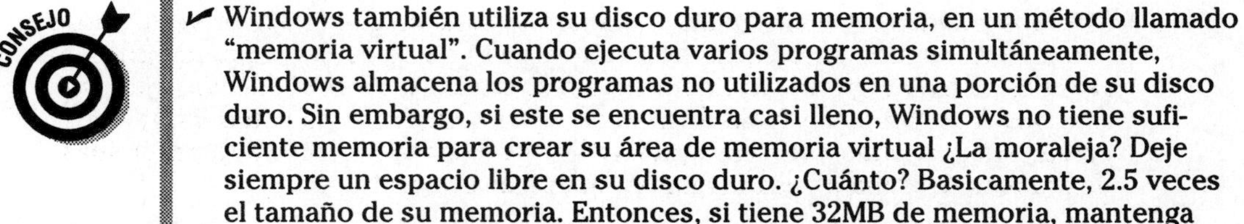

- Windows también utiliza su disco duro para memoria, en un método llamado "memoria virtual". Cuando ejecuta varios programas simultáneamente, Windows almacena los programas no utilizados en una porción de su disco duro. Sin embargo, si este se encuentra casi lleno, Windows no tiene suficiente memoria para crear su área de memoria virtual ¿La moraleja? Deje siempre un espacio libre en su disco duro. ¿Cuánto? Basicamente, 2.5 veces el tamaño de su memoria. Entonces, si tiene 32MB de memoria, mantenga por lo menos 80MB de espacio libre para que Windows pueda jugar.

"¿Cuánta Memoria Tengo?"

Primero, no necesita saber cuanta memoria tiene su computadora. Si no es suficiente, su computadora se hace más lenta cuando corre programas largos o se lo hace saber con un rudo mensaje.

Pero si tiene curiosidad, observe la pantalla cuando la enciende por primera vez en el día.

Cuando presiona el interruptor de encendido, muchas computadoras despliegan su memoria rápidamente. La computadora indica toda la memoria que encuentra, de manera que sepa cuanto espacio tiene disponible.

Esté atento a la pantalla para conocer el total. Es decir, cuánta memoria tiene su computadora (Es posible que las configuraciones DIP y CMOS de la tarjeta madre sean incorrectas y, por lo tanto, desplegarán cantidades erróneas de memoria disponible).

La segunda forma más rápida para descubrir la cantidad de memoria que tiene su computadora es ver el recibo, para saber cuánta memoria compró. Pero obviamente es más seguro que su computadora se lo diga.

Los usuarios de Windows 95 o Windows 98 simplemente pueden presionar el botón derecho en el icono Mi Computadora y escoger Propiedades en el menú desplegable. La ventana Propiedades despliega la cantidad de memoria, como se muestra en la Figura 11-2.

¡Mi Computadora no puede contar RAM!

Mi Computadora portátil tiene 128MB de RAM y cada mañana cuenta 130048K. ¿Por qué no cuenta 128000K? Bueno, en realidad un megabyte es 1024K, aunque la gente tiende a redondearlo a 1000K o 1MB.

Eso significa que 128MB en realidad es igual a 131072K. Pero aun así no es igual a 130048K. ¿Qué pasó? Se remonta a la aburrida historia de la ingeniería de cómputo. Algunos ingenieros utilizaron los primeros 640K de memoria en un sistema operativo llamado DOS y le dieron 384K de memoria extra para jugar.

Agregue esos 1024K de memoria DOS a los 130048K desplegados en la pantalla y obtendrá 131072K o 128MB.

Todos estos extraños términos se muestran en la Tabla 11-1.

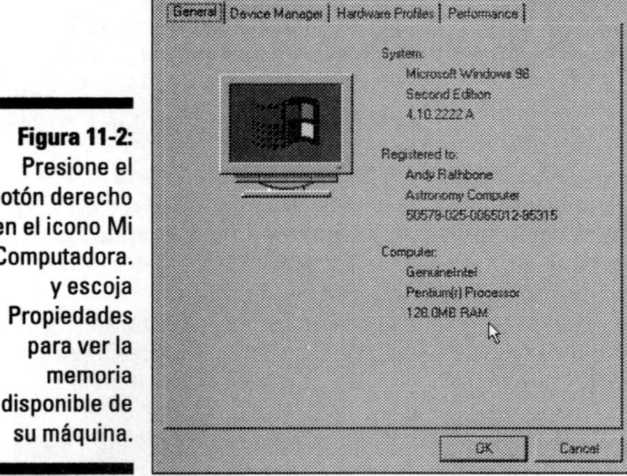

Figura 11-2: Presione el botón derecho en el icono Mi Computadora. y escoja Propiedades para ver la memoria disponible de su máquina.

"¡Instalé Mucha Memoria Pero Mi Computadora No Sabe Que Está Ahí!"

Existen varias razones para que su computadora no encuentre la memoria nueva.

Primero, la memoria podría no estar bien colocada en los enchufes. Dele otro empujoncito — después de asegurarse de que los módulos estén posicionados de la forma correcta, por supuesto.

Segundo,¿está seguro de haber comprado el tipo correcto? La memoria viene en diferentes tamaños, configuraciones, capacidades y velocidades. Si alguno de estos es incorrecto, la computadora no reconocerá la memoria.

- Cuando enciénda la computadora por primera vez, después de haber instalado la memoria, la computadora debe reconocerla inmediatamente. Puede que emita un beep y despliegue su configuración en la pantalla, permitiéndole verificar que ha reconocido la cantidad correcta de memoria que usted a insertado. Si es correcto, salve la configuración y ¡se acabó!
- Algunas PCs viejas no son tan listas como para saber que usted ha invertido mucho tiempo y dinero para proveerlas de memoria. Para notificarles esto, probablemente necesite mover un interruptor *DIP* en la tarjeta madre (Esto no lo estoy inventando yo, sino vea el Capítulo 18 en la sección del interruptor DIP). Algunas computadoras lo harán mover puentes, lo que también se cubre en el Capítulo 18.

"¿Por Qué No Puedo Sacar Memoria de la Tarjeta Madre Vieja y Agregarla a la Nueva?"

Aquí hay una serie de malas noticias. No puede sacar memoria de la tarjeta madre vieja y esperer que calce en la nueva. Ya que las tarjetas madre han evolucionado mucho con los años y han desarrollado diferentes tipos de memoria.

Si está remplazando una tarjeta madre por una de la misma época, la memoria podría calzar. Pero cuando compra una tarjeta madre nueva, prepárese a comprar también memoria. La memoria más nueva será más rápida para poder seguir el paso de la tarjeta madre nueva.

Además, los chips de memoria también han cambiado con los años. Los chips de su tarjeta madre vieja son probablemente de tamaño diferente a los que necesita en su tarjeta madre nueva.

Esto significa que sus chips viejos no calzarán — igual que una cinta de 8 pistas no calzará en un reproductor de CD.

- Usualmente podrá saber si los chips calzarán con solo mirarlos.
- La mayoría de la memoria de hoy viene en chips más pequeños y delgados, llamados *SIMMs* o *DIMMs*. Los SIMMs de 30 pines miden 3½ pulgadas de largo; los SIMMs de 72 pines miden 4½ pulgadas de largo. Los DIMMs miden 5¼ pulgadas y usualmente tienen chips a ambos lados. Asegúrese de comprar el repuesto correcto. Las tarjetas madre viejas utilizan chips llamados *DIPs* o *SIPs*. Un DIP, SIMM y DIMM son mostrados en la Figura 11-3.
- ¿Continua utilizando SIMMs? Deben ser remplazados en pares y es probablemente mejor comprarlos en pares de chips de 32MB. Los DIMMs, por el contrario, pueden ser remplazados uno por uno.
- Si no puede reutilizar los chips viejos, guárdelos. Algunas tiendas de cómputo los reciben como descuento para los chips nuevos que necesita.

- Otros vendedores tienen convertidores que permiten a un tipo de chip conectarse a otro tipo de enchufe. Este truco funciona solo si los chips de memoria viejos pueden correr lo suficientemente rápido para su nueva y rápida tarjeta madre.
- Algunas personas hacen joyería a la medida para sus esposasa con los chip más viejos y obsoletos. Las esposas, subsecuentemente, sirven cintas de 8 pistas para la cena.

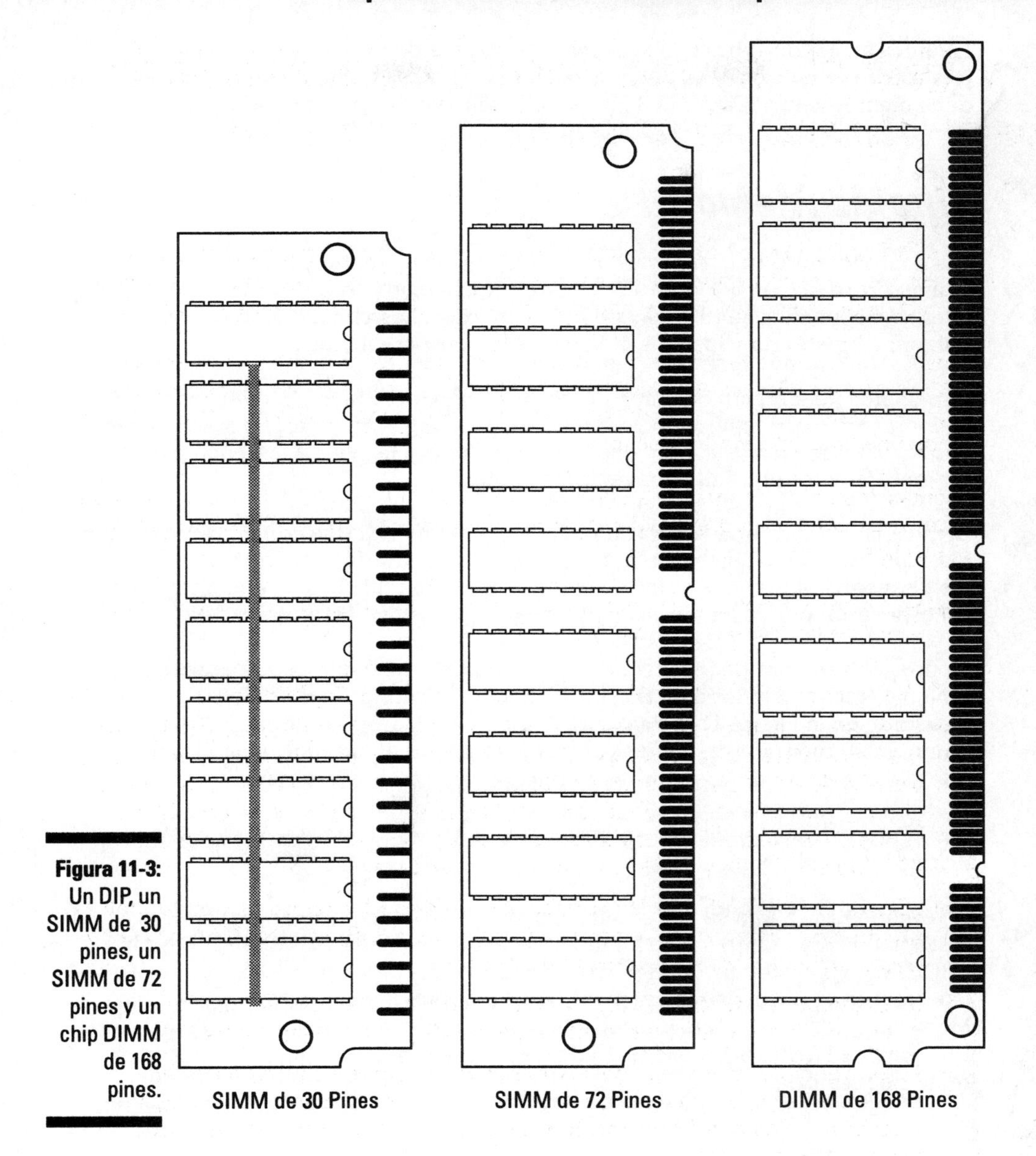

Figura 11-3: Un DIP, un SIMM de 30 pines, un SIMM de 72 pines y un chip DIMM de 168 pines.

"Dios, ¿Qué Memoria Debo Comprar?"

Todo el mundo sabe que necesita más memoria para hacer que sus computadoras funcionen mejor. Pero ¿qué tipo de memoria? Como en una habitación, todas las tarjetas madre son ordenadas diferentemente. Algunas pueden manejar mucha memoria y otras no tanta.

La única forma de saber con seguridad la cantida de memoria que aguanta su tarjeta madre es revisar el manual y buscar las siguientes palabras clave (La sección de la memoria en el Capítulo 3 ofrece también alguna información).

Tipo de Memoria

Las computadoras más viejas vienen con chips de memoria conectados en la tarjeta madre, como en la Figura 11- 3. Cada chip, llamado chip DIP (Paquete Dual En línea), se conecta a su propio y pequeño enchufe. Los chips DIP son el tipo más antiguo de memoria y los más difíciles de encontrar e instalar.

La segunda generación de chips de memoria son los *SIMMs (Módulo Sencillo de Memoria En línea),*.que se conectan en ranuras largas en la tarjeta madre. Cuente sus ranuras de memoria, empaque los chip viejos y llévelos a la tienda para asegurarse de comprar el tipo correcto de chips.

Otra vieja bestia, llamada SIP (Paquete Sencillo En línea), se conecta a pequeñas filas. Los enchufes tienen diminutos agujeros en lugar de ranura para acomodar los pequeños pies en los chips. Estos repuestos son díficiles de encontrar, dando así otra razón para cambiar la computadora que utilice estos chips SIP.

La presión por cantidades crecientes de memoria, ha dado como resultado el más reciente tipo de memoria: el *DIMM (Módulo de Memoria Dual En línea),* también mostrado en la Figura 11-3. Bajo esta presión se crearon los circuitos de 168 pines. Estos módulos de memoria funcionan mejor en las Pentium más nuevas, que sacan ventaja de la mejor tecnología.

Las Pentium más viejitas, sin embargo, frecuentemente insisten en los SIMMs instalados en pares.

El término EDO SIMM se aplica a los chips de RAM dinámica con Salida Extendida de Datos (EDO) montados en Módulos Sencillos de Memoria En línea (SIMMs). EDO SIMMs han sido instalados en la mayoría de las computadoras desde 1994. Las computadoras más recientes utilizan veloces SDRAM DIMMs, que significa Memoria Sincrónica y Dinámica RAM (SDRAM) montada en Módulos de Memoria Dual En línea (DIMMs). ¡Por Dios! Como dije, asegúrese de comprar el tipo correcto de memoria.

Paridad o no paridad

Este problema surgió a principios de los 90, aunque puede serle útil si está comprando SIMMs. Un SIMM usualmente viene con 9 DIPs (aunque algunos vienen con 3). De los de 9 DIPs, la computadora solo utiliza 8 para almacenar información. El último es utilizado para revisar la paridad — una manera computarizada de asegurarse de que los otros chips no estén causando problemas.

Algunos fabricantes dicen que los DIPs no causan problemas muy a menudo — o casi nunca. Así que descartaron el noveno DIP del SIMM para abaratar costos de producción.

Otros fabricantes dicen que no tiene sentido construir una computadora en la que no se pueda confiar, así que dejaron el chip de la paridad habilitado. De hecho, diseñaron sus tarjetas madre de manera que la memoria tenga habilitada su paridad.

- Los chips de paridad son más costosos porque tienen un chip extra. Algunos fabricantes ambiciosos cobran lo mismo por ambos tipos de chip, pero el truco es el siguiente: Usualmente venden chips de paridad más lenta al mismo precio que los chips de no paridad más rápidos (La velocidad de memoria está en la próxima sección).
- Tome su propia decisión sobre la paridad. La diferencia de precio es usualmente menos del 10%.

Las PCs de calidad superior poseen una tecnología más reciente, llamada ECC (Código de Corrección de Errores), para revisar problemas de memoria. Estas han superado el problema de la paridad.

Velocidad de memoria para SIMMs

Compre chips que sean de la misma velocidad o más rápidos que los actuales. Comprar chips más rápidos no hará que su computadora se acelere. Las tarjetas madre corren a su propio límite interno (aunque algunas corren a diferentes velocidades dependiendo de sus configuraciones ajustables, como se discutió en el Capítulo 10).

Además, no adquiera chips más lentos que los actuales, aunque sean más baratos.

La velocidad del chip es medida en nanosegundos. Los números más pequeños significan chips más rápidos: Un chip de 60 nanosegundos es más rápido que uno de 70 nanosegundos.

¿Quiere saber qué tan rápidos son sus chips actuales? Observe la cadena de números escrita en la parte de arriba del chip en su SIMM. Los números usualmente terminan con un guión seguido por uno o dos números. La Tabla 11-1 muestra lo que significa el número mágico después del guión.

Tabla 11-1 Los Números después del Guión Despliegan la Velocidad del Chip

Número	*Velocidad del chip*	*Computadoras compatibles*
–6 o –60	60 nanosegundos	La mayoría de Pentiums y sus variedades

–7 o –70	70 nanosegundos	La mayoría de 386s, 486s y algunas Pentiums
–8 o –80	80 nanosegundos	La mayoría de 386s, 486s y algunas Pentiums
–10	100 nanosegundos	La mayoría de ATs o 286s
–12	120 nanosegundos	La mayoría de ATs o 286s
–15	150 nanosegundos	XTs y PCs
–20	200 nanosegundos	Las PCs muy viejas

Capacidad de memoria

Aquí es cuando las cosas se ponen todavía más extrañas. Por ejemplo, su tarjeta madre vieja puede decir que maneja 64MB de memoria. Su computadora tienen solo 16MB y usted se frota las manos en anticipada alegría, creyendo que puede actualizar su computadora a 64MB con solo conectar un chip.

Cuando abre la computadora ve que todos los enchufe SIMM están llenos de chips, igual que en la Figura 11-4. ¿Cómo va a meter más memoria allí dentro? ¿Dónde está la palanca?

- El problema está en la capacidad de esos SIMMs en los enchufes. Esas pequeñas tiras pueden almacenar memoria en cantidades de 1MB, 2MB, 4MB, 8MB, 16MB o más
- En este caso esos 8 SIMMs deben estar almacenando solo 2MB de memoria. Ocho enchufes de SIMMs de 2MB dan como total 16MB de RAM.
- Para actualizar esa computadora a 64MB de memoria, necesita sacar todos esos SIMMs de 2MB y colocar los SIMMs de 8MB de capacidad superior en su lugar.
- Es correcto, eso significa que esos SIMMs de 2MB no son útiles. Algunos vendedores le permiten cambiar ese tipo de chips por descuento al comprar los chips nuevos. Otros vendedores le hacen almacenar todos los chips viejos en su garaje, hasta que usted se olvide de ellos.

- En realidad, finalmente hay una mejor forma: Un extensor de SIMMs. Estas tarjetas de circuitos se conectan a un enchufe SIMM y sobresalen por encima de los otros SIMMs. El extensor luego le permite conectar dos SIMMs adicionales en sus propios enchufes SIMM (Refiérase a la Figura 11-5).

- En el caso anterior, solo tendría que sacar 2 SIMMs de 2MB, conectar un extensor SIMM, conectar ambos SIMMs de 2MB en el enchufe del extensor SIMM. Eso le deja un enchufe SIMM libre para insertar más memoria RAM — así no tiene que desperdiciar su memoria existente.

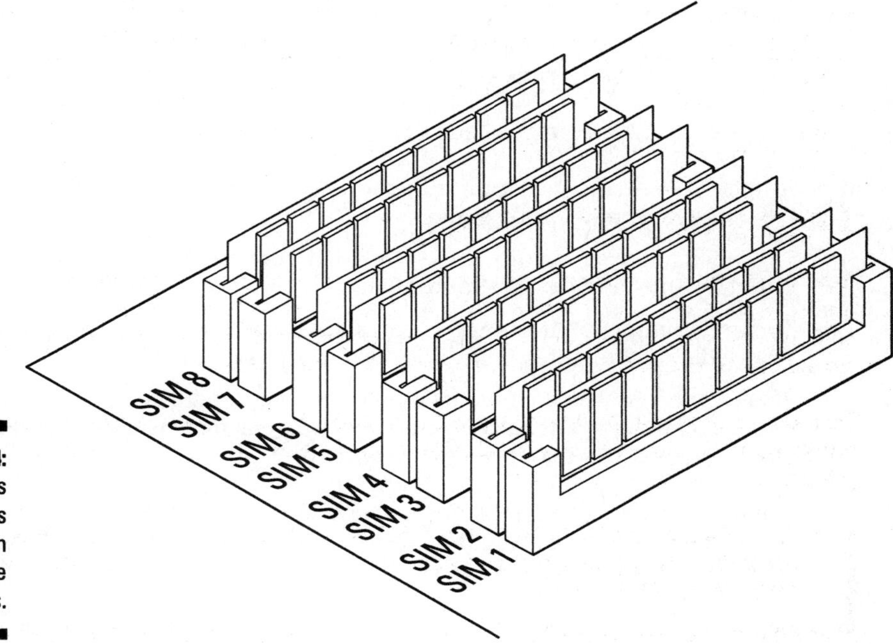

Figura 11-4: Esos viejos enchufes SIMM están llenos de SIMMs.

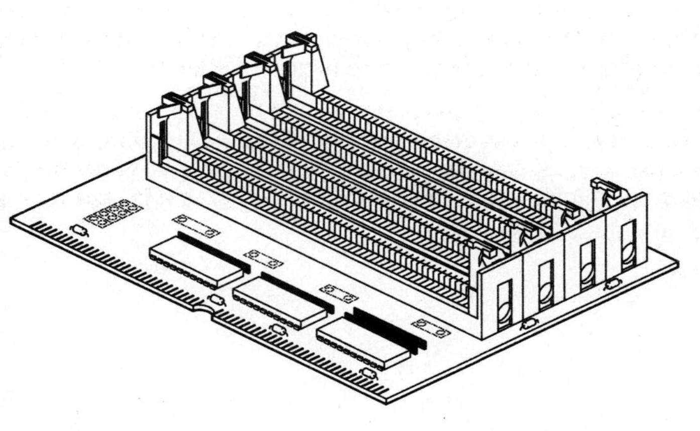

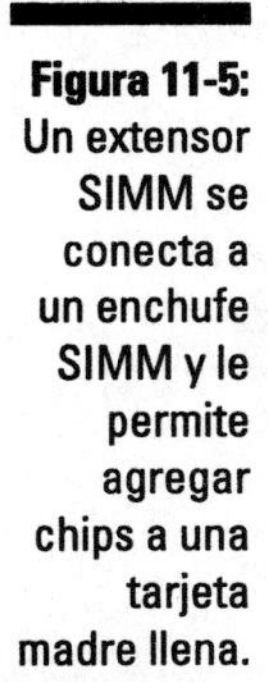

Figura 11-5: Un extensor SIMM se conecta a un enchufe SIMM y le permite agregar chips a una tarjeta madre llena.

"¿Cómo Instalo Más Memoria?"

Nivel de IQ: 100.

Herramientas: El manual de su tarjeta madre, destornillador y una pinza de chips (opcional).

Costo: Cerca de $3 o $4 por megabyte, aunque el precio cambia constantemente.

Poner atención a: La memoria tiene demasiadas reglas:

- Primero, asegúrese de comprar memoria que calce en los enchufes de su tarjeta madre. Existen varios tamaños.
- Segundo, compre memoria de la velocidad adecuada, de manera que su computadora pueda utilizarla sin problema.
- Tercero, compre memoria con la capacidad adecuada. Las distintas tarjetas madre tienen diferentes límites de RAM que pueden manejar.
- Finalmente, muchas de esas quisquillosas computadoras Pentium requieren que los SIMMs sean instalados en pares. Las más nuevas usan DIMMs, los cuales pueden ser instalados por separado.

Estos cuatro aspectos son detallados en la seción "Dios, ¿Qué Memoria debo Comprar? de este capítulo. Asegúrese de consultar el manual de su tarjeta madre para saber las reglas por seguir.

Realmente, instalar la memoria es la parte fácil. La parte difícil es averiguar cuáles chips comprar y dónde ponerlos.

Si esto suena confuso, siéntase en libertad de dejar esta tarea a los técnicos del taller, especialmente si no tiene el manual de la tarjeta madre. Sus amigos del taller pueden actualizar los chips de memoria en minutos. O si logra encontrar un vendedor de computadoras simpático, pídale que le escriba la configuración de memoria actual de su computadora, el número de ranuras, el tipo de memoria (SIMMs, DIMMs, DIPs, etc.), y el tipo de memoria que hay en sus ranuras (O, cuente el número total de ranuras, ponga todos los chips en una bolsa plástica, muéstreselos al vendedor y dígale que quiere actualizar).

Finalmente, algunas compañías (incluida IBM), utilizan chips de tamaños "oddball". Si alguna de estas instrucciones empieza a sonar extraña o si algo es de tamaño incorrecto, lleve todo al taller. ¿En realidad usted no quiere ser un experto de la computación, ¿verdad?

Para instalar nuevos chips de memoria, siga estos pasos:

1. **Apage la computadora, desconéctela y retire la cubierta.**

   Estos pasos están explicados en la Referencia Rápida, al inicio de este libro.

2. **Averigue cual memoria utiliza su computadora.**

   Revise el manual de su tarjeta madre para conocer cual memoria utiliza. Revise el tipo de memoria (las tarjetas madre utilizan DIPs, SIMMs, DIMMs, o SIPs), velocidad (medida en nanosegundos o ns) y la capacidad (el tamaño de la memoria, en kilobytes [K] o megabytes [MB]).

   Las tarjetas madre más amigables manejan diferentes capacidades y velodidades.

3. **Averigue si hay espacio para más memoria.**

   Los enchufes para SIMMs o DIMMs están en pequeñas filas, usualmente en una esquina de su tarjeta madre. ¿Ve algún espacio vacío? De ser así, ¡usted está de suerte!

   Puede agragar tanta memoria como quiera, con dos condiciones. Primero,no agregue más memoria de la que pueda manejar su tarjeta madre (Puede encontrar los límites en el manual). Segundo, su computadora organiza esos enchufes en bancos. Algunas tarjetas madre — especialmente Pentiums que utilizan SIMMs — dicen que dos enchufes hacen un banco. Otras dicen que cuatro enchufes hacen un banco y hay otras que utilizan DIMMs, las cuales dicen que un solo enchufe hace un banco.

   Aparte, las tarjetas madre pueden hacerlo llenar un banco de SIMMs completamente o dejar el banco vacío. Pero no puede dejar un banco medio lleno o la tarjeta madre se molestará (Los DIMMs no tienen este problema de bancos).

   Además no puede mezclar cantidades de memoria en un banco. Por ejemplo. no puede poner un SIMM de 16MB y uno de 32MB en un solo banco. Debe utilizar o todos los SIMMs de 16MB o todos los de 32MB.

   Si no encuentra ningún enchufe vacío, la actualización de su memoria se complica. Revise el manual de su tarjeta madre para verificar que no ha sido maximizada.

   Si el manual dice que puede manejar más memoria, pero los enchufes están llenos, tendrá que sacar algunos de los chips viejos y remplazarlos con los chips nuevos de capacidad superior. Si debe remover SIMMs existentes, sea cuidadoso de no quebrar los sujetadores plásticos de los enchufes SIMMs.

   Si los enchufes están llenos, pero su computadora puede manejar más RAM, compre un extensor de SIMMs como se describe en la sección "Capacidad de Memoria". Esa sección muestra la manera de agregar más memoria a una tarjeta madre maximizada.

4. **Compre el tipo correcto de chips de memoria.**

   Ya debería saber si necesita comprar DIPs, SIMMs, DIMMs o SIPs; así su billetera y el límite de su tarjeta madre, deciden que capacidad de chips comprar.

Asegúrese de comprar los chips de velocidad correcta. En realidad, hay solo una regla: No compre chips que sean más lentos que los actuales.

¿No sabe la velocidad de los chips actuales? Vaya a la sección "Dios, ¿Qué Memoria debo Comprar? donde encontrará algunos datos importantes.

5. **Instale los nuevos chips de memoria.**

Asegúrese de hacer tierra tocando algo metálico antes de tomar los chips o podría destruirlos con electricidad estática.

Si está trabajando en un área seca, con mucha estática al rededor, quítese los zapatos. Trabajar descalzo puede evitar la acumulación de estática. Si tiene su propia oficina, siéntase libre de quitarse toda la ropa. ¡Compute desnudo!

Revise el manual de la tarjeta madre para saber si está llenando los enchufes y filas correctas.

SIMMs y DIMMs: Busque la muesca en una esquina o en la parte inferior del SIMM o DIMM. Las muescas permiten que el chip calce en su enchufe de una sola forma. Posicione el SIMM sobre el enchufe y presiónelo hacia abajo en su lugar. Cuando el SIMM esté bien colocado, inclínelo despacio hasta que las cejillas metálicas se ubiquen en su lugar. Todo este procediemiento se debe hacer como se muestra en la Figura 11-6.

Para la mayoría de los DIMMs y algunos SIMMs, como los de la Figura 11-7, solo presione hacia abajo y asegúrelos en su lugar. Otros SIMMs, como los de la Figura 11-6, necesitan ser inclinados mientras son insertados. Si es cuidadoso se dará cuenta de la forma en que calza el chip.

DIPs: Asegúrese de que los pines estén derechos. Un par de alicates de punta fina pueden ayudar. O puede presionar los chips contra una superficie plana.

Asegúrese de que el extremo del DIP con la muesca esté sobre el borde huequeado o marcado del enchufe. Después coloque la primera fila de pines sobre sus agujeros y asegúrese de que estén bien alineados.

Luego debe alinear la otra fila de pines sobre sus agujeros. Presione hacia abajo hasta que los pines queden alineados en su lugar.

Finalmente, déle un empujoncito suave y firme al chip con su pulgar, hasta que descanse sobre su enchufe. Repita este proceso hasta que haya llenado la fila.

El proceso se muestra en la Figura 11-8.

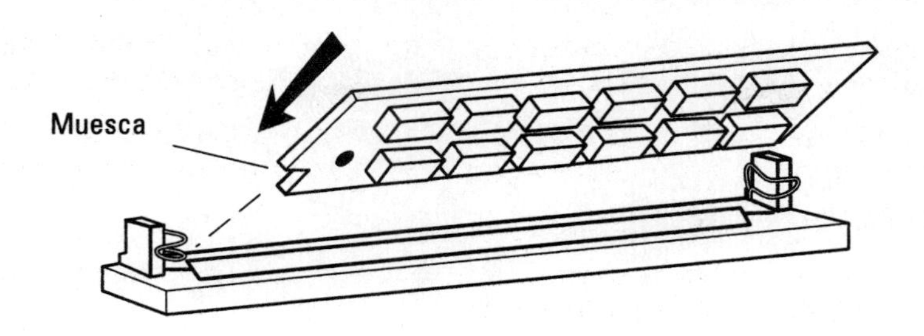

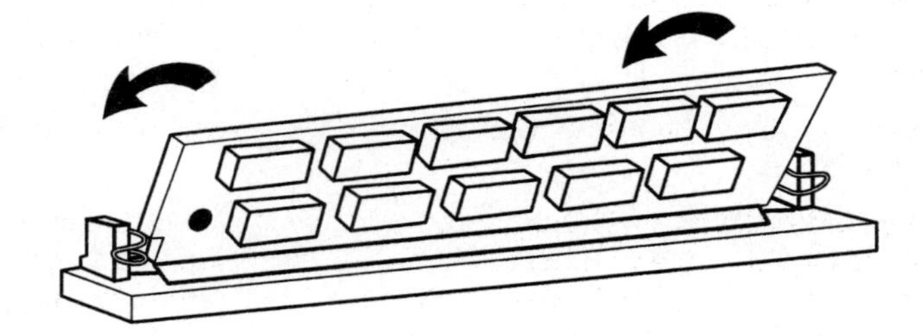

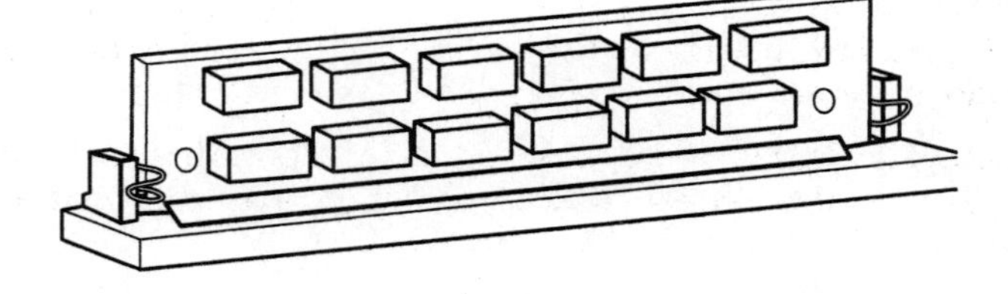

Figura 11-6: Algunos SIMMs son presionados en ángulo y luego endereza-dos, como este. Otros SIMMs son presionados derechos y luego pre-sionados en ángulo.

SIPs: Asegúrese de que el extremo con la muesca o marca del SIP esté en línea con el lado marcado del enchufe. Presione cuidadosamente las pequeñas patitas del SIP en los agujeros, hasta que esté firme en su lugar.

Igual que con otros SIPs, asegúrese de llenar los enchufes, un banco a la vez.

6. **Vuela a revisar su labor.**

Asegúrese de que todos los chips DIP estén bien ubicados y de que todas las patitas estén en sus agujeros. Además, revise las patitas para estar seguro de que no esten dobladas o colgando a los lados.

Revise el manual de la tarjeta madre y corrobore haber llenado los bancos en el orden correcto.

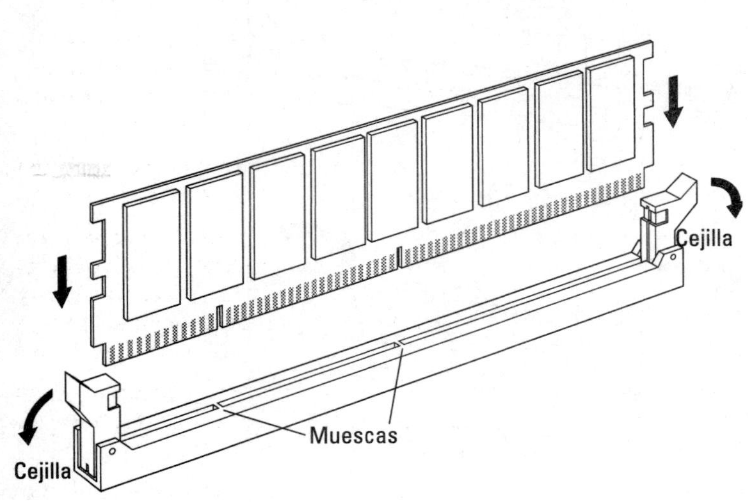

Figura 11-7: Alínie las muescas del DIMM con las de las ranuras y presione el chip en la ranura de su memoria. Finalmente, presione hacia adentro en la cejilla del extremo de la ranura para asegurar el DIMM.

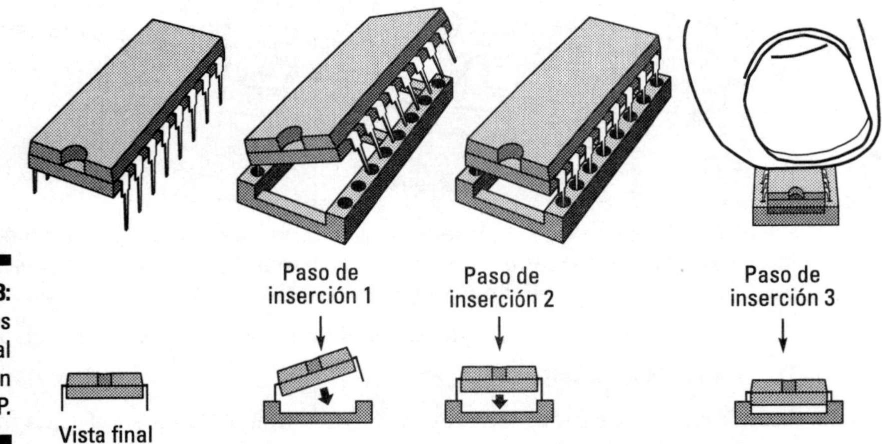

Figura 11-8: Siga estos pasos al insertar un chip DIP.

7. **Mueva los puentes o interruptores DIP en la tarjeta madre.**

   Algunas computadoras viejas no reconocen automáticamente los chips que acaba de insertar. Las computadoras requieren que usted mueva el interruptor DIP o los puentes para indicarle la cantidad de memoria que ha instalado.

   ¿Qué debe hacer? Revisar el manual de su tarjeta madre. Ese es el único lugar donde encontrará todos estos secretos.

¿Inseguro sobre cómo trabajan los puentes o los interruptores DIP? Lea el Capítulo 18.

8. **Coloque la cubierta, conecte la computadora y enciéndala.**

   La computadora le saludará con un mensaje de error sobre imcompatibilidad de memoria o algo así de extraño. El mensaje suena aterrador, ¡pero es una buena noticia! Su computadora ha encontrado los chips de memoria que acaba de instalar.

   Ells está agradecida, pero confusa; quiere mostrarle la cantidad de memoria que encontró y preguntarle que si usted la colocó dentro de ella.

   Todo esto sucede en el área CMOS de su computadora o en la pantalla de configuración. Y todo esto se explica en el Capítulo 18 (Tampoco es tan difícil como suena. De hecho, algunas computadoras ya habrán enlistado el cambio en sus CMOS o en su programa de configuración; solo salga del programa y todo estará bien).

   Las computadoras XT no tienen un programa de configuración o área CMOS, así que ellas confían en lo que usted dice que ha instalado, basándose en los puentes o interruptores DIP que usted ha movido.

   Si su computadora continúa sin reconocer sus nuevos chips de memoria, apáguela y presiónelos sobre sus enchufes, un poco más firme. Eso puede ayudar.

9. **Coloque la cubierta de nuevo.**

   ¡¡¡Bravo!!! ¡¡¡Lo logró!!!. Reinicie su computadora y observe que tan bien corre Windows ahora.

Capítulo 12

Unidades de Disco Flexible

En este capítulo

- Rastrear errores de disco
- Formatear discos flexibles
- Instalar una unidad de disco flexible nueva

Ponga a las unidades de disco flexible entre la Lista de Especies en Peligro de Extinción. Por años, han sido útiles, ya que la gente no tenía otra opción. Cuando alguien quería instalar un programa, almacenar o mover información de una computadora a otra, solo empujaban un disco flexible en la unidad correspondiente.

Pero cuando aparecieron las unidades de Discos Compactos (CD), las unidades de disco flexible no pudieron competir. Los CDs no solo almacenan cientos de discos flexibles, sino que también le permiten escuchar a música en la computadora.

Hoy en día, las unidades de CD más recientes escriben sobre los discos tan bien como leen de ellos. Además, las unidades de DVD de hoy permiten a la gente ver The Matrix durante su hora de almuerzo. Los discos flexibles simplemente no pueden continuar.

Aunque los discos flexibles están desapareciendo lentamente, aun no han muerto. Este capítulo muestra la forma de reparar o remplazar estas partes viejitas de su computadora.

"¡Mi Computadora Gruñe con los Discos de Mi Amigo!"

Un disco flexible puede trabajar bien en la computadora de su amigo y no en la suya. En lugar de leer el disco, su computadora gruñe a los extraños mensajes de error en la pantalla.

Por ejemplo, mi amigo Wally pudo almacenar cosas en sus discos sin problema. Desafortunadamente, ninguna otra computadora en la oficina pudo leerlos.

Eso es porque las unidades de disco de Wally están un poco fuera de alineación en relación con el resto de las computadoras de la oficina. Pocos talleres pueden afinar una unidad de disco si estos no funcionan en sus máquinas, pero la alineación casi siempre es más cara que comprar una unidad nueva. Wally no compró una unidad nueva, así que todos evitan su computadora (Aunque seguimos almorzando con Wally).

La alineación no es la única causa de la rareza de los discos. Algunas otras causas incluyen:

- Si tiene la unidad vieja de baja densidad (las que solo leen disquetes de 260K o 720K), su computadora no podrá con la computadora nueva de su amigo, la cual tiene una unidad de alta densidad (los de 1.2MB o 1.44MB). Las unidades viejas simplemente no pueden descifrar ese formato nuevo y pomposo. Estas unidades de baja densidad vienen preinstaladas en las computadoras desde los años 80 y a principios de los 90.
- También, las computadoras compatibles con IBM y las computadoras Macintosh no se caen muy bien (Sus dueños también pelean usualmente, pero esa es otra historia). Las PC Mac y otras más viejitas no pueden leer los disquetes de otras máquinas, ya que cada una almacena información en un formato diferente.

- La última partida de computadoras Macintosh son mucho más amistosas. Pueden detectar automáticamente un disquete IBM y leer la información sin mucho aspaviento (Además, un software lento y caro llamado SoftWindows permite a algunas Mac correr un programa Windows para PCs IBM).

"Cuando Introduzco un Disquete Nuevo, Mi Computadora Dice 'Inválido' o Algo Así"

Varios pueden ser los causantes de este asunto. El culpable número uno es un disquete no formateado.

Su computadora no siempre puede utilizar disquetes recién salidos de la caja. A menos que esta específicamente diga "formateados", su computadora necesita formatear los disquetes primero. Un disquete nuevo es como una pared vacía: cuando la computadora formatea el disquete, pega pequeñas repisas electrónicas en la pared para que pueda almacenar información ahí.

Los usuarios de Windows pueden presionar el botón derecho del mouse en el icono Mi Computadora y escoger Formato en el menú desplegable.

Los usuarios de Windows 3.11 pueden formatear un disquete en la Unidad A, escogiendo Disco en el menú del Administrador de Archivos y presionando el botón OK en la casilla de Formato de Disco.

¿A quién le importa por qué un disquete de 1.2MB almacena más que uno de 360K?

Las computadoras miden con el sistema métrico, que funciona bien para todo el mundo excepto los estadounidenses, que prefieren la medida precisa de las yardas.

Las computadoras miden la cantidad de información que almacenan en Kilobytes (K) o megabytes (MB). Un megabyte es mucho más que un kilobyte, es 1.000 veces más. En realidad, es exactamente 1.024 veces más, aunque todo el mundo lo redondea a 1.000.

Entonces, un disquete 1.44MB puede almacenar dos veces más que uno de 720K. Y un disquete 1.2MB puede almacenar 4 veces más que uno de 360K.

Los disquetes que pueden almacenar 1.44MB o 1.2MB de información son llamados disquetes de alta densidad. Los otros, los de 360K y 720K son llamados disquetes de baja densidad, aunque algunos fabricantes los llaman disquetes de doble densidad para confundir el asunto.

Finalmente, algunos extraños disquetes híbridos almacenan 2.88MB, y son llamados disquetes de densidad extendida. Probablemente nunca se tope con uno, yo no lo he hecho.

Sin importar su sistema operativo, la computadora le permite escoger una etiqueta de volumen. Esta es una palabra elegante para decir nombre. Por lo tanto, digite Tina o Lars o Ulrich o cualquier nombre que prefiera y luego presione Enter (o solo presione Enter y se olvida de la etiqueta de volumen. En su lugar, escriba el nombre en la etiqueta adhesiva del disquete donde pueda verlo).

Nunca se le ocurra formatear la unidad C (o ninguna otra unidad con una letra mayor a A o B) . Estas unidades rara vez son unidades de disco flexible; son probablemente discos duros y al formatearlas se borra toda la información. Necesita formatear un disco duro solo después de instalarlo por primera vez y no se vuelve a formatear más.

Si su disco está apropiadamente formateado, puede obtener un mensaje de Inválido por diversas razones:

- Se obtiene un mensaje de Inválido si trata de utilizar in disquete de alta densidad en una unidad de baja densidad.
- Algunas veces, los disquetes no funcionan. Si esto pasa a todos sus disquetes, su unidad de disco flexible puede estar dañada. Pero si esto pasa solo con uno, deséchelo y utilice otro.
- Si aparece el mensaje de Inválido y no está utilizando la unidad de disco flexible o la unidad de CD, puede que tenga problemas más serios de disco. Su disco duro puede estar fallando y debería hacer un respaldo de sus contenidos inmediatamente (El Capítulo 13 tiene información acerca del disco duro).

- Si la computadora tiene problemas leyendo sus propios disquetes, puede que esta haya olvidado que tipo de unidad de disco tiene. Para recordárselo, vaya al área CMOS o pantalla de configuración para asegurarse de que enliste el tipo correcto de unidad (Mejor revise el Capítulo 18 antes de tomar este camino).
- Finalmente, el controlador de la unidad podría estar de vacaciones. Apague su computadora, retire la cubierta y busque un cable de cinta plano que sale de la unidad. Presione un extremo del cable dentro de la unidad, el otro extremo se conecta a la tarjeta madre o a una tarjeta. ¿Qué son los controladores? Esto se explica más adelante en este capítulo, cerca de la sección "¿Cómo Instalo Una Unidad de Disco Flexible Nueva?"

"¡Mi Computadora Dice que Mi Sector no Se Encuentra o que Mi FAT Está Mala!"

Estas son muy malas noticias.

Si usted ve este mensaje, mientras utiliza la unidad de disco flexible, haga lo posible por copiar el contenido del disquete en otro o en su disco duro. Si tiene suerte, puede que logre salvar alguna información.

Si no tienen suerte y de verdad necesita esa información, vaya a la tienda y compre un programa de rescate de disco. Por ejemplo, tanto Norton como First Aid (CyberMedia) pueden rescatar algunos datos de disquetes dañados. Algunas tiendas de cómputo pueden también rescatar datos de disquetes que funcionan mal. Sin uno de estos programas tan especiales, usted no puede hacer mucho.

Si el mensaje de error aparece cuando trata de leer algo de su disco duro, salve su trabajo actual y luego reinicie la máquina. Algunas veces esto funciona.

Si el mensaje persiste, será mejor que empiece a ahorrar para comprar un disco duro nuevo. Primero, de oportunidad al programa de rescate, es más barato que un disco duro nuevo y usualmente rescatan información del disco que usted pensó no volvería a ver.

- Las computadoras envían información dentro del disquete en pequeñas áreas llamadas sectores. Cuando un sector se daña, es como un estante que se cae en el garaje: todo se derrama en el piso y se mezcla.
- Durante su fabricación, casi todos los discos duros generan unos pocos sectores dañados. Las áreas malas son retiradas y el disco desplaza la información entrante a otras áreas. Cuando la computadora utiliza el disco, aparenta estar libre de sectores dañados. Si uno de estos expira cuando la unidad ha sido instalada, Windows coloca señales de advertencia junto a sus áreas dañadas, de manera que no almacene más información en ellas.

¿Qué es un disco de densidad extendida?

Un heredero de los discos flexibles, llamado densidad extendida, puede almacenar 2.88MB de información. Es decir, dos veces más que los campeones en almacenamiento del pasado, los disquetes de alta densidad. (Si tiene curiosidad sobre los disquetes de alta densidad, revise el recuadro anterior "¿A quién le importa por qué un disquete de 1.2MB almacena más que uno de 360K?").

Estos disquetes son de 31/2 pulgadas de ancho, como los viejitos, pero tiene las letras ED en una esquina. Son poco comunes; difícilmente se usan hoy en día. En realidad nunca he visto uno, pero todo el mundo insiste en que andan en algún lugar ahí afuera.

Si desea utiliza un disquete de densidad extendida, necesita comprar una unidad de disco especial y más cara (Tampoco he visto una de esas nunca). Este tipo de disquete y de unidad de disco no han tenido buena aceptación. Pero bueno, los pretensiosos de Hollywood, abuchearon a Citizen Kane durante la Premiación de la Academia en 1941.

Puede que esto haya expirado con la introducción de nuevas formas de almacenamiento, como las unidades ZIP descritas en el Capítulo 13.

- Su Tabla de Asignación de Archivos (siglas al inglés FAT), es el índice de la computadora de lo que se ha almacenado en los sectores. Cuando su FAT se daña, su computadora de repente olvida dónde colocó cada cosa. Un FAT dañado es mucho peor de lo que suena.
- Si no tiene un programa de rescate de disco, ni tiene ganas de comprar uno, intente corriendo las herramientas de disco que vienen en Windows. Descritas en el Capítulo 17, estas herramientas frecuentemente pueden arreglar un disco en mal funcionamiento lo que significa que no tiene que comprar software.

"¿Cómo Instalo una Nueva Unidad de Disco Flexible?"

Nivel de IQ: 80.

Herramientas: Una mano y un desatornillador.

Costo: Cerca de $50.

Poner atención a: Si está agregando una segunda unidad de disco flexible, mejor revise bajo la tapa de la computadora para ver si hay espacio para ponerla dentro de la cubierta. Ese lugar mágico se llama Bahía. Algunas veces, un segundo disco duro, unidad de CD-ROM, unidad ZIP, unidad DVD o unidad para copias de seguridad en cinta, pueden acaparar todas las bahías disponibles.

Historias de cables trenzados

Algunas unidades de disco flexible no se llevan bien con sus cables de cinta y eso se debe sobre todo a que el cable de cinta tiene una pequeña trenza cerca de su extremo. Algunos la tienen y otros no. Necesita ajustar los interruptores del DS (Selección de Unidad) de la unidad apropiadamente. ¿Dónde están esos interruptores del DS? Son pequeños interruptores o puentes a un lado de la unidad de disco flexible, como se muestra en la figura de abajo. El manual de la unidad le indicará como hacerlo.

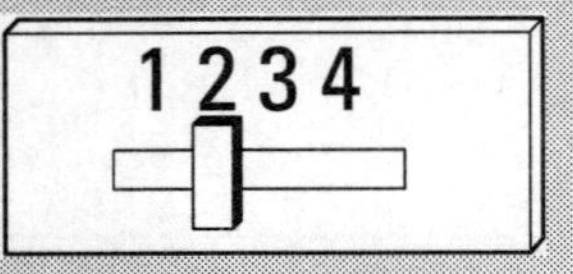

- Si el cable de cinta tienen una trenza en el medio, como se muestra en la Figura 12-3 más adelante en este capítulo, ajuste ambos interruptores de la unidad a DS2 (Generalmente ya vienen de esta manera).
- ¿No hay ninguna trenza en al cable de cinta? Ajuste la Unidad A a DS1 y la Unidad B a DS2 (Si sus interruptores inician con DS0, entonces ajuste la unidad A a DS0 y la B a DS1 Bueno, yo no diseñé esta cosa...!)
- Si su unidad trabaja bien, ignore toda esta información. Finalmente, para más datos de los puentes, refiérase al Capítulo 18)

Su nueva unidad de disco flexible probablemente necesite barras o soportes de montaje antes de que pueda calzar dentro de su PC. Algunas unidades vienen con barras o soportes de montaje en la caja; muchas no. Si está remplazando la unidad, puede utilizar las barras viejas. Si está agregando una segunda unidad y necesita barras o soportes para montaje, estos no son caros y los puede encontrar en cualquier tienda de cómputo. Si la tienda no los tiene, debe contactar al fabricante.

Para remplazar o agregar una unidad de disco flexible siga estos pasos:

1. **Apague la computadora, desconéctela y retire la cubierta.**

   Esta información se cubre en la Referencia Rápida, al inicio de este libro.

2. **Retire los cables de la unidad vieja.**

   Encuentre la unidad vieja. Las unidades de disco flexible tienen dos cables conectados:

   Cable de cinta: El cable de cinta plano conecta la unidad a un enchufe especial incorporado en la tarjeta madre de las computadoras más nuevas o, a una tarjeta controladora (en máquinas más viejas). Fíjese cual es el tipo de la suya y así podrá remplazarla cuando lo necesite.

   Si esta remplazando la unidad, tome el cable de cinta del conector y hálelo fuera de la unidad, como se muestra en la Figura 12-1. El cable debería salir fácilmente.

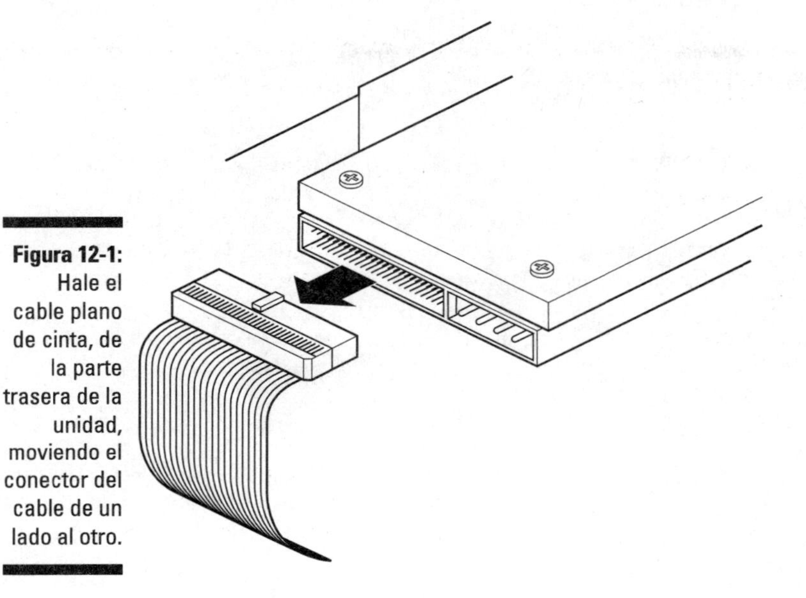

Figura 12-1: Hale el cable plano de cinta, de la parte trasera de la unidad, moviendo el conector del cable de un lado al otro.

Cable de poder: El otro cable está hecho de 4 alambres que se dirigen a la fuente de poder. Como el cable de cinta, el cable de poder sale fácilmente del conector de la unidad, aunque frecuentemente requiere que los halen más fuerte. No hale los alambres: hale del conector plástico del cable. Algunas veces un movimiento suave hacia arriba y abajo puede aflojarlo.

Las unidades pueden utilizar uno de dos conectores de fuente de poder, mostrado en la Figura 12-2 con sus enchufes.

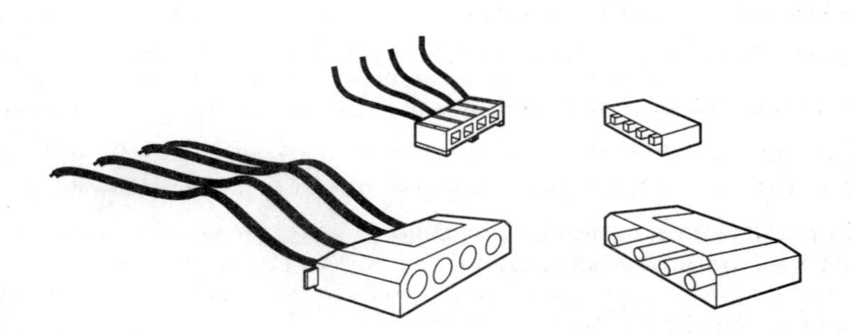

Figura 12-2: Los cables de la fuente de poder vienen en dos tamaños. Cada tamaño se conecta a su propio enchufe.

¿Agregando una segunda unidad? Entonces observe al cable de cinta plano conectado a la unidad A. ¿Ve un segundo conector vacante, como se muestra en la Figura 12-3? (La mayoría de los cables vienen con dos conectores). Si no, vaya a la tienda por un nuevo cable de cinta que tenga dos conectores. ¿Lo tiene? Entonces vaya al paso 5.

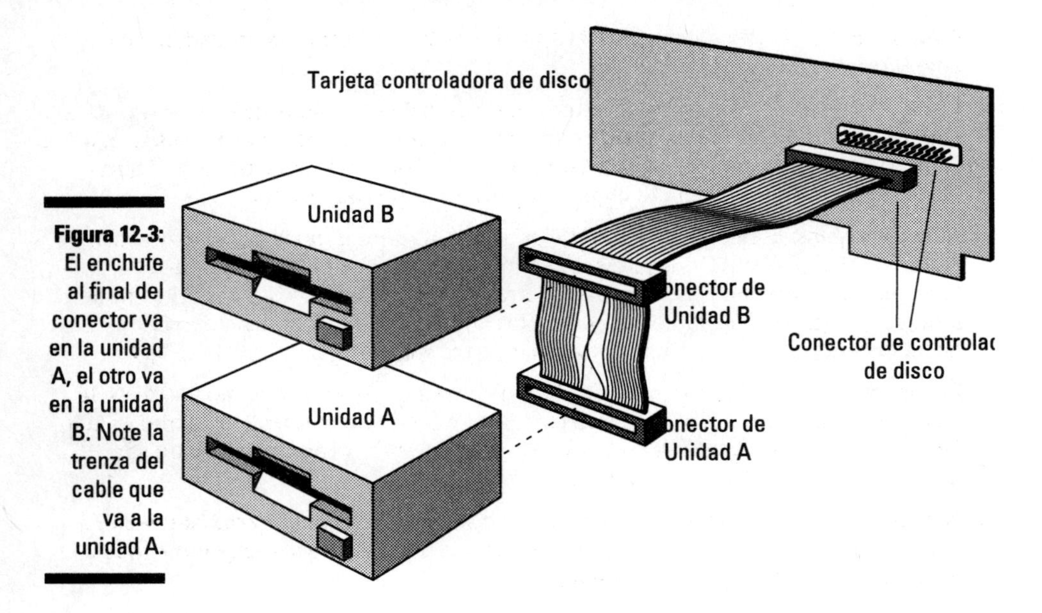

Figura 12-3: El enchufe al final del conector va en la unidad A, el otro va en la unidad B. Note la trenza del cable que va a la unidad A.

3. **Remueva los tornillos del soporte que mantienen a la unidad vieja en su lugar.**

   Las unidades son colocadas dentro de su computadora de dos maneras:

   Barras: Algunas unidades le permiten atornillar pequeñas barras a sus lados. Estas sostienen a la unidad en su lugar conforme se desliza dentro de la computadora. Finalmente, dos tornillos en la parte delantera evitan que se salga. Para retirar la unidad, quite los tornillos.

   Escoja tornillos pequeños para adherir barras a la unidad. Si utiliza tornillos largos, puede dañar la unidad.

   Sin barras: Algunas unidades también son deslizadas dentro de la computadora pero sin barras que la mantenga en su lugar. También están aseguradas con tornillos a sus lados. Los tornillos de un lado pueden estar ocultos por una tarjeta en particular o por otra unidad montada al lado. Tendrá que sacar la tarjeta para alcanzar los tornillos. Note que utilizar tornillos largos puede dañar la unidad

4. **Deslice la unidad fuera de la computadora por la parte delantera.**

   Después de retirar los tornillos y cables de la unidad, tome la unidad por la parte delantera y deslícela hacia usted.

5. **Deslice la nueva unidad a donde estaba la otra.**

   Deslice la nueva unidad al lugar donde estaba la vieja. Puede que necesite retirar las barras de la unidad vieja y atornillarlas a la nueva.

   ¿Agregando una segunda unidad? Encuentre una bahía disponible, ya sea sobre o bajo la otra unidad y deslice la segunda unidad adentro.

6. **Pegue los dos cables a la unidad.**

Algunas veces es más fácil pegar los cables si primero desliza la unidad hacia afuera un poco.

Cable de cinta: El conector del extremo del cable de cinta se pega a la unidad A; el conector del medio del cable de cinta va en la unidad B, como se muestra en la Figura 13-2. Una pequeña barrera dentro del cable de cinta usualmente asegura que solo pueda ser conectada en una manera: la manera correcta.

Algunas veces el cable de cinta puede calzar de cualquier manera. ¡Qué horror! Busque cuidadosamente pequeños números impresos cerca de la lengüeta de conexión de la unidad. Un borde de la lengüeta tiene números bajos; el otro tiene números mayores a 30. El borde coloreado del conector de cinta siempre va hacia los números bajos. Debe verse como en la Figura 12-4.

El conector de algunas unidades de 3½-pulgadas no se parecen al mostrado en la Figura 12-4, sino que el conector tiene un montón de pequeños pines, como en la Figura 12-5. Puede que tenga que volver a la tienda por un adaptador si no se incluye ninguno en la caja de la unidad.

Fuente de poder: El cable de la fuente de poder calza dentro del enchufe de la unidad de una sola forma. Aun así, revise cuidadosamente para asegurarse que no esté forzándolo en la forma incorrecta.

Si está agregando una segunda unidad, busque los cables que salen de la fuente de poder y tome uno que no esté siendo utilizado. Si todos están en uso, entonces vaya a la tienda y pida un adaptador **Y** para el cable de la unidad de disco flexible de su fuente de poder.

7. **Atornille la nueva unidad en su lugar.**

   Si la unidad está bien colocada, sus agujeros estarán alineados con los de la computadora ¿Comprende? Entonces, ponga los tornillos en los agujeros. Puede que tenga que mover la unidad hacia adentro y afuera hasta alinear los agujeros.

   Asegúrese de utilizar tornillos del tamaño adecuado para evitar dañar la unidad de disco.

8. **Pruebe la unidad.**

   Conecte la computadora, enciéndala, ponga un disquete en la unidad y fíjese si trabaja. ¿Todo bien? Apáguela, conéctela y coloque la cubierta de nuevo. ¡Lo ha logrado!

   Sin embargo, si la unidad no funciona, apague la computadora, desconéctela y trate un par de cosas antes de darse contra las paredes. Primero, ¿están los cables bien alineados? ¿Están bien conectados? Revise la conexión donde el cable de cinta se conecta a la tarjeta del controlador o a la tarjeta madre. Algunas veces todo ese movimiento puede aflojarlas.

   Si hizo algo además de remplazar la unidad, probablemente deba decirle a la computadora sobre este nuevo logro suyo. Algunas no son tan listas como para reconocer el tipo de unidad que ha instalado. He aquí lo que debe hacer:

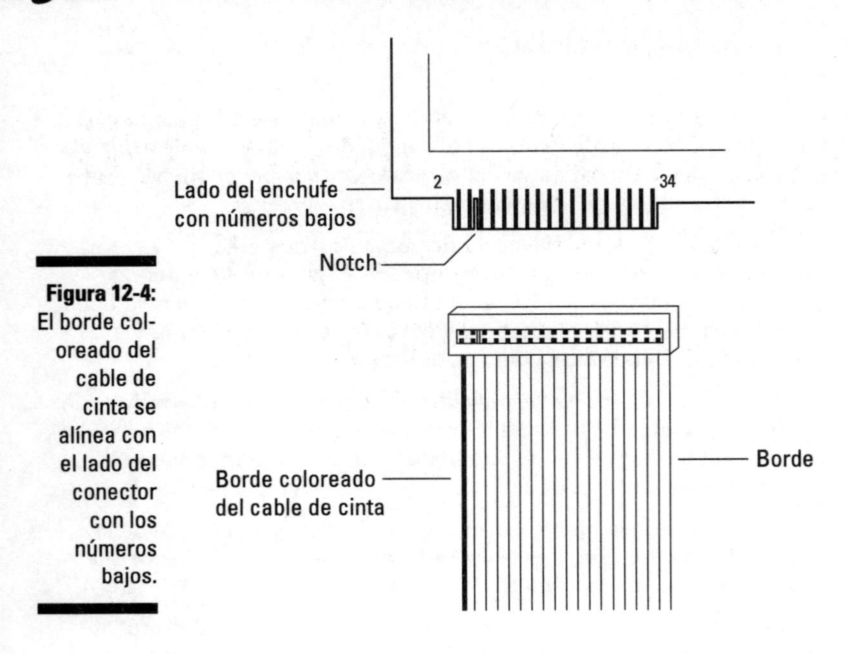

Figura 12-4: El borde coloreado del cable de cinta se alínea con el lado del conector con los números bajos.

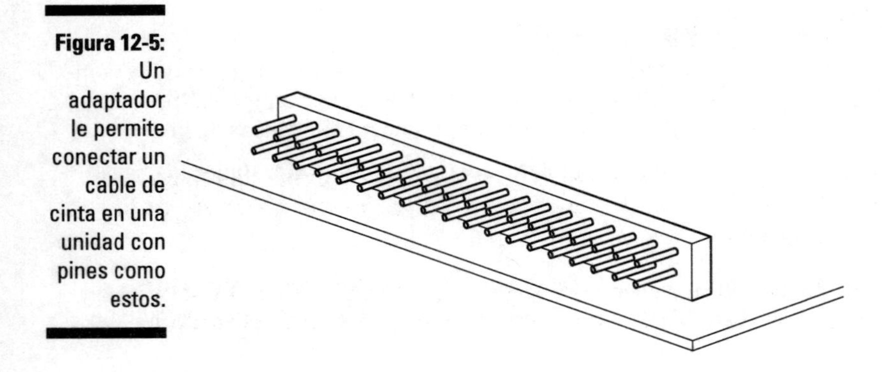

Figura 12-5: Un adaptador le permite conectar un cable de cinta en una unidad con pines como estos.

Si agregó una segunda unidad, podría necesitar cambiar el CMOS de su computadora o pantalla de configuración, de manera que ella sepa que pasó (Eso está en el Capítulo 18).

Si está instalando una de esas unidades de disco flexible en combo (las que tienen una unidad de 51/4-pulgadas y una de 31/2-pulgadas en una sola), necesita jugar con los puentes de la unidad. De esta manera la computadora sabe cual va a ser la unidad A y cual la B. El manual de la unidad de disco flexible explica el procedimiento correcto.

Capítulo 13

Discos Duros, Unidades de CD, DVD, Zip y Otros Dispositivos de Almacenamiento

En este capítulo

- Desfragmentar el Disco Duro
- Corregir errores de disco
- Entender los tipos de disco duro
- Instalar el disco duro
- Instalar una unidad de CD-ROM o DVD
- Explorar unidades de respaldo de disco
- Instalar una unidad de respaldo en cinta
- Instalar una unidad de almacemaniento removible

La gente amontona las cosas en armarios, garajes o gavetas de la cocina. Las computadoras lo amontonan todo en discos duros ubicados en lo profundo de sus entrañas.

Sin embargo, los discos duros sufren los mismos problemas que sus contrapartes: las casas. Rara vez tienen espacio suficiente para almacenar todo.

Toda versión de Windows es cada vez más larga. Los programas continúan expandiéndose. Internet continúa sirviendo cosas divertidas para almacenar. ¿Puede alguien atreverse a borrar todos sus correos eléctronicos?

Para enfrentar la explosión de información, algunas personas actualizan un disco duro más grande. Otras agregan un segundo disco duro. Las unidades de respaldo en cinta y las unidades ZIP son otra posibilidad. Otros prefieren las unidades de CD de lectura/escritura, las cuales le permiten almacenar información — y música — en un disco compacto barato.

Este capítulo muestra como hacerlo.

"¿Necesita Mi Disco Duro Ser Desfragmentado?"

Cuando su computadora copia por primera vez un montón de archivos en su disco duro, los lanza al disco giratorio interno de este en una banda larga. Cuando usted borra algunos de los archivos, la computadora pasa por encima y elimita los espacios donde estubieron estos archivos.

Esto deja agujeros en lo que solía ser una banda larga. Cuando agrega más archivos, la computadora empieza a rellenar estos espacios vacíos. Si un archivo es muy largo y no cabe en uno de estos agujeros, la computadora parte el archivo almacenando partes y piezas donde encuentre lugar.

Después de un momento, un solo archivo puede tener partes esparcidas por todo el disco duro. Aunque su computadora puede encontrarlo todo de nuevo, toma más tiempo, ya que el disco duro debe moverse más por todos lados para tomar todas las piezas.

Para detener esta fragmentación, un sabelotodo de la computación lanzó un programa de desfragmentación. El programa toma toda la información de su disco duro y la acomoda de nuevo en una sola banda larga, colocando todas las partes de los archivos juntas.

"El programa de Desfragmentación dejó de funcionar!"

A Windows no le gusta desfragmentar una unidad mientras existan programas corriendo. Ya que los programas usualmente escriben informacción en el disco duro, Windows debe dejar de desfragmentar e iniciar de nuevo desde el principio, para asegurarse de que esté haciéndolo todo bien.

Si Windows se aburre de estar parando e iniciando y se rehusa a desfragmentar su unidad, siga los siguientes pasos:

Presione el botón Inicio, escoja Apagar el Equipo y seleccione la opción Reiniciar. Después, conforme su computadora inicie de nuevo, presione y sostenga la tecla Ctrl o F8. Aparecerá una pantalla Windows ofreciendo varias opciones. Escoja Modo Seguro.

Windows luego se carga utilizando su configuración bare-bones, anulando esos programas con antecedentes problemáticos. Cuando Windows se esté cargando, apague su protector de pantalla (desde el Panel de Control) y corra el programa de desfragmentación en su disco duro.

Cuando termine, cierre Windows e inicie de nuevo, esta vez permitiéndole correr de forma normal. El disco duro de su computadora debería correr más rápido.

Para acelarar las cosas, los usuarios de Windows 98 pueden desfragmentar una unidad de disco — ya sea de disco duro o de disco flexible — siguiendo estos pasos:

1. **Presione el botón derecho en la unidad lenta y escoja Propiedades, como se muestra en la Figura 13-1.**

   Presione el botón derecho desde Mi computadora o Windows Explorer. Windows le indica la capacidad de su unidad y el espacio que le queda.

2. **Escoja Herramientas desde el menú.**

3. **Presione el botón de Desfragmentar Ahora.**

   Windows le hecha una hojeada a su unidad y le indica si está desfragmentada. Siga las indicaciones del programa en la pantalla; si no utiliza la computadora constantemente, probablemente no tenga que desfragmentar su disco muy seguido.

   Algunas personas desfragmentan sus unidades durante la noche o la hora de almuerzo, cuando no las utilizan. Windows tiene problemas desfragmentando una unidad mientras esté trabajando y frecuentemente desacelera las cosas.

   Si su disco duro continúa corriendo lento después de desfragmentarlo la unidad podría estar muy llena. Mejor considere comprar un disco duro más grande o correr el programa de Limpieza de Disco de Windows 98.

   Los Discos Compactos no tienen problema de desfragmentación, ya que las computadoras solo leen la información en ellos. Ya que no se borran y no se agrega información en ellos constantemente, la información del disco nunca es fragmentada en partes.

   Desfragmentar una unidad toma varios minutos, especialmente si no lo ha hecho por algún tiempo. De hecho, en algunas unidades lentas, el proceso puede tomar hasta una hora. Entre más seguido desfragmente su unidad, tomará menos tiempo.

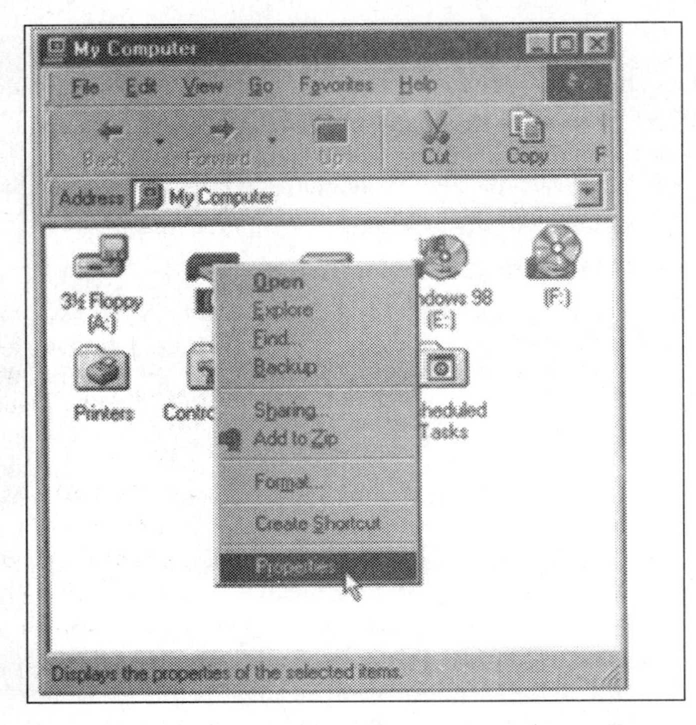

Figura 13-1: Oprima el botón derecho sobre la unidad y escoja Propiedades para iniciar su desfragmentación

Limpiar la casa con Windows 98

Windows 98 viene con un equivalente computarizado de Drano para discos duros conectables. Cuando su disco duro se esté llenando mucho, puede escojer los archivos por borrar. O puede correr el programa Limpieza de Disco, un pequeño programa escondido en el área de Herramientas del Sistema (oculto en el área de Accesorios,que está en el área de Programas, la cual puede encontrar presionando el botón de Inicio).

La limpieza del disco le permite borrar rápidamente los archivos temporales inútiles, de los programas de Internet o programas congelados. Además, el programa automáticamente despeja su papelera de Reciclaje.

También, la limpieza de disco le permite reducir el tamaño de Windows, retirando componentes que no necesita, como por ejemplo los temas de escritorio, para salvar 32MB. Su protector de pantalla y tapiz no se verán tan bien, pero Windows correrá mejor. ¿No utiliza Internet? Una purga en esa área salva 13MB de espacio. Mientras se encuentre allí, puede además borrar programas que no utilice más.

"¿Cómo Puedo Revisar Errores de Disco ?"

¿Ha perdido el hilo de sus pensamientos cuando alguien lo interrumpe palmeando su hombro? Pues lo mismo puede pasarle a la computadora.

Si la energía falla o un programa se congela mientras su computadora está en funcionamiento, ella pierde el hilo de sus pensamientos. Su computadora olvida anotar dónde colocó las cosas en el disco duro (Por eso es que siempre debería cerrar los programas antes de apagar la computadora).

Las pérdidas del hilo de pensamiento resultan en errores de disco y Windows los corrige fácilmente cuando usted sigue estas instrucciones. De hecho, Windows 98 frecuentemente puede detectar cuando se ha congelado y puede corregir automáticamente cualquier error que se genere. Si su computadora está corriendo extrañamente, revisar si hay errores de disco es, generalmente, el primer paso hacia una reparación rápida.

1. **Presione el botón derecho en el incono de su unidad y escoja Propiedades (Figura 13-1).**

   Abra Mi Cumputadora o Windows Explorer y presione el botón derecho en el icono de su unidad.

2. **Escoja la lengüeta de Herramientas en la página de Propiedades.**

3. **Presione el botón de Revisar Ahora.**

   Aparecerá una ventana llena de opciones.

4. **Escoja Completo en la casilla de Tipo de prueba y presione la casilla de Corregir Errores Automáticamente, para marcar la opción.**

5. **Presione el botón de Inicio.**

   Windows examina su disco duro, buscando áreas sospechosas corrigiendo las que pueda. Un disco duro grande puede tomar mucho tiempo; las unidades de disco flexible no.

   Cuando Windows termina el proceso, el pequeño y orgulloso programa deja una ventana en la pantalla resumiendo el número de erores que ha encontrado y corregido.

Dependiendo de la forma en que esté configurado el programa de corrección de errores de su unidad, su computadora podría tomar cualquier archivo no utilizable y almacenarlo en archivos como FILE000.CHK, FILE001.CHK, FILE002.CHK. Siéntase en libertad de borrar estos archivos. No contienen nada valioso, como descubrirá en el momento que intente abrirlos con su procesador de palabras.

"¿Tiene Mi Computadora Una Tarjeta Controladora?"

Utilizada por computadoras viejas, una tarjeta controladora se conecta a una de las ranuras dentro de su computadora. Unos cables planos largos corren desde la tarjeta controladora hasta sus unidades de disco, como se ilustra en la Figura 13-2 (Los conectores de las unidades más nuevas utilizan pequeños pines y enchufes, como se muestra más adelante en este capítulo, en la Figura 13-3).

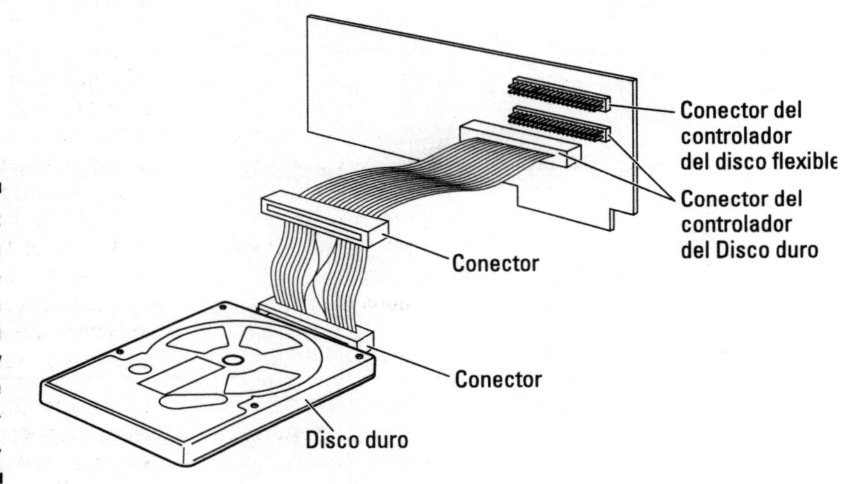

Figura 13-2: Una tarjeta controladora envía cables a su disco duro y unidad de disco flexible.

Cuando su computadora desea alguna información, se lo indica a la tarjeta controladora. Esta toma la información correcta de la unidad a través del cable y la envía a la computadora.

- Las computadoras más nuevas no utilizan tarjetas controladoras. En cambio, los cables de la unidad se enchufan directamente en conexiones en la tarjeta madre. Esto libera más ranuras para otros dispositivos importantes, como sintonizadores de televisión.
- Si su disco duro actual se conecta directamente a su tarjeta madre, sus unidades de disco flexible probablemente también lo hagan. Usualmente se conectan cerca de la fuente de poder — en la esquina derecha trasera de su computadora (En el mismo lugar donde se sientan los músicos de Tuba en el área de una orquesta).

- Si su tarjeta madre vieja no tiene estos enchufes especiales, compre una tarjeta controladora EIDE. Son cosas pequeñas y baratas que se conectan a una ranura y proveen un espacio para conectar los cables de la unidad.

"¿Debería Comprar una Unidad IDE, EIDE, UDMA o SCSI?"

Con tantas palabras brincando por ahí estos días, es difícil evitar una tabla. Así que revise la Tabla 13-1 para el ámbito.

Tabla 13-1 Tiempos difíciles con tantos tipos de Discos Duros

Esta Unidad	*También conocida como*	*Es mejor para esto*	*Término Tecnosabio*
IDE	Electrónica Integrada a la Unidad.	Un avance clave en tecnología de discos estándar rápida y barata que sacó de escena a los tipos viejos de controladores. La mayoría de la computadoras de hoy utilizan alguna forma de tecnología IDE en sus unidades.	Los discos duros viejos utilizaban la información del controlador almacenada en tarjetas caras. Las unidades IDE desechan las tarjetas e incorporan su "cerebro" directamente en el disco duro, canando hacia una nueva era en desempeño y precio.
EIDE	UIDE, AT-2,Fast ATA, Ultra ATA	La maravilla del pasado, estas unidades IDE mejoradas han sido afiladas para su velocidad.	Las unidades EIDE utilizan la misma tecnología que una unidad IDE, pero permite el acceso más rápido y mayor espacio para almacenamiento.
UDMA	Acceso Ultra Directo de Memoria.	El amor actual, esta es la variedad más rápida y grande de unidades de disco duro IDE.	UDMA viene en dos variedades: UDMA/33 y la UDMA/66. La tarjeta madre de la computadora debe soportar UDMA; por suerte, la mayoría de las tarjetas madre de las Pentium soportan UDMA/33 y un número creciente soportan las UDMA/66.

(continúa)

Tabla 13-1 *(continuación)*

Esta Unidad	*También conocida como*	*Es mejor para esto*	*Término "Tecnosabio"*
SCSI ("scuzzy")	Interfaz pequeña para sistemas de, computación. Fast Wide SCSI, Ultra SCSI, SCSI1 SCSI-2, SCSI-3.	El segundo disco más popular,según usuarios y adminis- dores de red. Sin embargo,son caras, lo que limita. su uso a casas u oficinas caseras.	Después de ser instalada, la unidad SCUSI puede "encadenar" hasta 7 dispositivos por canal.

Algunas personas adineradas prefieren unidades SCSI por su velocidad, almacenan mucha información y pueden ser comprimidas para permitir enormes espacios de archivo. Sin embargo, si está instalando una nueva unidad hoy, la elección es obvia: elija una unidad UDMA.

Estas unidades UDMA son la última generación de una larga cadena de unidades utilizando tecnología IDE. No necesitan tarjetas controladoras sofisticadas, como mencioné en la sección anterior. Son el tipo de unidad más rápida. Además de ser más fáciles de instalar, ya que muchas de ellas vienen con su propio software de instalación. ¡Buena noticia!

Si está remplazando un disco duro de tecnología vieja por cualquier tipo de unidad EIDE nueva, necesita cambiar la tarjeta controladora vieja. Por suerte, una tarjeta controladora para una unidad EIDE es relativamente barata, especialmente si la comparamos con una unidad SCUSI.

Las unidades de tecnología IDE desprecian a las unidades de tecnología vieja. Si quiere agregar una unidad del tipo IDE como un segundo disco duro, su primer disco duro debe ser del mismo tipo. Si está utilizando una unidad ST506 tiene que eliminarla.

- Si está utilizando unidades viejas, no se sienta mal por remplazarlas por unidades de tipo IDE. La tecnología IDE es más rápida y confiable que sus antecesoras. Además, la mayoría de las computadoras nuevas vienen con enchufes especiales, diseñados específicamente para los cables de unidades IDE.
- Si está agregando una segunda unidad IDE en una computadora nueva, probablemente no tenga que comprar una tarjeta controladora.
- A algunas personas les apasionan los discos duros SCSI. Teóricamente, puede conectar una tarjeta SCSI y enlazar otros siete juguetitos más, incluyendo discos duros, unidades de CD-ROM, escáneres y unidades de respaldo en cinta. Desafortunadamente, las unidades SCSI son más difíciles de configurar, más caras y propensas a estándares conflictivos. Además, el número de dispositivos enlazables depende de la capacidad de la tarjeta SCSI.

- ¿Quiere saber lo que significan estos términos para discos duros viejos? Revise la Tabla 13-2.

Tabla13-2 ¿Qué significan estas palabras para Discos Duros?

Esta palabra	*Significa:*	*Busque esto:*
Capacidad	La cantidad de datos que puede almacenar el disco duro.	Entre más gigabytes (GB) mejor. Si está comprando una unidad nueva, busque algo con 15 giga bytes o más. De hecho, compre la unidad más grande que pueda. Recuerde, cuando la unidad sea formateada, pierde como el 5% de su capacidad.
Acceso o tiempo de búsqueda.	Tiempo que demora su unidad para localizar archivos almacenados, medido en milisegundos (ms).	Entre más pequeño sea el número mejor. usted quiere velocidad y 9 ms es considerado veloz (Las unidades de CD-ROM son considerablemente lentas).
Velocidad de transferencia de datos	Qué tan rápido toma información de los archivos su computadora, después de encontrarlos.	Entre más alto el número, mejor No almacena mucho, se ha convertido en insigificantes estadísticas.
Caché.	La habilidad de recordar La información accesada frecuentemente.	Entre más grande, mejor. Ya que en los chips de memoria son más rápidos que los discos duros, estos chips recuerdan piezas de información frecuentemente solicitadas. Si la computadora necesita la información de nuevo, puede tomarla de la caché, ahorrando mucho tiempo.

"¡Mi Unidad de CD-ROM No Trabaja Cuando Salgo de Windows 98!"

Aunque usted no lo crea, Windows continúa perteneciendo a la era evolutiva, en la cual el viejo mundo de DOS es transformado en el nuevo mundo de Windows. Lo que significa que algunas áreas permanecen en transición.

Verá, Windows puede reconocer una unidad de CD-ROM automáticamente. DOS, por el contrario, necesita una pieza especial de software llamada controlador, el cual le indica al DOS que la unidad está ahí y traduce toda la conversación de una a otra.

Para evitar utilizar memoria preciosa, Windows no se molesta en cargar ese controlador DOS para la unidad CD-ROM. Después de todo, no la necesita. Pero esto signifia que cuando usted va al DOS — ya sea reiniciando la computadora en el comando de modo MS-DOS o corriendo el programa DOS — el controlador probablemente no esté ahí para informar a la computadora sobre la unidad CD-ROM.

¿La solución? Bueno, es un poco técnica, así que no se moleste en leerla, a menos que sea su último recurso.

En Windows 98, usualmente puede abrir el archivo CONFIG.SYS y remover la palabra `REM` de la línea `DEVICE=CDROM.SYS /D:OEMCD001` o algo así; la suya podría diferir. Entonces, cuando reinicia su computadora el controlador DOS para su unidad CD-ROM será cargado. Asegúrese de poner esa palabra `REM` de nuevo cuando haya terminado con el CD-ROM en modo DOS de Windows recupere su memoria (El Capítulo18 explica los archivos CONFIG.SYS).

¿La solución? Necesita ubicar el controlador de CD-ROM y ponerlo en los archivos AUTOEXEC.BAT y CONFIG.SYS de su computadora. Por lo general, un programa de instalación de unidades de CD-ROM puede hacer esto automáticamente. Pero si le está dando problemas, lea el Capítulo 16.

"¿Cómo Puedo Encender y Apagar las Luces de la Unidad?"

Si la luz de su disco duro se enciende pero nunca se apaga, revise la sección de instalación "¿Cómo instalo o remplazo un disco duro de tipo IDE?" que vienen más adelante. Alguien pudo haber ajustado el cable plano de cinta al revés al conectarlo a la unidad de disco.

Además, algunas unidades de disco se montan en su computadora donde nunca pueden ser vistas. Esto significa que usted no puede ver la luz, sin importar que esté apagada o prendida.

Si la luz del disco duro que está al frente de su computadora nunca se enciende, necesita mover los cables de las luces en un puente en su disco duro o tarjeta controladora (Esto se discute en el Capítulo 18).

Algunos discos duros hasta tienen pequeños puentes que le permiten escoger una de dos opciones: Puede dejar encendida la luz todo el tiempo o puede hacer que se encienda solo cuando el disco duro está en busca de información (Los tradicionalistas se apegan a la opción de búsqueda de información).

"¿Cómo Hago un Respaldo de Mi Disco Duro?"

Nada dura por siempre, ni siquiera ese viejo y confiable disco duro. Por eso es importante hacer una copia — una versión de respaldo — de su disco duro. La Tabla 13-3 muestra algunos de los métodos de respaldo más populares, sus pro y sus contras.

Tabla 13-3 Formas de Respaldar un Disco Duro

Método	*Pros*	*Contras*
Programa de respaldo y discos.	Barato, viene con Windows 98.	Este método trabajó bien 10 años atrás, cuando se usaban 20 discos flexibles para respaldar un disco duro de 20MB. Ahora con discos duros de 20GB requeriría unos 200 discos flexibles.
Programa de respaldo en unidad de cinta.	Relativamente, barato; lento.	Aunque es fácil de instalar y tiene gran capacidad, es lento. Puede respaldar su disco duro automáticamente, mientras duerme, lo que significa que lo podrá hacer más seguido. Compre la cinta más cara para sistemas de calidad superior. Son más confiables.
Unidad de disco de cartucho removible Iomega Zips o Syquest SparQ.	Relativamente barato,rápido y portátil.	Desafortunadamente, no son prácticos para las unidades de hoy en día, ya que necesita muchos de ellos. Además, debe sentarse frente a su computadora remplazando constantemente el disquete, hasta que el respaldo sea completado.
Unidad de CD-ROM de lectura/ escritura.	Relativamente, barata, el precio baja cada día.	Estas unidades de CD-ROM le permiten escribir información en discos en blanco. Los discos cuestan solo US$1 y almacenan 600MB. Pero, son lentos y requieren de su constante atención

(continúa)

Tabla 13-3 *(continuación)*

Método	*Pros*	*Contras*
Unidad Óptica.	Para negocios.	Estas unidades escriben información en discos especiales, como la unidad de CD-ROM de lectura/escritura. Pero son demasiado caros y generalmente utilizados en configuraciones de negocios.

- Aunque el mejor método de respaldo cambia con el tiempo, de acuerdo con capacidad, costo y el tamaño del disco duro, las unidades de respaldo en cinta parecen estar regresando.
- No escatime en su sistema de respaldo. Si no es preciso, es una pérdida de tiempo; si no es conveniente, nunca lo utilizará.

"¿Cómo Instalo o Remplazo un Disco Duro tipo IDE?"

Nivel de IQ 100.

Herramientas: Una mano, destornillador y un disco de sistema.

Costo: Entre $100 y $300.

Poner atención a: Si está cambiando su disco duro actual, asegúrese de tener un disco de sistema a mano. Si no lo tiene, vaya al Capítulo 2 para instrucciones. Podría necesitar alguno de los programas de ese disco.

Las unidades de tecnología DE (IDE, EIDE y UDMA) no funcionan con las unidades viejas ST506 (MFM o RLL). Si tiene una de estas, sáquela y trate de venderla. De todas maneras esa unidad va a expirar muy pronto.

Si está agregando una segunda unidad IDE o EIDE para acompañar a la primera, debe indicar a su computadora cuál unidad quiere usted que sea la unidad C (La unidad C es la primera que busca la computadora y es desde donde se reinicia). Esa unidad es el maestro y la segunda unidad es la esclava. Necesita mover un pequeño puente en la segunda unidad para hacerla trabajar como esclava (Figura 13-3).

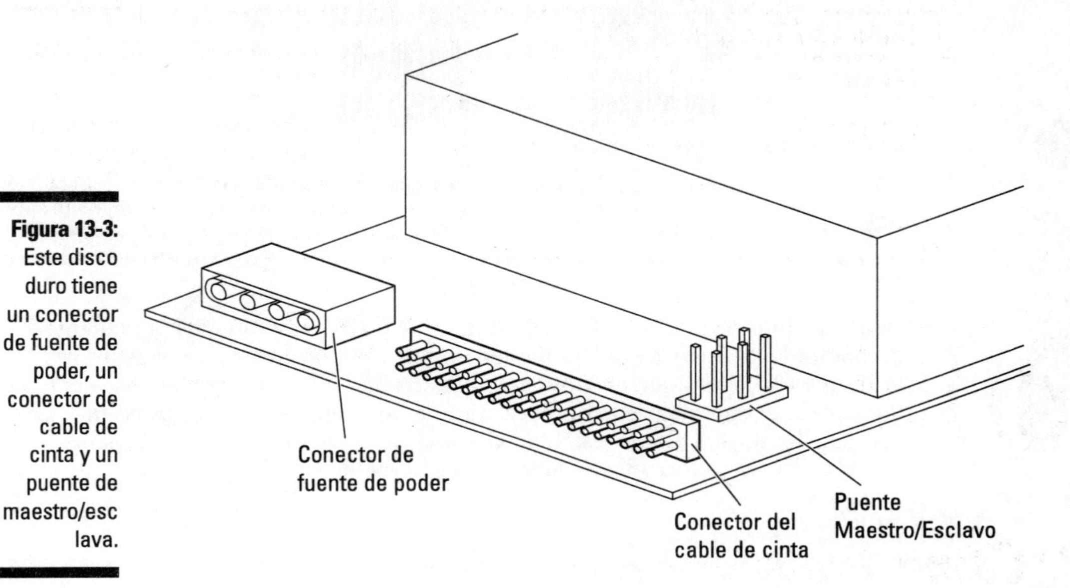

Figura 13-3: Este disco duro tiene un conector de fuente de poder, un conector de cable de cinta y un puente de maestro/esclava.

Algunos discos duros requieren que mueva un puente, dependiendo si utiliza uno o dos discos duros. Otros se ajustan automáticamente, si están configurados como el maestro. Tendrá que revisar el manual de la unidad.

Podría necesitar barras para el montaje del disco duro dentro de su computadora. Algunas unidades vienen con barras de montaje, pero otras no. Si está cambiando una unidad vieja puede utilizar las mimas barras. De lo contrario me temo que tendrá que ir a la tienda por unas (Usualmente son muy baratas).

La capacidad del disco duro deja atrás rápidamente la computadora. El BIOS de computadoras anteriores a 1994, no pudo manejar discos duros mayores a 504MB. La siguiente generación de chips BIOS pudo arreglárselas con discos duros de hasta 8.4GB, pero Windows 95 se atascaba en unidades mayores a 2MB. Las versiones posteriores de Windows 95 corrigieron el problema, con una nueva actualización de BIOS. Puede que aun necesite actualizar su BIOS antes de instalar una unidad mayor a 8.4GB. De hecho, algunos chips BIOS no manejan unidades mayores a 32MB. ¿La solución? Pregunte al fabricante de su computadora o visite el sitio Web para ver las limitaciones de tamaño actuales de esta.

Los siguiente pasos muestran como instalar un disco duro de tecnología IDE:

1. **Haga un respaldo de su disco duro, apague la computadora, desconéctela y remueva la cubierta.**

   Asegúrese de respaldar su disco duro antes de jugar con él. No querrá perder información. Encontrará instrucciones para remover la cubierta de la computadora en la hoja de Referencia Rápida, al inicio de este libro.

Si vive en un área propensa a electricidad estática, compre una banda de tierra que se coloca en su cintura y se adhiere a la computadora. Si no tiene electricidad estática en su área, recuerde tocar la cubierta de la computadora antes de tocar sus partes internas.

2. **Remueva los cables de la unidad vieja.**

   Los discos duros tienen uno o dos cables conectados a ellos.

   Cable de cinta: El cable de cinta va del disco duro hasta su controlador en la tarjeta madre o una tarjeta. Los cables de cinta se desconectan de la unidad muy fácilmente. Deje el otro extremo conectado.

   Cable de poder: El otro cable está hecho de 4 alambres que van a la fuente de poder. Los cables de poder vienen en dos tamaños, como se muestra en la Figura 13-4. Igual que el cable de cinta, los cables de poder se desconectan fácilmente al enchufe de la unidad; aunque podrían requerir un poco más de fuerza. No hale los alambres; hale el conector plástico del cable. Algunas veces un movimiento suave hacia atrás y adelante puede aflojarlo.

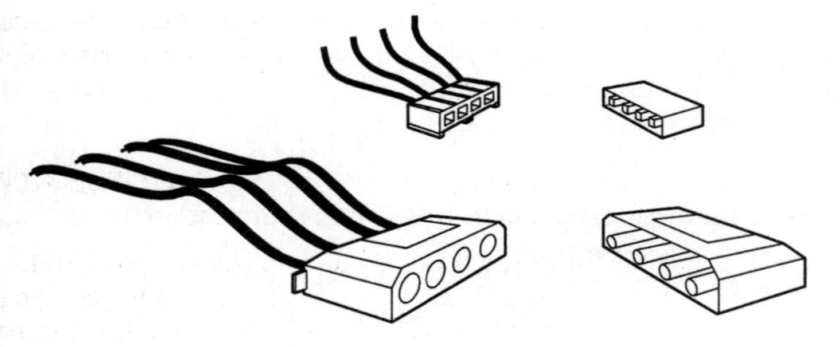

Figura 13-4: Su disco duro usa uno de estos dos tamaños de cable de poder.

   Agregar una segunda unidad IDE: Si está agregando una segunda unidad IDE, revise el cable de plano de cinta conectado a su primera unidad. ¿Puede ver un enchufe vacante, como en la Figura 13-2? Si no, vaya a la tienda por un cable de cinta nuevo que tenga dos conectores de unidad (Por suerte, muchos lo tienen). Ustedes, instaladores de una segunda unidad, vayan al paso 5.

3. **Remueva los tornillos que sostienen a la unidad.**

   Algunas unidades son sostenidas en su lugar por dos tornillos en el frente. Otras son sostenidas por tornillos a los lados. Los tonillos de los lados pueden estar ocultos por una tarjeta larga o hasta por otra unidad montada al lado. ¡Eso significa que tendrá que sacar la tarjeta o remover la unidad para llegar a los tornillos!

4. **Deslice la unidad vieja fuera de la computadora.**

   Después de remover los cables y tornillos de la unidad vieja, puede deslizarla fuera de la computadora por la parte de enfrente.

Las unidades montadas a un lado, se deslizan hacia el centro de la computadora; cuidado con sacar la tarjeta madre mientas hala la unidad.

Remplazar una tarjeta controladora: ¿Está cambiando la unidad vieja por una de tecnología IDE? Entonces cambie también la tarjeta controladora. Puede ver una en la Figura 13-2. Busque la tarjeta en donde terminan todos los cables de cinta. ¿La encontró? Sáquelos todos, incluyendo los que van a la unidad de disco flexible. ¿Puede ver unos diminutos tornillos que sostienen la tarjeta controladora? Remuévalos y saque la tarjeta de su ranura (Para más detalles de tarjetas refiérase al Capítulo 15).

5. **Deslice la tarjeta nueva en el lugar donde estaba la vieja**

   Su nueva uniad de tecnología IDE debe ir donde estaba la otra. ¿No cabe? Si la nueva unidad es más pequeña que la anterior, compre unas barras o soportes para montaje.

   Cuando manipule unidades, tenga cuidado de no dañar los circuitos expuestos, golpeándolos con otras partes de la computadora. Además, asegúrese de tocar la cubierta metálica de la computadora para deshacerse de la estática antes de tomar su unidad.

   ¿Agregando una segunda unidad IDE? Deslícela en la bahía vacante que usualmente está junto a la primera unidad. Revise el manual de su computadora: tal vez pueda colocar la unidad a un lado en un lugar especial dentro de ella.

6. **Si es necesario, agregue una tarjeta controladora.**

   ¿Está remplazando una unidad vieja por una de tecnología EIDE o IDE? Entonces también necesita una nueva tarjeta controladora.

   Tome la tarjeta por los bordes, presiónela en la ranura donde estaba la otra. Luego asegúrela con el tornillo (Puede encontrar más instrucciones para la instalación de tarjetas en el Capítulo 15). Revise el manual del controlador; necesita conectar cables de cinta en los conectores del controlador para sus discos flexibles y disco duro.

7. **Pegue los dos cables al disco duro.**

   Trate sacando un poco la unidad para conectar los dos cables más fácilmente.

   Cable de cinta: El conector de cable de cinta debe presionarse contra pequeños pines al extremo de la unidad. El otro extremo del cable va a la tarjeta controladora o a un enchufe en la tarjeta madre.

   Si está instalando un segundo disco duro, el cable de cinta debe tener un conector de repuesto (Si no, diríjase a la tienda). No importa cual conector vaya a la unidad; la computadora ve los puentes maestro/esclavo de la unidad, descritos es los siguientes párrafos, para averiguar cuál es la unidad C.

   Fuente de poder: el cable de la fuente de poder calza en el enchufe de la unidad de una sola forma. Aun así, revise los extremos para asegurarse de que no los está frozando de forma incorrecta. Vea la Figura 13-4 para corroborar que ha encontrado el enchufe correcto del cable de poder.

Los cables de la fuente de poder vienen con conectores largos y pequeños. Los conectores deben calzar de una sola forma, pero los pequeños frecuentemente calzan de cualquier forma. ¿El truco? Busque el número 1 en alguna parte cerca del enchufe de la unidad. El alambre rojo del conector de la fuente de poder se ajusta al enchufe número 1.

Agregar una segunda unidad IDE: Si esta es su segunda unidad, busque el puente maestro/esclavo. Haga a esta segunda unidad la unidad esclava. Podrá ver el puente en la Figura 13-3. El manual de la unidad le indica dónde poner el puente (El Capítulo 18 le indica la forma de mover los puentes).

Note que algunos discos duros también le piden mover un puente, dependiendo de si está utilizando uno o dos discos duros. Otros se ajustan automáticamente para un disco duro si están configurados como el maestro. Tendrá que revisar el manual de la unidad.

Las unidades de tecnología IDE usualmente vienen configuradas como unidades maestras. Si está instalando solo una unidad IDE o EIDE en su computadora, no necesitará mover puentes.

8. **Coloque los tornillos.**

   ¿Pegó los cables? ¿Ajustó el puente maestro/escavo? Entonces asegure la unidad en su lugar con los tornillos. Asegúrese de que sean tornillos pequeños para evitar dañar el disco duro.

9. **Coloque la cubierta, conecte la computadora y enciéndala.**

¿Qué es una unidad CD-ROM de lectura y escritura?

Las unidades de CD-ROM viejas solo leen información de un disco compacto, lo que las hace geniales para almacenar grandes cantidades de información, así como para permitir al usuario escuchar a Santana en la oficina.

Sin embargo, las unidades CD-ROM nuevas pueden leer y escribir información en los CDs. También permiten escuchar música. Cuando pone un CD en blanco (que cuesta menos de $2), en la unidad puede escribir información en él para uso posterior.

Aun mejor, cuando pone un CD más caro (como de $20), en la unidad, no solo puede escribir sino también borrar y escribir más información. Los CDs son reusables, por lo que son geniales para hacer respaldo de su disco duro.

A los músicos les gusta la tecnología — llamada *CD-R/W* o *CD grabable* — ya que pueden grabar sus propios discos de música. A otros les gusta almacenar enormes presentaciones de multimedia en CD. El precio de estas unidades ha bajado a menos de $200 y cada vez son más y más rápidas.

No pierda de vista estos aparatos, son lo suficientemente geniales como para ser estándarizados en muchas de las PC nuevas.

El BIOS de su computadora reconocerá la unidad de inmediato.

10. **Corra el software de instalación de la unidad.**

    Busque un disquete en la caja del disco duro. Inserte el disquete y corra el software de instalación de la unidad. Este formatea la unidad y la prepara para aceptar información, luego le permite separar la unidad en particiones, asignando diferentes letras de unidad a diferentes áreas de esta.

    Si no funciona revise de nuevo todos los cables. ¿Están todos bien firmes? ¿Al derecho? ¿En el lugar correcto? ¿Está la unidad correctamente dividida? ¿Correctamente formateada? Si instaló un segundo disco duro, cualquiera de estas cosas pudo salir mal.

Si sus dos unidades IDE no funcionan bien, trate cambiando la relación maestro/esclavo. Algunas veces a las unidades IDE de diferentes fabricantes no les gusta trabajar juntas, sin importar quién esté a cargo. Podría tener que cambiar una unidad IDE por la misma marca de la otra unidad.

Si tiene que encender varias veces su computadora para que el disco duro arranque, podría necesitar una fuente de poder nueva. Esta podría no estar proveyendo suficiente energía para acelerar la unidad lo suficientemente rápido. Puede encontar información de fuentes de poder en el Capítulo 14 (O si su unidad es vieja, tal vez simplemente se haya agotado).

"¿Cómo Instalo un CD-ROM?"

Nivel de IQ: 90.

Herramientas: Una mano y un destornillador.

Costo: Entre $50 y $200.

Poner atención a: Las unidades de Disco Compacto (CD-ROM) vienen en dos tipos: interna y externa. Las externas son cajas pequeñas que quitan espacio en su escritorio. Las internas se deslizan al frente de su computadora como una unidad de disco flexible. También pueden ser IDE o SCSI.

Las variedades viejas se conectan a una tarjeta dentro de su computadora. Las nuevas se conectan directamente a la tarjeta madre.

Una nueva generación de unidades CD-ROM, llamadas *CD lectura/ escritura (CD-RW)* o *CD-grabable,* le permiten escribir información en un disco, así como leer información de su unidad. La unidad actualmente cuesta casi el doble de las unidades CD-ROM regulares, pero el precio baja constantemente. Se instala de la misma manera que una unidad de CD-ROM normal.

Instalar una unidad CD-ROM externa

Siga estos pasos para instalar una unidad de CD-ROM externa:

1. **Apague la computadora, desconéctela y retire la cubierta.**

   Encontrará información detallada en la Referencia Rápida, al inicio de este libro.

2. **Conecte la tarjeta de la unidad CD-ROM en una ranura disponible y atorníllela.**

   El Capítulo 15 describe las tarjetas y como instalarlas.

3. **Coloque la cubierta de la computadora y conéctela.**

4. **Conecte el cable de la unidad CD-ROM en la tarjeta.**

   Encontrará un cable grueso en la caja de la unidad CD-ROM. Un extremo del cable se enchufa al conector que ahora se asoma en la parte de atrás de su computadora, el otro extremo va en la parte de atrás de la unidad CD-ROM.

5. **Conecte la unidad CD-ROM y enciéndala.**

   Las unidades CD-ROM externas tienen un cable de poder que necesita ser conectado a la pared. Un segundo cable usualmente se conecta a su puerto paralelo.

   ¿No tiene suficientes encufes en la pared? Compre una regleta. Estas le permiten conectar seis o más accesorios en un solo enchufe.

6. **Encienda su computadora.**

   Cuando Windows inicie, podría reconocer una nueva unidad de CD-ROM de inmediato y automáticamente instalarla por usted. Si no — o si no utiliza Windows — vaya al Paso 7.

7. **Instalar el software de la unidad CD-ROM.**

   Si no utiliza Windows 98, coloque el disquete de instalación del CD-ROM en la unidad A y digite **INSTALL** o **SETUP**, dependiendo de lo que diga el manual.

   Si quiere trucos extra, visite la sección “Instalar una unidad CD-ROM interna”.

Instalar una unidad CD-ROM interna

Siga estos pasos para instalar una unidad CD-ROM interna:

1. **Apague la computadora, desconéctela y retire la cubierta.**

   Encontrará información detallada en la Referencia Rápida, al inicio de este libro.

2. **Si es necesario, conecte la tarjeta de la unidad CD-ROM en una de las ranuras disponibles y atorníllela.**

   ¿No hay tarjeta? No se preocupe. Las unidades CD-ROM más recientes se conectan directamente a la tarjeta madre, igual que un disco duro.

3. **Deslice la unidad CD-ROM al frente de su computadora.**

   Necesita una bahía de unidad vacante, la cual se encuentra donde normalmente están las unidades de disco. La unidad debería deslizarse por el frente. Para algunos trucos, revise el Capítulo 12. La unidad de CD-ROM se desliza de la misma forma que una unidad de disco flexible.

4. **Conecte los cables.**

   Estamos hablando de tres juegos de cables.

   Primero, conecte el cable de cinta entre la unidad de CD-ROM y la tarjeta madre o la tarjeta que instaló en el Paso 2. Debería calzar de una sola forma.

   Segundo, indague por los tentáculos de alambres hasta encontrar un conector de poder extra. Eso se conecta a la unidad de CD-ROM. Estas unidades usualmente utilizan conectores de tamaño pequeño, como se muestra en la Figura 13-4.

   Finalmente, conecte los cables delgados de audio entre la unidad CD-ROM y los pequeños puentes de la tarjeta de sonido.

5. **Atornille la unidad en su lugar.**

   Aunque algunas unidades se atornillan de los lados, la mayoría se asegura con dos tornillos al frente.

6. **Coloque la cubierta de la computadora, conéctela y enciéndala.**

   Cuando Windows inicie, podría reconocer una nueva unidad de CD-ROM de inmediato y automáticamente instalarla por usted. Si no — o si no utiliza Windows 98 — vaya al Paso 7.

7. **Corra el software de la unidad CD-ROM.**

   El software debería encargarse del resto de la faena de instalación. Pero si aparace información extraña, como *interrupts* o *drivers,* diríjase a los Capítulos 16 y 18.

La mayoría de las unidades CD-ROM de hoy se conectan directamente a la tarjeta madre. Otras utilizan puertos y tarjetas SCSI. Si usted ya tiene una tarjeta SCSI en su computadora, las cosas podrán mejoraro empeorar. He aquí el porqué:

Las Buenas Noticias: Los puertos SCSI pueden encadenar un manojo de otros dispositivos SCSI. Esto significa que puede enganchar su unidad CD-ROM en esta cadena. Por ejemplo, si su tarjeta de sonido viene con un puerto SCSI, no necesita una tarjeta de unidad CD-ROM. Solo conecte el cable de esta en el puerto SCSI de la tarjeta de sonido, esto ahorra tiempo y lo que es más importante, una ranura de expansión.

Las Malas Noticias: Las diferentes marcas de puertos SCSI no son siempre compatibles entre sí. Algunas veces funcionan, otras no. Antes de invertir en dispositivos SCSI, llame al fabricante para asegurarse de que todos se lleven bien entre ellos.

"¿Cómo Instalo una Unidad DVD?"

Nivel IQ: 90.

Herramientas: Un disquete de sistema, una bahía de unidad disponible, un conector de poder extra en su fuente de poder, un controlador IDE, un cable plano de cinta y una tarjeta decodificadora.

Costo: Entre $150 y $300.

Poner atención a: La unidades DVD, descritas en el Capítulo 3, le permiten ver películas en su computadora. La mayoría de ellas también leen CDs. Sin embargo, requieren un decodificador para traducir las películas y una tarjeta de sonido para reproducir el sonido.

1. **Apague la computadora, desconéctela y retire la cubierta.**

   Encontrará información detallada en la Referencia Rápida, al inicio de este libro.

2. **Conecte la tarjeta decodificadora de la unidad DVD en una de las ranuras disponibles y atorníllela.**

   Algunas de las tarjetas de vídeo más sofisticadas vienen con un decodificador para DVD, pero no cuente con ello a menos que esté totalmente seguro.

3. **Deslice la unidad DVD al frente de su computadora.**

   Necesita una bahía de unidad vacante, la cual se encuentra donde normalmente están las unidades de disco. La unidad debería deslizarse por el frente. Para algunos trucos, revise el Capítulo 12. La unidad DVD se desliza de la misma forma que una unidad de disco flexible.

4. **Conecte los cables.**

   Podría necesitar conectar cuatro cables.

   Primero, conecte el cable plano de cinta entre la unidad DVD y su tarjeta decodificadora. Debería calzar de una sola manera. Si usted ya tienen una unidad CD-ROM, utilice uno de los conectores vacíos del cable. ¿No hay ninguno? Necesita un cable de cinta que soporte dos aparatos. Vaya a la tienda por uno.

   Segundo, conecte el alambre delgado entre su tarjeta de sonido y la tarjeta decodificadora de su DVD. Este paso podría no ser necesario, dependiendo de su modelo en particular.

   Tercero, revise para ver si necesita conectar su monitor. Esto significa desconectar el monitor de la tarjeta de vídeo y conectar un pequeño cable entre el puerto de vídeo de la tarjeta del DVD y el puerto de vídeo de la tarjeta de vídeo. Luego conecte el cable del monitor en el puerto VGA de la tarjeta del DVD. Esto es más fácil de lo que suena.

   Finalmente, conecte uno de los dos cables de la fuente de poder a la unidad DVD.

5. **Atornille la unidad en su lugar y ajuste sus puentes.**

   Aunque algunas unidades se atornillan a los lados, la mayoría se aseguran con dos tornillos al frente.

   ¿Usa más de una unidad en el cable? Ajuste los puentes para Maestro o Esclavo, de manera que la computadora sepa cuál unidad recibe cada letra (Revise la sección anterior sobre instalar discos duros).

6. **Coloque la cubierta de su PC, conéctela y enciéndala.**

   Cuando Windows inicie podría reconocer la unidad DVD de inmediato e instalarla por usted.

7. **Corra el software de instalación de la unidad DVD.**

   El software debería encargarse del resto de la faena de instalación. Pero si aparace información extraña, como *interrupts* o *drivers,* diríjase a los Capítulos 16 y 18.

"¿Cómo Instalo una Unidad de Respaldo en Cinta? (Tape Backup)"

Nivel IQ: 90.

Herramientas: Una mano y un destornillador.

Costo: De $200 a $1,000 o más.

Poner atención a: Las unidades de respaldo en cinta más fáciles, vienen en una caja pequeña. Solo se conecta un cable entre la caja y su versátil puerto paralelo. ¡Eso es todo! Solo saque el disquete de instalación, corra el programa y habrá terminado.

Una unidad de respaldo en cinta interna es un poco más complicada de instalar, pero no demasiado. Solo siga estos pasos:

1. **Apague la computadora, desconéctela y retire la cubierta.**

   Encontrará información detallada en la Referencia Rápida, al inicio de este libro.

2. **Coloque la unidad en la bahía de unidad.**

   Necesita una bahía de unidad vacante – uno de esos espacios en los cuales se puede deslizar una unidad de disco flexible. Si no tiene una, puede remover la unidad B para hacer espacio. Asegúrese de indicar al CMOS de la computadora que ya no tienen una unidad B. Aunque Windows 98 usualmente puede detectar este cambio automáticamente. En el Capítulo 18 se explica como informar al CMOS cautelosamente.

3. **Asegure la unidad.**

   Si la unidad tiene barras a los lados, asegúrela en su lugar con dos tornillos al frente. Si no tiene barras, ponga dos tornillos a cada lado.

4. **Pegue los cables.**

   Cable de poder: Encuentre el cable de poder extra colgando de su fuente de poder. ¿No tiene uno? Compre un adaptador **Y**.

   Cable de cinta: La unidad viene con su propio cable de cinta. Desconecte el cable de cinta viejo de la unidad de disco flexible de la tarjeta controladora y conecte el de la unidad de respaldo en cinta. ¿Puede ver un conector extra en el cable de cinta de la unidad de resplado en cinta, a una pulgada de distancia de donde se conecta a la tarjeta? Conecte al cable de la unidad de disco flexible a ese conector. Luego conecte el extremo del cable de cinta nuevo de la unidad de respaldo en cinta a la unidad misma.

   Los cables se conectan de una sola forma, pero busque el borde coloreado de la cinta: Ese es el lado que se conecta al Pin 1.

5. **Coloque la cubierta de la computadora, conéctela y enciéndala.**

   Eso será todo. Ahora debe correr el software de instalación de la unidad de respaldo en cinta.

¡Bravo! Ya no habrá que grabar 40 disquetes de respaldo cada semana. ¿No desearía haberla comprado hace un año, cuando compró su computadora?

Si alguno de estos pasos no quedaron claros, visite el Capítulo.12. Las unidades de respaldo en cinta se instalan casí igual que las unidades de disco flexible.

"Entonces, ¿Qué es una Unidad de Almacenamiento Externo?"

Los disquetes no son lo sificientemente grandes hoy en día, por lo que varios fabricantes decidieron crear uno mejor. Por supuesto, ninguno de ellos se lleva bien con el otro, pero cada uno tiene sus pros y sus contras.

Algunas van dentro de una bahía de unidad de disco —el lugar donde residen las unidades de disco flexible y la unidad CD-ROM interna. Otras se conectan a través de un cable pegado a su puerto paralelo. Aunque otras requieren tarjetas SCSI.

La unidad Iomega ZipPlus almacena hasta 100MB de información. No es ni la más rápida ni la más barata y no almacena tanta información como sus competidores. Pero ya que simplemente la conecta al puerto paralelo de cualquier PC, es muy portátil — lo que la hace genial para transportar información de un lado hacia otro. Se dará cuenta de que mucha gente las utiliza, se han vendido más de 10 millones de unidades.

Muchas otras unidades de almacenamiento externo llenan los estantes, pero para uso de principiantes, la Iomega ZipPlus es buena opción. Muchas de la unidades de almacenamiento externo se instalan en la misma forma que una ZipPlus, así que dejémosla de ejemplo.

El ZipPlus remplaza a la unidad Zip, pero puede seguir leyendo y escribiendo información almacenada en las unidades más viejas.

"¿Cómo Instalo una Unidad ZipPlus?"

Nivel IQ: 90.

Herramientas Una mano y un destornillador.

Costo: Entre $150 y $200.

Poner atención a: Aunque Windows requirió de algún tiempo para acostumbrarse a estos cartuchos, Iomega ZipPlus y Windows parecen haber arreglado sus diferencias.

Las unidades ZipPlus vienen en dos tipos: Las que simplemente se conectan a puerto paralelo y las que requieren una unidad SCSI. El modelo del puerto paralelo es más lenta y puede ser más barata, el modelo de unidad SCSI es más cara y trabaja más rápido.

Para instalar una unidad ZipPlus, siga estos pasos:

1. **Apague su PC, desconécte el cable de su impresora e identifique los conectores en la parte de atrás de la unidad ZipPlus. Los usuarios de modelos SCSI vayan al Paso 3.**

   Las unidades ZipPlus vienen con dos conectores. Las unidades paralelas tienen un conector macho de 25 pines para el cable que se conecta a su PC y un conector hembra de 25 pines para conectar el cable de su impresora.

   Las unidades SCSI tienen dos conectores hembra de 25 pines idénticos.

2. **Conecte el cable de la unidad ZipPlus entre el puerto de impresora de su computadora y el conector de la unidad paralela. Paso 5.**

3. **Conecte la tarjeta SCSI del ZipPlus en una ranura vacía, como se describe en el Capítulo 15, y conecte la unidad a la tarjeta.**

4. **Conecte el cable de la unidad ZipPlus al conector SCSI externo de su PC. Podría necesitar fijar el número de identificación de su unidad SCSI rotando su interrumptor (usualmente con un desatornillador pequeño).**

   Este paso le pide a su adaptador SCSI que reconozca el nuevo dispositivo.

5. **Conecte el conector de poder AC de la unidad Zip en el enchufe de la pared y conecte el cable de poder en la unidad Zip.**

6. **Revise todas sus conexiones y encienda su computadora.**

   Algunas unidades Zip tienen un interruptor de encendido. Otras permanecen encendidas todo el tiempo.

7. **Corra el software de instalación de la unidad Zip.**

   Corra el software de configuración de la unidad desde Windows o DOS y coloque el disquete de Herramientas en la unidad para completar el proceso.

Capítulo 14

Fuentes de Poder

En este capítulo

- Escuchar los sonidos de su computadora
- Diagnosticar su fuente de poder
- Entender una fuente de poder ininterrumpida
- Comprar una fuerte de poder nueva
- Remplazar su fuente de poder

No puede verla, pero puede escucharla. La fuente de poder de su computadora descansa en una esquina de ella y gira rápidamente.

Este capítulo cubre a esa pequeña e incansable bestia que succiona electricidad todo el día. Cuando la fuente de poder deja de tomar electricidad, este capítulo le indica como remplazarla por una nueva.

"Mi Computadora hace un Ruido Quejumbroso"

Algunas fuentes de poder suenan como un Volkswagen de los 60. Otras ronrronean suavemente como un BMW.

El ruido viene de ese abanico dentro de su fuente de poder que sopla aire a sus partes internas. El abanico también enfría la parte interna del resto de la computadora al mismo tiempo.

¿Y ese alboroto? Bueno, algunas fuentes de poder son pequeñas y ruidosas bestias. Así que no nos metamos en ese alboroto.

- Si su fuente de poder es absolutamente muy ruidosa, considere cambiarla. Las fuentes de poder de hoy son usualmente mucho más silenciosas que los modelos de hace 5 años o más.
- Si su fuente de poder no hace ningún ruido, usted tienen un problema aun peor. Sostenga su mano cerca de la salida de aire, en la parte de atrás de su computadora. Si no siente aire saliendo, el abanico expiró y su computadora se recalienta cada segundo. Compre una nueva fuente de pode, ya que su computadora se puede sobrecalentar como un carro en el desierto ymorir repentinamente sin aviso.

No trate de retirar su fuente de poder para silenciar el abanico o hacer reparaciones. Las fuentes de poder succionan electricidad y puede causarle un choque eléctrico, aun estando desconectada. Nunca se involucre con la fuente de poder.

"No Pasa Nada Cuando Enciendo Mi PC"

¿Nada? ¿Ni lucecitas al frente? ¿Ni ronrroneo del abanico? Si está seguro de que su computadora no está desconectada, entonces su fuente de poder murió durante la noche. Es tiempo de remplazarla (Y es un proceso relativamente fácil).

"¡Mi Computadora Olvida la Fecha aun Después de Cambiar las Baterías!"

Los bebederos de agua nunca funcionan de la misma manera. Algunos lo hacen inclinarse demasiado y presionar su barbilla contra el metal para alcanzar la manija. Otros lanzan un chorro de agua que golpea su frente.

Sin embargo, las fuentes de poder están diseñadas para proveer un flujo de electricidad continuo y del voltaje correcto. Si los niveles de poder se salen de lo normal, aunque sean unos pocos voltios, puede interferir con el funcionamiento de su computadora.

¿Es el disco duro o la fuente de poder?

Algunas veces es difícil diferenciar entre un abanico de la fuente de poder ruidoso y un disco duro ruidoso. Ambos tienen motores en constante funcionamiento, así que ambos son susceptibles al síndrome de desgaste.

Para saber si el ruido viene de su fuente de poder o del disco duro, apague su computadora, desconéctela y abra la cubierta. Luego hale el cable de la fuente de poder de la parte de atrás del disco duro. Conecte de nuevo su computadora y enciéndala. Ya que el disco duro no está recibiendo energía, no se enciende. Si aun percibe el ruido, entonces se trata de su fuente de poder.

Si no escucha el ruido, entonces es el disco duro. Desafortunadamente, los discos duros son más caros, como se detalla en el Capítulo 13.

- Conecte una lámpara en el enchufe de la pared para asegurarse de que este funcione. Podría ser un fusible quemado. Eso es más barato.
- Un rayo que haya caído en las líneas eléctricas puede dañar su fuente de poder. Esta ha sido diseñada para sacrificarse por el bien del resto de la computadora. Tal vez pueda cambiar la fuente de poder y que todo vuelva a la normalidad. Aunque es difícil poder confiar en los rayos.
- Las fuentes de poder son fáciles de cambiar. Solo tome un destornillador y diríjase a la sección "¿Cómo Instalo una Fuente de Poder?"

Si su fuente de poder no es confiable, cámbiela. ¿Cómo se sabe si una fuente de poder es confiable o no? La siguiente lista le ayudará:

- Si su computadora olvida constantemente la fecha y el tipo de disco duro, aun después de cambiar la batería, la fuente de poder es la sospechosa. Algunas veces esta no entrega suficiente energía para mantener las configuraciones de su computadora. Sin embargo, trate cambiando de nuevo la batería — es más barato.

- Después de cambiar la fuente de poder (o la batería), vaya al Capítulo 18 para restaurar las configuraciones de la computadora. Por suerte, las computadoras XT no tienen problemas con las configuraciones. Pero tienen suficientes problemas de otro tipo como para mantener ocupados a sus dueños.

- La fuente de poder y la batería son cosas diferentes. La fuente de poder provee energía a la computadora cuando ha sido encendida, de manera que pueda hacer las tareas propias de una computadora. La batería provee electricidad cuando su computadora está apagada, de manera que pueda recordar las cosas que han sido instaladas en ella.

- ¿Ha tenido que cambiar las unidades de disco de su computadora recientemente? La fuente de poder podría estar fallando, produciendo demasiada electricidad. Aunque sea por unos pocos voltios de más, puede quemar las unidades de disco o hacerlas trabajar incorrectamente.
- Si instaló recientemente un segundo disco duro o tarjetas extra con una fuente de poder vieja, considere actualizarla, ya que podría no generar los vatios suficientes para soportar todos los aparatos extra. Vea la sección "¿Cuál fuente de poder debo comprar?", más adelante en este capítulo.

"¿Qué es una UPS o una Fuente de Poder de Respaldo?

Cuando la computadora pierde su poder, usted pierde su trabajo. Todo lo que no ha salvado en un disco se pierde.

Si la electricidad falla de repente y se va la luz, su computadora se apaga. Para protegerse de esta posibilidad, algunas personas utilizan un *sistema de alimentación ininterrumpida,* conocida como UPS.

La *UPS* es una caja grande que conecta su computadora con su enchufe de poder. La caja grande succiona energía constantemente y la almacena, como una batería de carro gigante. Luego, si se va la luz, la caja grande se enciende de inmediato y provee poder ininterrumpido a su computadora.

Esta caja le dará la gran satisfacción de haberla comprado e instalado antes de que falle la electricidad.

- Entre más dinero invierta en una UPS, más tiempo podrá trabajar en la oscuridad. Los rangos de tiempo comunes van de 10 minutos a media hora.
- La UPS no fue diseñada para mantener su computadora encendida todo el día. La UPS solo mantiene la computadora encendida cuando se va la luz, lo que le da unos minutos extra para salvar su trabajo, apagar la computadora y tomar jugo de zanahoria mientras regresa la electricidad.
- Algunas UPS también trabajan como línea acondicionada, la cual filtra los picos de voltaje o sobrevoltaje indeseables que pueden venir por el tendido eléctrico. Una línea acondicionada puede extender la vida útil de su computadora.
- Una UPS no es barata; cuesta entre $100 y $500, dependiendo de su poder. Aun así. la UPS puede ser una inversión importante si usted vive en un área propensa a los problemas de fluído eléctrico.

"¿Qué Fuente de Poder Debo Comprar?"

ISi ha botado una pared de su casa para agrandar la sala, necesitará más de un solo bombillo de 100 vatios para alumbrar todo. Las computadoras funcionan de la misma forma.

Igual que un bombillo, la fuente de poder de la computadora se mide en vatios. Entre más aparatos conecte a su computadora, más vatios necesitará para alimentarlos.

Si está utilizando una 386, 486 o Pentium más vieja, asegúrese de que su fuente de poder sea de por lo menos 200 vatios. Las computadoras más nuevas y rápidas necesitan una fuente de poder de 250 vatios. Una etiqueta en la fuente de poder indica sus vatios.

Si ha actualizado muchas de las partes de su computadora recientemente — una tarjeta madre nueva, un segundo disco duro, tarjetas extra o una unidad de respaldo en cinta — su próxima compra debe ser una fuente de poder más potente.

"¿Cómo Instalo una Fuente de Poder?"

Nivel IQ: 90.

Herramientas: Una mano y un destornillador.

Costo: Aproximadamente $50.

Poner atención a: Las fuentes de poder no se pueden reparar, simplemente se cambian. Bote la fuente de poder vieja.

No abra la fuente de poder ni trate de repararla. Ella almacena voltios poderosos de electricidad, aun cuando la computadora está apagada y desconectada. Las fuentes de poder son seguras, pero cuando no se abren.

Además, los estantes de las tiendas de cómputo están repletos de fuentes de poder de diferentes tipos. Para encontrar el repuesto correcto, lleve la suya y pida otra igual a esa. O pregunte donde compró su computadora. Si está actualizando su fuente de poder por otra más potente, informe al vendedor que necesita una fuente de poder como esa, pero de más vatios de potencia.

Para instalar una fuente de poder nueva, siga estos pasos:

1. **Apague la computadora, desconéctela y retire la cubierta.**

   Si nunca a urgado dentro de su computadora, la Referencia Rápida al inicio de este libro, cubre este paso.

2. **Desconecte los cables de la fuente de poder de la tarjeta madre, las unidades y el interruptor de encendido.**

   Su fuente de poder es esa caja grande y plateada en la esquina de su computadora. Un montón de cables salen de un lado de ella.

   Cada cable tiene uno de varios tipos de enchufes en su extremo. Todos son de diferentes formas para evitar conectarlos equivocadamente. Aun así, ponga un pedazo de cinta en cada extremo y anote su destino. Así se sentirá mejor.

   He aquí una descripción de los conectores, sus formas y sus destinos:

   Tarjeta madre: Las fuentes de poder vienen con uno o dos conectores rectangulares que calzan en un solo enchufe en la tarjeta madre.

   Las fuentes de poder viejas vienen con dos conectores AT. Estos se anidan juntos, en un solo enchufe. Las fuentes de poder más nuevas vienen con un solo conector que se inserta a un solo enchufe.

   En la Figura 14-1 se muestran los conectores y enchufes AT y ATX.

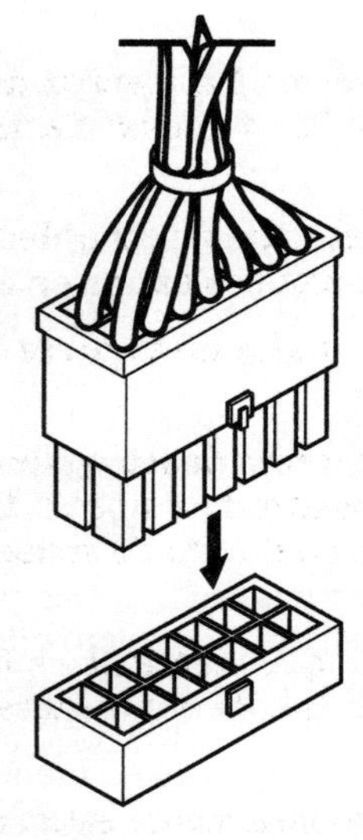

En chufe y conector ATX

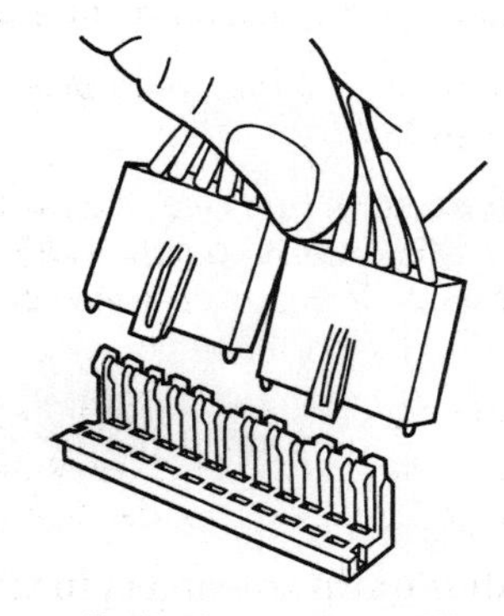

En chufe y conector AT

Figura 14-1: Las fuentes de poder ATX nuevas tienen un solo conector y enchufe. Las fuentes de poder AT viejas tienen dos conectores que van juntos en un solo enchufe.

   Unidades: Las unidades de disco, unidades de respaldo en cinta y otros aparatos internos obtienen su poder de dos tipos diferentes de enchufes, mostrados en la Figura 14-2.

   Interruptor: Algunas fuentes de poder tienen un interruptor de apagado/encendido incorporado justo al extremo de un cable. Otras fuentes de poder tienen un alambre que se conecta a un interruptor de apagado/encendido en la parte delantera o a un lado de la computadora. Estas fuentes de poder tienen pequeños conectores como los mostrados en la Figura 14-3 (Un número creciente de fuentes de poder no se conectan directamente al interruptor de poder de la computadora. Un par de alambres pequeños van de la tarjeta madre al interruptor de poder).

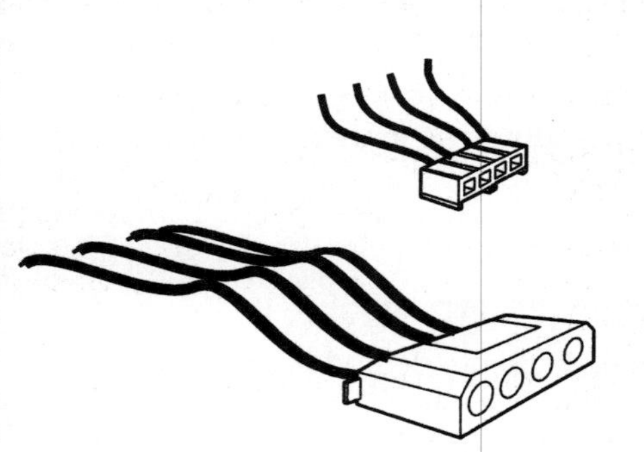

Figura 14-2: Algunas unidades llevan conectores pequeños. Otras llevan conectores más grandes.

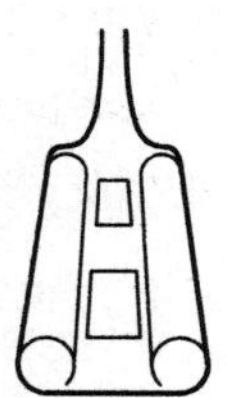

Figura 14-3: Este conector va en el interruptor de poder en algunas computadoras más viejas.

Los conectores van a los enchufes de una sola forma. Las cejillas del interruptor de poder son difíciles, por lo que es mejor anotar cual alambre coloreado se conecta a cada cejilla.

A menos que su computadora venga son muchas extras, probablemente le sobren algunos cables. Estos son para conectar algunas extras en el futuro.

3. **Retire los tornillos que sostienen su fuente de poder en la parte de atrás de su computadora.**

   Busque en la parte de atrás de su computadora, cerca de los agujeros del abanico y verá varios tornillos. Algunos de estos tornillos sujetan la fuente de poder en su lugar, pero otros sujetan el abanico dentro de su fuente de poder.

   Sin la cubierta, se pueden distinguir los tornillos que mantienen a la fuente de poder en su lugar. Trate de aflojarlos lentamente. De esa manera es más fácil saber cual tornillo es de cada cosa.

   Los tornillos que sostienen la fuente de poder generalmente están más cerca del borde exterior en la parte trasera de la computadora. Los que sostienen el abanico, están generalmente más cerca del borde del abanico. Trate de no aflojar los tornillos del abanico.

   Tal vez tenga que remover unas válvulas plásticas extra de la fuente de poder. Estas ayudan a rotar el aire en su PC para mantenerla fría y fresca.

4. **Levante la fuente de poder.**

   ¿Sale fácilmente? Si la fuente de poder está atascada, tendrá que aflojar la unidad de disco flexible y sacarla un poco (Esto se describe en el Capítulo 12, si no está seguro de como está montada la unidad de disco flexible).

Si todavía la fuente de poder no sale, asegúrese de haber retirado todos los tornillos. Algunas tienen tornillos en la base para sujetarlas hacia abajo.

Las fuentes de poder son bestias muy difíciles de domar, así que no tenga miedo de halar con fuerza.

5. **Lleve la fuente de poder vieja a la tienda y compre una nueva.**

   Esta es la mejor forma de asegurarse de que está comprando una del tamaño adecuado. Si está planeando agregar algunos juguetes extra — como unidades de CD o tarjetas de sonido — o llenar sus ranuras con más aparatos, considere comprar una fuente de poder con más vatios de potencia.

   Algunos fabricantes de computadoras de marca harán que les compre la fuente de poder directamente a ellos. Visite el sitio Web del fabricante para ver como describe la fuente de poder y saber si puede comprar algún modelo más genérico.

6. **Asegúrese de que el voltaje sea el correcto.**

   Busque en la parte de atrás de la fuente de poder, cerca del abanico. Por lo general, un interruptor le permite ajustar el poder a 120 o 220 voltios. Si está en los Estados Unidos, asegúrese de ajustar la fuente de poder a 120 voltios. Si en su país utilizan 220 voltios, ajuste el interruptor correspondientemente.

   Si está trabajando con la computadora en un país que no es los Estados Unidos, asegúrese de ajustar el interruptor de voltaje adecuadamente. También asegúrese de tener el cable para 220 – busque la etiqueta del cable.

7. **Coloque la nueva fuente de poder donde estaba la otra.**

   Algunas veces es más fácil reconectar los cables antes de deslizar la fuente de poder en su lugar.

8. **Reconecte todos los cables a la tarjeta madre, las unidades y el interruptor de poder.**

   Tome todas las notas que escribió y busque la cinta que colocó en los extremos de los cables (¿Olvidó hacerlo? Bueno, en realidad no importa cual unidad se conecta a cual cable).

   Los dos alambres negros en los enchufes AT casi siempre se conectan uno frente al otro en los enchufes. Asegúrese de ajustarlos en su sitio. También revise si enganchó el conector de interruptor de poder de acuerdo con sus notas. No hay reglas estrictas por seguir y las diferentes computadoras varía en su construcción.

9. **Coloque los tornillos que sostienen la fuente de poder un su lugar, en la parte trasera de la computadora.**

   ¿Ya conectó los cables? De ser así, atornille la fuente de poder en su lugar. Asegúrese de socar todos los tornillos de la unidad de disco flexible que aflojó antes.

   También, revise que no haya dejado ningún cable suelto mientras se movía dentro de su computadora.

10. **Reconecte el cable de poder.**

    Conecte la computadora de nuevo, su cable de poder debe conectarse en el enchufe cerca del abanico.

11. **Enciénda la computadora y vea como trabaja.**

    ¿Escucha el ronrroneo del abanico? ¿Volvió la vida a su computadora? Entonces todo salió bien. Si el abanico no está girando, algo anda mal con su nueva fuente de poder o su enchufe de poder.

    Trate conectando una lámpara para probar el enchufe. Si este funciona, devuelva la fuente de poder a la tienda, ya que le han vendido una en mal estado.

12. **Apague la computadora y coloque la cubierta.**

    ¿Todo trabaja bien? Si es así, apague la computadora y coloque la cubierta en su lugar y sírvase un vaso de té frío. ¡Felicidades!

Capítulo 15

Cosas en las Tarjetas

En este capítulo

- Hacer que las tarjetas calcen en las ranuras
- Reparar tarjetas que no funcionan
- Entender las variedades de tarjetas
- Instalar tarjetas nuevas

La mayoría de las actualizaciones de computadoras son procesos de ajuste: tratar de forzar una computadora vieja para que haga cosas para las que no fue diseñada.

Sin embargo, agregar tarjetas de expansión, es una historia diferente. Estas, descritas en el Capítilo 3, proveen una forma 100% aprobada para actualizar su sistema. Esto significa que será fácil. Así que relájese. ¡Sonría! Solo está jugando con tarjetas.

"¡Mi Nueva Tarjeta no Calza en la Ranura!"

A diferencia de otras partes, las tarjetas de expansión han permancecido extraordinariamente sencillas con los años. De hecho, la mayoría de las personas se preocupan por una sola cosa: el tamaño de la tarjeta.

Por muchos años, estas venían en dos tamaños — 8-bit y 16-bit. Las tarjetas de 16 bit nuevas (Figura 15-1), remplazaron lentamente a las pequeñas tarjetas de 8 bit.

Si tiene una computadora nueva, podría ser que tenga una combinaciόm de tipos de ranuras de expansión, que incluyen un par de ranuras AT de 16 bit, así como algunas de tipo más reciente. Las ranuras y tarjetas nuevas podrían ser *PCI, AGP, Bus Local VESA* o *EISA*. Si estos términos no son familiares, revise el Capítulo 3, ahí encontrá descripciones y dibujos de la diferencia entre estas tarjetas, las que son mejores y la forma de saber cuál es la tarjeta dentro de su computadora.

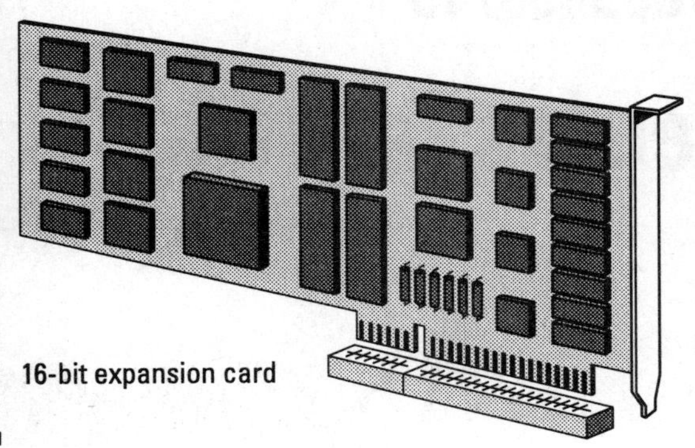

Figura 15-1: Las tarjetas de 16 bit tienen dos cejillas que se conectan a una ranura larga dentro de su computadora.

¿Cómo se manejan las tarjetas que chocan en ranuras adyacentes o que son muy largas? Bueno, podría quebrar la parte que estorba, pero la tarjeta no funcionaría. En lugar de esto, mueva las tarjetas a otras ranuras, tratando diferentes posiciones hasta que calcen. Es como acomodar bolsas del supermercado en la cajuela del carro. Tiene que tratar de acomodarlas en diferentes posiciones antes de poder cerrar la cajuela.

"¡Mi Tarjeta No Funciona!"

No hay muchas cosas que salgan mal cuando se instala una tarjeta. Usualmente solo se salen de la ranura, como un cuchillo de su funda.

Podría ser que su tarjeta si funcione; pero la computadora no sepa como está instalada. Ella yace ahí sin ser notada por su computadora

- Las últimas versiones de Windows vienen con tecnología Plug and Play, la cual reconoce la mayoría de las tarjetas instaladas e inmediatamente las pone a trabajar. Revise el Capítulo 17 para más información acerca de Windows y Plug and Play.
- Muchas tarjetas también vienen con un programa de instalación. El programa indica a la computadora como conversar con ella. Esto usualmente toma dos pasos:
  - El programa de instalación podría poner un controlador en el disco duro de su computadora.
  - El programa podría pedirle que cambie un puente o interruptor DIP en la tarjeta.
- Todo esto se cubre en el Capítulo 18 (Los usuarios de Windows encontrarán información en el Capítulo 17).

Si una de sus tarjetas viejas deja de funcionar, apague su computadora, desconéctela, retire la cubierta y remueva la tarjeta. Luego tome un borrador de lápiz normal y frótelo en los contactos, en la parte de la tarjeta que calza en la ranura. Esto remueve cualquier corrosión o formación de residuos. Además, trate de presionar la tarjera más firmemente dentro de la ranura. Algunas veces, se doblan hacia arriba o hacia afuera con los años.

Una tarjeta vieja deja de funcionar si su controlador es perturbado. Necesita revisar los archivos AUTOEXEC.BAT o CONFIG.SYS, como se describe en el Capítulo 16.

"¿Qué Tipos de Tarjeta Puedo Comprar?"

Cientos de trajetas llenan los estantes de las tiendas. Pero aquí hay unas cuantas más populares. Probablemente tenga unas dos o tres de estas en su computadora.

Tarjetas de Vídeo: Estas proveen un lugar para conectar su monitor. Todas las computadoras tienen una tarjeta de vídeo, excepto las de los principios de los 9, lac cuales venían con el circuito de vídeo incorporado en la tarjeta madre. (De hecho, tendrá que deshabilitar ese circuito de la tarjeta madre si algun día quiere poner una tarjeta de vídeo en una ranura. Mejor revise el manual de la tarjeta madre).

Una tarjeta de vídeo APG acelerada 3-D, despliega imágenes más rápido que sus aburridos antecesores. Estas tarjetas AGP se conectan a un enchufe APG especial que se encuentra en la tarjeta madre de la mayoría de la computadoras nuevas (Las tarjetas de gráficos APG son diferentes a las opciones de mejoramiento de gráficos MMX o 3D-Now, las cuales son funciones del CPU de su computadora. El Capítulo 10 provee más detalles).

Deje de aferrarse a la tarjetas de vídeo y monitores viejos. Windows 98 le permite instalar varios monitores a su computadora. Coloque una tarjeta de vídeo PCI al monitor en su computadora y deje que Windows 98 doble su espacio de escritorio. Agrege una tarjeta sintonizadora de TV y ¡vea televisión en un monitor mientras navega en Internet en el otro! Agregando tarjetas y monitores puede agrandar su escritorio tanto como su precaria pila de monitores.

Tarjetas de Sonido: Necesita una de estas para escuchar algo más que un "beep" de su computadora. Sin una tarjeta de sonido, se perderá de las estaciones de radio en Internet, los efectos de sonido de los juegos y la gama de sonidos de Windows.

No escuchará nada de la tarjeta sin parlantes. Otra alternativa es comprar un cable de teléfono largo y conectarlo desde su tarjeta de sonido hasta la cinta de su equipo de sonido o el enchufe auxiliar.

Módems: Las tarjetas de módem causan dos problemas. Primero, necesita configurarlas para un puerto COM, de manera que su computadora tenga paso electrónico para entrar y salir (Los puertos COM se cubren en el Capítulo 17).

Segundo, las tarjetas de módem vienen con dos enchufes para teléfono. Su línea telefónica se conecta a uno y el teléfono en la otra. Pero esos enchufes rara vez vienen marcados. ¿Cuál va en cuál? Tome el manual o trate de conectarlos de alguna forma, si no funciona trate de la otra forma.

Tarjeta de Interfaz: Agregue una de estas y habrá añadido un nuevo conector en la parte de atrás de su computadora. Ahora podrá conectar una unidad de CD-ROM nueva, sintetizador, escáner, lector de tarjeta PC para la laptop, red y muchas cosas más. Toda tarjeta que permite a su computadora enviar información desde y para algo externo — una imagen de vídeo, música o configuración de red — es una tarjeta de interfaz.

Tarjetas sintonizadoras de televisión: Después de instalar una tarjeta sintonizadora de televisión, se despliegan programas en su monitor — ya sea en toda la pantalla o en el recuadro ajustable. ¡Enganche la antena TV o cable y estará listo para ver *Seinfeld* mientras trabaja!

Tarjetas de captura de vídeo: Enganche su cámara a una tarjeta de captura de vídeo y grabe películas directamente de su PC. ¡Haga tarjetas Navideñas Digitales y envíelas a sus amigos es disquetes!

Tarjetas de E/S: ¿Sabe dónde se conecta su impresora? Probablemente esté conectada a la parte trasera de la tarjeta E/S. Además, podría haber un puerto serial sobre el puerto de impresora (El mouse o módem usualmente se conectan a este puerto). Las tarjetas E/S son generaciones que se desvanecen, ya que muchas de las computadoras incluyen estos puertos directamente en la tarjeta madre.

- Todos los tipos de trajetas se conectan de la misma forma. No hay trucos especiales. Algunas solo se conectan en lugares diferentes de la tarjeta madre.
- No todas las tarjetas empiezan a trabajar de inmediato, Tal vez tenga que mover interruptores o puentes. Eso se cubre en el Capítulo 18.
- Después de comprar la tarjeta correcta, el mayor problema es encontrar lugar para los cables. Muchas computadoras vienen con seis u ocho ranuras. Después de conectar la tarjeta de vídeo, de sonido, módem interno, tarjeta de red, se dará cuenta de lo rápido que se acaban las ranuras.

Cuando asegure un cable a la parte trasera de una tarjera, busque pequeños tornillos o sujetadores en el extremo del mismo. Algunos tienen tornillos grandes diseñados especialmente para gente descuidada. Otros tienen tornillos pequeños que fustran a los miopes. De cualquier manera, asegure bien el cable a la parte trasera de su PC. Eso evita que se caiga cada vez que ajusta la posición de su PC en su escritorio.

"¿Cómo Instalo una Tarjeta Nueva?"

Nivel IQ: 90.

Herramientas: Una mano y un destornillador.

Costo: De $70 a $300 y más.

Poner atención a: Las tarjetas son susceptibles a la estática. Toque la cubierta de la computadora antes de tocar la tarjeta. Si vive en un área seca, propensa a la estática, use guantes de hule — como los que usan los doctores y dentistas.

Cuide de no doblar la tarjeta mientras la instala. Puede dañar los circuitos.

Las tarjetas son muy fáciles de instalar. Son unidades autocontenidas. Por ejemplo, succionan electricidad de la ranura a la que están conectadas. Rara vez necesitan cables de poder.

Las tarjetas son delicadas. Debe manipularlas desde los bordes. La grasa de sus dedos puede dañar los circuitos.

También, esos puntos plateados a un lado de la tarjeta son en realidad puntas metálicas afiladas que pueden producirle rasguños.

Los diferentes tamaños de las tarjetas necesitan diferentes tamaños de ranuras.Tal vez necesite reorganizar algunas de ellas para acomodar los diferentes tamaños y grosores.

Para instalar una tarjeta siga los siguientes pasos:

1. **Apague la computadora, desconéctela y retire la cubierta.**

   ¿No sabe como quitar la cubierta? Vea la Referencia Rápida al el inicio de este libro.

2. **Encuentre la ranura del tamaño adecuado para su tarjeta.**

   ¿Puede ver la fila de ranuras en la pared posterior de su computadora, como se muestra en la Figura 15-2? Su tarjeta nueva se conecta a una de esas ranuras. No confunda las ranuras de expansión — donde se conectan las tarjetas — con las ranuras de memoria, donde se conectan los chips de memoria SIMMs.

   Revise la Figura 15-1 para ver si tiene una tarjeta de 8 bit o de 16 bit. O busque en la parte inferior: Dos cejillas forman una tarjeta de 16 bit; una sola cejilla forma una tarjeta de 8 bit.

   ¿Hay tres cejillas en la tarjeta? Probablemente sea una tarjeta de Bus Local VESA, que necesita una ranura del mismo tipo (Encontrará ilustraciones de estas tarjetas y sus ranuras en el Capítulo 3).

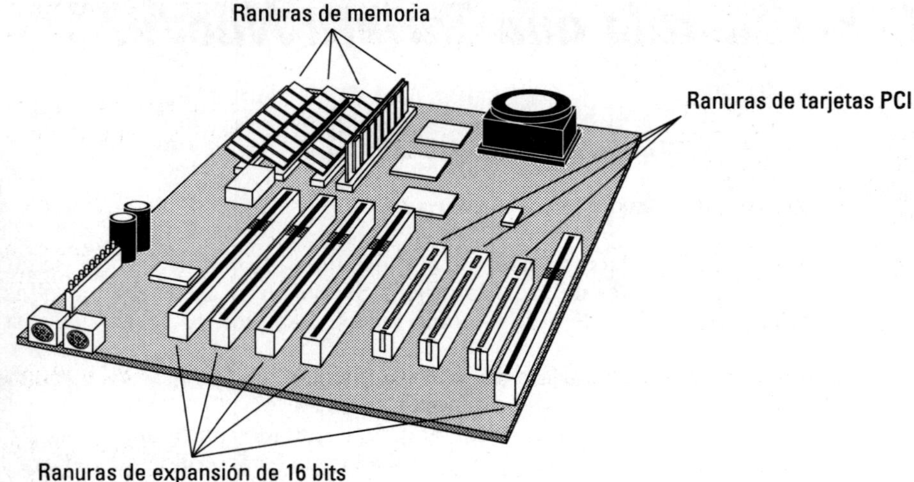

Figura 15-2: Una tarjeta se conecta en la ranura de expansión de la tarjeta madre de su PC.

Puede conectar una tarjeta de 8 bits en las ranuras de 16 bit, pero rara vez al contrario. Tal vez tenga que mover sus tarjetas de un lado a otro, hasta que encuentre espacio para la nueva.

Si tiene mucho espacio, mantenga las tarjetas tan separadas como sea posible. Esto las mantiene frías.

3. **Retire la cubierta de la ranura.**

   Las ranuras sin utilizar tienen una cubierta que las protege del polvo. Con un destornillador pequeño, remueva los tornillos que sostienen la cubierta. ¡No los pierda!, los necesita para atornillar la tarjeta.

   ¿Se le cayó un tornillo "en algún lugar"? En el Capítulo 2 encontrará trucos para recuperarlo (No puede dejarlo ahí o podría producir un corto circuito y dañar la PC).

   ¿Ya lo recuperó? Manténgalo a mano, así como el soporte de la cubierta.

4. **Presione la tarjeta en la ranura.**

   El Capítulo 3 describe cada tipo de tarjeta y contiene una ilustración. Si, existen muchos tipos diferentes de tarjetas. La buena noticia es que no puede conectar una tarjeta en otra ranura que no sea la correcta. Simplemente no calzará. Las cejillas y muescas en la parte inferior de ella se alínean con las muescas de la ranura, así que solo se alínean de esta manera.

   Para ahorrase problemas, primero revise el manual de la tarjeta para ver si tiene que mover interruptores o puentes. Así no tendrá que sacarla si no está funcionando bien.

   Sostenga la tarjeta de los bordes y posiciónela en la ranura. El borde con el soporte metálico debe ir hacia la parte trasera de su PC.

Presione despacio la tarjeta en la ranura. Tal vez necesite moverla hacia atrás y adelante suavemente. Cuando esté conectada, usted podrá sentirlo. ¡No tiene que forzarla!

No permita que ninguna de la tarjetas entre en contacto con las otras. Eso puede causar problemas eléctricos y ni la tarjeta ni la computadora funcionarán.

5. **Asegure la tarjeta en la ranura con el tornillo.**

   Si,todas esas tarjetas tan caras se sostienen en su lugar con un solo tornillo. Sin embargo, asegúrese de utilizar el tornillo, no las deje ahí colgando. Ellas necesitan estar sujetas a la cubierta de la PC. Si la conexión no es segura, no funcionarán.

6. **Conecte la computadora, enciéndala y observe si la opción Plug and Play de Windows reconoce e instala la tarjeta.**

   Windows usualmente reconoce las tarjetas recién instaladas y las configura para que trabajen correctamente. Si algo sale mal, visite el Capítulo 17 por trucos de reparación rápida.

7. **Si funciona, cuidadosamente coloque la cubierta.**

Si la tarjeta no funciona - o no está utilizando Windows - probablemente tenga que correr el software de instalación de la misma. Si todavía no funciona, trate lo siguiente:

- Revise el manual para asegurarse de que los interruptores y puentes estén correctamente ajustados.
- ..robablemente tenga que correr el software de la tarjeta y reiniciar la PC antes de que funcione. Eso es porque la tarjeta colocó un controlador en uno de los archivos especiales de su PC. Su computadora lee el archivo solo cuando es encendida o cuando es reiniciada.
- Asegúrese de que la tarjeta esté bien colocada en su ranura y bien atornillada.
- Asegúrese de que la tarjera se encuentre en la ranura correcta: 16-bit, PCI o AGP. Las computadoras más viejas pueden tener VESA, EISA o cualquier otro tipo de tarjeta de tamaño raro, descrito en el Capítulo 3.
- Puede tomar tiempo y estrategia hacer que una tarjeta funcione. La clave está en no frustrarse.
- □ueve de diez veces, el problema está en el software. Aunque la tarjeta se encuentre bien ubicada en su ranura, el software está en conflicto con otro programa o no se está comunicando con ella.
- Si la tarjeta todavía no funciona, busque el manual. La mayoría de los manuales incluyen una lista de números de soporte técnico, a los que puede llamar para solicitar ayuda. Asegúrese de leer el final del Capítulo 4 antes de llamar; podría ahorrarse mucho tiempo.

Parte IV

Indicar a Su PC lo que Usted ha Hecho

The 5th Wave By Rich Tennant

¡FRANCAMENTE, NO ESTOY SEGURO DE QUE ESTA SEA LA FORMA PARA MEJORAR LOS COLORES DE NUESTROS GRÁFICOS!

En esta parte. . .

Actualizar una computadora es como grabar algo en una videograbadora. La parte fácil es insertar el vídeo. Lo difícil es hacer que la videograbadora automáticamente grabe su programa preferido mientras usted duerme y así poderlo ver al otro día y eliminar todos los comerciales.

Las computadoras presentan una situación similar. La parte fácil de actualizar su computadora es introducir la nueva pieza. La parte difícil es hacer que la computadora reconozca esa parte nueva y la ponga a trabajar.

Ahí es donde entra en juego esta parte del libro. Pues ayuda a eliminar esa sensación de vacío en el estómago - ese sentimiento que se experimenta cuando al terminar de ajustar el último tornillo, la ingrata computadora sigue sin reconocer su trabajo.

Espere, usted casi está allí

Capítulo 16

Los Archivos AUTOEXEC.BAT y CONFIG.SYS

En este capítulo

- Entender su archivo CONFIG.SYS
- Entender su archivo AUTOEXEC.BAT
- Hojear las rutas
- Crear una afirmación de PATH
- Agregar un controlador a un archivo CONFIG.SYS
- Cambiar su archivo AUTOEXEC.BAT
- Entender lo que en realidad sucede cuando enciende su computadora

Grandes noticias: Los usuarios de Windows no necesitan molestarse con este traicionero capítulo, ya que la mayoría de sus versiones no necesitan estos dos archivos discutidos aquí. Seguro, Windows 95 y Windows 98 los leen, pero en realidad no necesitan la información en ellos. Windows simplemente los ha superado.

¿Por qué dedicar un capítulo a estos archivos? Porque son complicados y, tarde o temprano, algunos programas renegados harán referencia a estos. Cuando suceda, será tiempo de regresar aquí. De lo contrario, puede ignorar este capítulo.

Este capítulo es principalmente para personas que utilizan DOS, Windows 3.1 o incluso, una versión más antigua de Windows.

Ahora, aquí esta la historia: Cuando su computadora se despierta en la mañana, busca su taza de café. Sin embargo, la computadora piensa que todo es o un archivo o una pieza de circuitos electrónicos, así que su taza de café consiste en dos archivos pequeños: AUTOEXEC.BAT y CONFIG.SYS.

Probablemente haya visto estos extraños nombres en un directorio del disco duro o en algún manual. Normalmente, no tiene que involucrarse con estos archivos (¡Gracias a Dios!), pero cuando un programa o manual le pide modificar sus archivos AUTOEXEC.BAT o CONFIG.SYS, siga los pasos numerados en este capítulo.

Los usuarios del DOS deberían adquirir el libro DOS Para Dummies, 3° Edición, por Dan Gookin (IDG Books Worldwide, Inc.). Ese libro está dedicado a los problemas que enfrentan los usuarios de DOS .

¿Qué es un archivo CONFIG.SYS?

Un archivo CONFIG.SYS es simplemente un documento lleno de texto. Sin embargo, está diseñado para que sea la computadora la que lo ocupe, no usted. Por eso los contenidos parecen la impresión de letra pequeña en un frasco de vitaminas. Por ejemplo, veamos un archivo CONFIG.SYS más antiguo, en la Figura 16-1.

```
DEVICE=C:\WINDOWS\HIMEM.SYS
DEVICE=C:\WINDOWS\EMM386.EXE NOEMS
DOS=HIGH,UMB

DEVICEHIGH=C:\UTIL\DEV\MDSCD FD.SYS /D:MSCD000 /N:1
DEVICEHIGH=D:\COMM\FAX\SATISFAX.SYS IOADDR=0310
DEVICEHIGH=D:\SOUND\PROAUDIO\MVSOUND.SYS D:3 Q:7

STACKS=9,256
FILES=80
BUFFERS=40
LASTDRIVE=Z
```

Figura 16-1: Un archivo CONFIG.SYS de una computadora vieja; el suyo puede diferir de este.

¿Por qué mostrar un archivo CONFIG.SYS de una computadora vieja? Porque las computadoras más nuevas — y las que corren las versiones más recientes de Windows — usualmente tienen archivos CONFIG.SYS vacíos. Se han vuelto obsoletos.

¿Qué es esa cosa que utilizaban las computadoras viejas? Bueno, un archivo CONFIG.SYS tradicionalmente contenía los nombres de los controladores — piezas de software que ayudan a su computadora a comunicarse con el mouse, tarjetas de sonido, chips extra de memoria y otros aparatos. Los archivos CONFIG.SYS enlistan la ubicación de todos estos controladores en su disco duro, es como un directorio telefónico de partes de computadoras.

Cuando enciende o reinicia su computadora, esta busca su archivo CONFIG.SYS para ver todos los controladores enlistados ahí. Conforme lee el nombre de cada controlador, encuentra el software de este en el disco duro. Luego lo lee para aprender la forma de entablar una conversación con cualquier componente que el controlador represente.

Inmediatamente después de apagada, la computadora olvida todo lo referente al controlador. Pero cuando la vuelve a encender, se dirige directamente al CONFIG.SYS y llama de nuevo a esos controladores. Seguro que es repetitivo, pero las computadoras nunca se aburren.

- Las computadoras más nuevas ya saben donde buscar controladores y otra información que solía aparecer en el archivo CONFIG.SYS , así que solo ven dentro del archivo para cualquier información que describa partes viejas.
- Si su computadora no puede encontrar el controlador de alguna parte, probablemente tampoco pueda encontrar esa pieza. De hecho, ni siquiera sabrá que debe buscarla. Y si por casualidad se tropieza con ella, no sabrá como comunicarse. Por eso es que la gente se ha volcado a Windows 95 y Windows 98, los cuales calman la mayoría de esta turbulencia interna, sin causar preocupaciones a los usuarios.
- Cuando todo funcione bien, su computadora lee el archivo CONFIG.SYS tan rápida y automáticamente que usted no tiene que involucrarse con él — excepto cuando necesita agregar el nombre del controlador de alguna parte vieja.
- Algunas partes de computadoras viejas vienen con programas de instalación que colocan automáticamente los nombres de los controladores en al archivo CONFIG.SYS. Otras partes de computadoras son perezosas y le piden a usted que haga la lista de los controladores.
- Su computadora ve el archivo CONFIG.SYS solo cuando se enciende o se reinicia. Por eso es que muchos programas de instalación necesitan que reinicie su computadora — así es como la obligan a notar sus cambios.
- No todas las partes de las computadoras lo obligan a involucrarse con el archivo CONFIG.SYS o con un controlador. Algunas lo involucran con el archivo AUTOEXEC.BAT (Ese es el archivo que describo luego). Y algunas lo involucran con ambos. Otras no requieren de ninguno de los dos. La computadora maneja todo ella misma. Desafortunadamente, las cajas en las que vienen las partes, rara vez proveen mucha información de lo que se puede esperar.

- Las líneas enlistadas en el archivo CONFIG.SYS no son comandos que puede digitar en el DOS. Su computadora probablemente enviará un mensaje de error si trata de hacer esto. Su computadora entiende esas líneas solo cuando son empacadas en el CONFIG.SYS.
- Su computadora es muy selectiva sobre la ubicación de su CONFIG.SYS. Ella lo busca solo en el directorio raíz — el directorio C:\>. Si usted mueve el archivo a un directorio C:\DOS> o C:\WINDOWS> o cualquier otro directorio con palabras en el nombre, su perezosa computadora no podrá encontrarlo.

- Un directorio es a lo que Windows llama una carpeta. Las sistemas operativos DOS los llama directorios, aunque carpetas es lo mismo: porciones de su disco duro donde se almacenan archivos.

- Cuando presiona el interruptor de encendido, la computadora siempre lee los archivos CONFIG.SYS y AUTOEXEC.BAT — aun si utiliza Windows (Hasta Windows 98 debe saber lo que un programa DOS podría querer ver, en caso de que usted decida correr uno de lo programas en su territorio).

¿Qué es un archivo AUTOEXEC.BAT?

Imagine que es su primer día de trabajo. Usted entra en una oficina nueva y desconocida y no sabe donde empezar. Luego ve una lista de cosas por hacer que su nuevo jefe dejó en su escritorio.

Un archivo AUTOEXEC.BAT es una lista de cosas por hacer para su computadora. Es un archivo de texto lleno de comandos computarizados (Los usuarios del sistema operativo DOS suelen digitarlos manualmente en C:\>). Puede ver un ejemplo de un archivo AUTOEXEC.BAT en la Figura 16-2.

Figura 16-2: Un típico archivo AUTO EXEC.BAT. El suyo probablemente difiere de este.

```
@IF ERRORLEVEL 1 PAUSE
@PATH C:\PROGRA~1\MICROS~5;C:\PROGRA~1\WIN98RK;%PATH%

REM[Header]
@ECHO OFF
```

Cada vez que apague o reinicie la computadora, ella busca un archivo llamado AUTOEXEC.BAT. Si lo encuentra, lee el archivo línea por línea y lleva a cabo todas las instrucciones del mismo. Ella AUTOmáticanemte EXEcuta todos esos comandos cuando la enciende por primera vez.

Un archivo AUTOEXEC.BAT es una forma de hacer que las computadoras ejecuten algunas de las labores iniciales automáticamente, de manera que usted no tenga que dirigirla en cada pequeña cosa.

- Un archivo AUTOEXEC.BAT contiene una lista de comandos para que la computadora los ejecute cada vez que es encendida o reiniciada. De hecho, esas son las únicas veces que la computadora lee el archivo AUTOEXEC.BAT.
- Si el archivo AUTOEXEC.BAT cambia, la computadora no lo notará hasta que sea reiniciada. Por eso es que los programas de instalación para muchas partes nuevas insisten en reiniciar su computadora. Esto obliga a la computadora a notar los cambios hechos por el programa de instalación.

- Igual que el archivo CONFIG.SYS, AUTOEXEC.BAT se ubica en el directorio raíz de su computadora, el que usted ve cuando digita DIR en C:\>. Seguro que puede poner estos dos archivos en cualquier otra parte de su disco duro. Sin embargo, su computadora no los encontrará, a menos que estén en el directorio raíz.
- Algunas partes de computadora agregan líneas en el archivo CONFIG.SYS. Otras prefieren hacerlo en el archivo AUTOEXEC.BAT. Otras las agregan en ambos. Algunas partes son más llevaderas y no utilizan ningún controlador o programa, ahorrándole toda la molestia de este capítulo.
- No hay una manera definitiva de saber cuando una parte de computadora prefiere utilizar el archivo CONFIG.SYS o el archivo AUTOEXEC.BAT. Eso depende del fabricante o de quien inventó la parte. Solo el manual lo sabe.

Mantenga una copia de respaldo de sus archivos AUTOEXEC.BAT y CONFIG.SYS en un disquete. Si algo sale mal, puede copiarlos de nuevo en el directorio de raíz. También guarde a mano una copia impresa. Asegúrese de actualizar estas copias cada vez que los archivos cambien.

¿Qué es una Ruta?

Las computadoras no son terriblemente astutas. Cuando usted copia un archivo o programa en el disco duro de su computadora, esta no siempre pone la debida atención. Luego no puede encontrar el archivo o programa automáticamente.

Es por esto que una ruta es tan útil. Es el mapa del camino de la computadora — le muestra dónde está un archivo o programa en particular.

Por ejemplo, tal vez su archivo COUGH.EXE está en el subdirectorio C:\SYMPTOMS. Después de C:\>, digite COUGH y presione Enter, así:

```
C:\> COUGH
```

Pero su computadora no ejecuta COUGH. Si no que envía lo siguiente: Bad command or file name.

Eso es porque la computadora no pudo encontrar COUGH, ya que lo que hizo fue ver en el directorio en el que estaba en ese momento — el directorio C:\> — y no pudo encontrar COUGH, así que se rindió.

Pero, si agrega la ruta de COUGH, ella sabe dónde buscar el archivo. Para hacer que la computadora corra COUGH, digite el subdirectorio, así como el nombre del archivo:

```
C:\> C:\SYMPTOMS\COUGH
```

RUTA=C:\A QUIÉN \LE IMPORTA>

Esta cosa de las rutas es una molestia. ¿Por qué no puede la computadora buscar en todos lados del disco duro y encontrar los archivos automáticamente? Bueno, porque eso puede tomar mucho tiempo. Si tiene una computadora y un disco duro viejos, puede tomar muchísimo más.

DOS ofrece un compromiso. Le permite poner sus directorios más populares en una lista especial. Cuando usted digita el nombre del programa en C:\>, la computadora busca el archivo en el directorio actual, igual que siempre. Pero si no lo encuentra ahí, lo busca en los directorios de su lista especial.

La lista especial es llamada afirmación RUTA (PATH), y se encuentra en al archivo AUTOEXEC.BAT. Su computadora recorre todos los directorios enlistados en la afirmación RUTA (PATH), cuando busca archivos.

Enlistar un directorio de programa en RUTA (PATH), puede hacer las cosas más fáciles. Puede digitar el nombre del programa desde cualquier lugar de su disco duro y si este directorio está en la ruta, su computadora encuentra y corre el programa.

De hecho, ese es parte del problema. Ya que, es tan fácil encontrar y correr un programa que esté en la RUTA (PATH), casi todos los programas de instalación quieren colocar sus directorios ahí.

DOS declara que una afirmación RUTA (PATH), no puede ser de más de 127 caracteres. ¿La solución? Cuando su RUTA se haga muy larga, abra su archivo AUTOEXEC.BAT y ordénelo. Necesita mantener a Windows y DOS ahí. Pero podría ser capaz de eliminar otros directorios que no usa frecuentemente. Esa RUTA puede contener directorios que usted borró hace años, cuando hizo limpieza de su disco duro.

¿El punto? Si todos los programas y controladores en sus archivos CONFIG.SYS y AUTOEXEC.BAT incluyen rutas, su computadora siempre sabrá donde encontrarlos.

- Si ve las palabras *Bad command or file name* cuando su computadora es reiniciada, es señal de que no pudo encontrar un archivo enlistado en el archivo AUTOEXEC.BAT.
- El problema probablemente ocurrió porque el nombre del archivo o ruta está mal escrito. O puede ser que usted moviera el archivo a otro lugar de su disco duro. Si lo hizo, su computadora no podrá encontrarlo nunca — tiene que actualizar la ruta del archivo en AUTOEXEC.BAT para reflejar su nueva ubicación.
- Cuando su computadora no puede encontrar algo en su archivo CONFIG.SYS, es un poco más específica sobre el problema: Enlista no solo el nombre del controlador que no puede encontrar, sino que también el número de la línea en el archivo CONFIG.SYS que está causando el problema.

¿Como Editar un Archivo CONFIG.SYS o AUTOEXEC.BAT?

De vez en cuando, algunos nuevos programas o aparatos lo tratarán duramente. Sus manuales le pedirán modificar su archivo CONFIG.SYS o editar su archivo AUTOEXEC.BAT.

Algunos programas de instalación hacen todos los cambios automáticamente; pero otros hacen que usted cambie los archivos. Por suerte, Windows de alguna manera hace este proceso más fácil, incluyendo un programa especial, solo para esta tarea.

Cuando se vea forzado a cambiar los archivos CONFIG.SYS o AUTOEXEC.BAT, siga los siguientes pasos cuidadosamente:

1. **Presione Inicio, escoja Correr, digite sysedit en la casilla que aparece y presione OK.**

   Windows viene con un programa secreto llamado Sysedit para manejar archivos AUTOEXEC.BAT y CONFIG.SYS. Es un editor que encuentra y despliega automáticamente estos archivos (junto con otros pocos archivos clave de Windows). Aún mejor, también le permite editar esos archivos, como si vinieran en el programa Windows Notepad.

2. **Cargue el programa Sysedit.**

   Presione Inicio, escoja Correr y digite sysedit en la casilla Abrir. Presione OK para abrir el programa. Sysedit aparece en la parte superior de la pantalla rápidamente, como se muestra en la Figura 16-3.

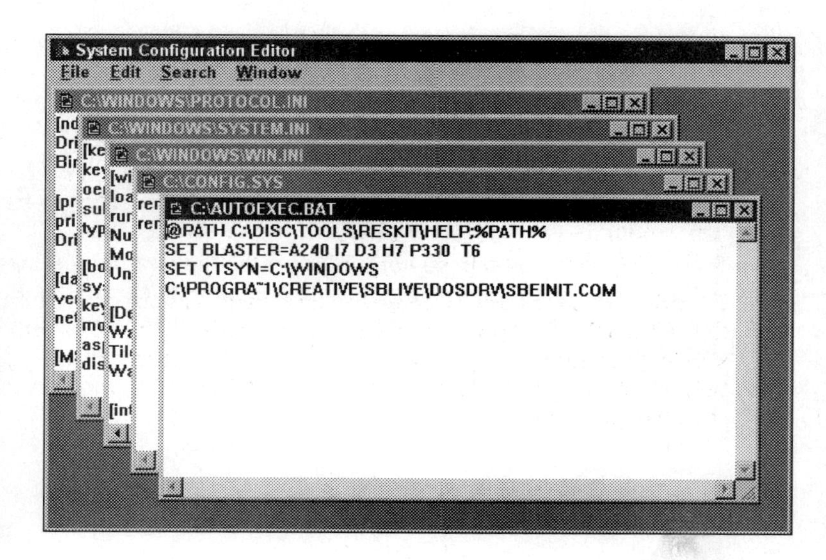

Figura 16-3: El programa Sysedit de Windows le permite editar rápidamente sus archivos AUTOEXEC.BAT y CONFIG.SYS.

Aunque Sysedit trae archivos de configuraciones técnicas de Windows, los archivos CONFIG.SYS y AUTOEXEC.BAT son los primeros en la lista de ventanas de Sysedit.

3. **Presione la ventana que necesita ser cambiada.**

   Presione la ventana del archivo CONFIG.SYS o la de AUTOEXEC.BAT y Sysedit trae esa ventana al frente, lista para ser editada.

4. **Agregue una nueva línea.**

   Si está agregando una nueva línea al archivo CONFIG.SYS o AUTOEXEC.BAT, póngala al final del archivo. A menos que el manual diga lo contrario, ese es el lugar más seguro.

   Asegúrese de incluir la ruta del archivo, de manera que la computadora pueda encontrarlo (Las rutas tienen su propia sección en este capítulo). También revise su tipografía. Si no lo deletrea al 100% correcto, su computadora jamás sabrá de lo que usted está hablando.

   ¿Ya terminó de digitar? Presione Enter.

5. **Salve el archivo.**

   ¿Revisó su trabajo? Entonces es hora de salvar el archivo, escoja Save del menú de archivos.

6. **Abandone el programa.**

   Salga de Sysedit como lo haría en cualquier otro programa Windows: Presione dos veces en la X de la esquina superior derecha.

7. **Salga de Windows y reinicie la computadora.**

   La computadora lee los archivos AUTOEXEC.BAT y CONFIG.SYS solo cuando es reiniciada. Así que presione Inicio, escoja Apagar y luego Reiniciar desde el menú. La pantalla se despeja, su computadora se reinicia y usted está listo para el gran momento: que la computadora lea los archivos AUTOEXEC.BAT y CONFIG.SYS.

   - Después de cambiar estos archivos, observe su computadora detenidamente cuando la reinicia. Si la pantalla dice algo como "Bad or missing file name" o "Error in CONFIG.SYS line 13", algo salió mal. Vaya al Paso 3 y revise si deletreó todo correctamente y si la ruta del programa es correcta.

   - Si usted hizo todo bien, su computadora no lanzará ningún mensaje extraño a la pantalla — ni siquiera un mensaje de agradecimiento. Trate usando la parte o programa nuevo: podría ser que la computadora finalmente los reconozca.

Tonterías del Aburrido Sector de Arranque

¿Qué es lo que busca la computadora en el sector de arranque? Dos archivos con importantes sistemas operativos. Normalmente, los dos archivos son invisibles, así que usted no tiene que preocuparse por ellos, ¡Gracias a Dios!.

Un archivo, llamado IBMBIO.COM o IO.SYS dependiendo de su versión de DOS, ayuda al DOS a comunicarse con el hardware de su computadora. El otro archivo, llamado IBMDOS.COM o MSDOS.SYS, contiene las respuestas en lenguaje de máquina a las preguntas bare-bones DOS: ¿Qué son los archivos? ¿Qué es la memoria? Y otras preguntas respondidas en el libro DOS Para Dummies, 3ra Edición, por Dan Gookin (IDG Books Worldwide, Inc.).

Mientras trabaja en algunos programas, podría ver estos dos archivos en su disco duro. No los borre, o su computadora no será capaz de levantarse de la cama.

Algunas veces necesita cambiar una línea, no agregar una. Para estar seguro, encuentre la línea que necesita cambiar y digite la palabra REM enfrente de esta. Por ejemplo, un programa podría querer que usted cambie la línea de un archivo AUTOEXEC.BAT que se parece a:

```
PROMPT $p$g
```

Para cambiar la línea, digite REM delante de la misma, así como la línea nueva cambiada directamente bajo ella, así:

```
REM PROMPT $p$g
PROMPT $D$_$T$_$P$G
```

REM significa comentario. Ya que los comentarios están diseñados para los humanos, DOS ignora cualquier línea que inicie con REM.

Si algo sale mal con su cambio, borre la línea que está causando el problema y remueva la palabra REM de la línea original — la que funciona. Esto vuelve todo a la normalidad.

"¿Qué Son esos Extraños Sonidos Cuando Enciendo Mi PC?"

Una computadora salta la misma cuerda cada vez que usted la enciende o reinicia. He aquí un informe de sus asociaciones ol':

1. **Presione el interruptor de encendido y la electricidad empieza a fluir.**

   Cuando enciende la computadora, escucha el abanico de la fuente de poder cuando arranca y su disco duro empieza a girar. Todos los circuitos dentro de su PC reciben una descarga eléctrica.

2. **El BIOS arranca.**

   Después de que la CPU de su computadora se despierta, se dirige de inmediato a las instrucciones básicas del BIOS, almacenadas en chips especiales BIOS en la tarjeta madre (Más cosas sobre el BIOS en el Capítulo 10). Leyendo su BIOS, la computadora sabe cómo comunicarse con sus unidades de disco flexible y otras partes básicas.

3. **La computadora se prueba a sí misma (POST).**

   Después de que la computadora aprende como comunicarse con sus partes, empieza a probarlas con el POST o autoprueba de encendido. En el Capítulo 4 se describe el POST más detalladamente. El POST busca la lista del equipo, almacenada en el CMOS de la computadora. Este se cubre en el Capítulo 18 y contiene una lista respaldada por batería de las partes dentro de su computadora. El POST toma la lista y empieza a buscar todo lo que está en ella.

   Conforme el POST avanza en su búsqueda, le deja saber lo que está pasando. Por ejemplo, usted puede ver en la pantalla la cuenta que POST lleva de los chips de memoria. Puede escuchar a las unidades de disco apretar sus dientes cuando el POST les da un buen empujón. Las luces rojas de su disco duro parpadean conforme el POST pasa.

   Si el POST encuentra algo malo, emite una serie de Beeps codificados (que se decodifican en el Capítulo 24), un mensaje de error secreto (Capítulo 23) o ambos. Si todo está bien y en orden (casi siempre), la computadora emite uno o dos beeps afirmativos y continúa al Paso 4.

4. **La computadora busca un sistema operativo.**

   La computadora primero busca un sistema operativo en la unidad A. Eso es porque todo el mundo solía dejar los disquetes de sistema en la unidad A (Todavía no se habían inventado los discos duros). La computadora busca el sector de arranque. Si encuentra un disquete en la unidad A, pero no encuentra un sector de arranque ahí, se detiene, dejando el siguiente mensaje:

   ```
   Non-system disk or disk error
   Replace and strike any key when ready
   ```

   Las probabilidades son que usted accidentalmente dejó un disquete normal en la unidad A. La computadora no pudo encontrar el sector de arranque, así que se rindió. Remueva el disquete, presione la barra espaciadora y la computadora continuará su camino.

No deje disquetes en la unidad A. Muchos de los peores virus se copian a sí mismos en los disquetes. Cuando su computadora arranca por primera vez, está en su estado más vulnerable: el virus entonces la infecta cuando revisa la unidad A, buscando el sector de arranque.

Cuando su computadora no encuentra un disquete en la unidad A, continúa al disco duro, buscando el sector de arranque ahí.

5. **La computadora busca el archivo CONFIG.SYS.**

   Luego, la computadora busca el archivo CONFIG.SYS. Descrito antes en este capítulo, este archivo contiene en su mayoría controladores: bits de software que ayudan a la computadora a tratar con cosas como unidades de CD-ROM, administradores de memoria, mouse, tarjetas de vídeo y otros aparatos conectados a ella.

6. **La computadora corre el programa COMMAND.COM.**

   Podrá notar este archivo en su disco duro o disquete. Contiene las cosas DOS más básicas — reaciones a comandos que digitó en C:\>, por ejemplo.

7. **La computadora corre el archivo AUTOEXEC.BAT.**

   La computadora ya se ha divertido; ahora le da la oportunidad al usuario de hacerlo. Ella lee cada línea del archivo AUTOEXEC.BAT, cubierto antes en este capítulo. La computadora trata a cada línea como si el usuario hubiera digitado el comando en el DOS.

Capítulo 17

Reparar Ventanas Rechinantes

En este capítulo

- Actualizar su computadora para Windows 98
- Informar a Windows 98 y Windows 95 sobre hardware nuevo
- Agregar una impresora nueva
- Cambiar modos de vídeo
- Encontrar controladores nuevos
- Depurar Windows
- Utilizar las herramientas del Sistema de Windows
- Mantener Windows al día
- Optimizar el desempeño de Windows 98

Ahora se ha convertido en un chiste. Una de las grandes características en Windows 95 y Windows 98, Plug and Play (Conecte y Juegue), se supone que reconoce instantáneamente cualquier dispositivo nuevo que usted conecte a su computadora. El asunto es que con Plug and Play, Windows podría configurar partes de computadora de manera que no hubiera lucha con partes instaladas previamente y así el mundo sería un mejor lugar.

Desafortunadamente, Plug and Play (Conecte y Juegue), puede convertirse en Plug and Pray (Conecte y Rece) cuando algo sale mal. Es este caso, probablemente tenga que quitarse el sombrero y presentar la parte nueva personalmente a Windows, de lo contrario, ninguna de las dos congeniarán.

Este capítulo explica la forma de actualizar Windows 98, si es esto lo que usted está considerando . También ayuda a informar a Windows sobre hardware nuevo que ha agregado a su computadora, así como hacer ajustes a las partes ya instaladas.

Finalmente, este capítulo le indica la manera de levantar la capucha y realizar unos cuantos ajustes, de manera que Windows 98 pueda correr a su máxima capacidad.

Actualizar su Computadora para que Corra Windows 98

Igual que el viejo Modelo T de la Ford no puede halar un bote de 46 pies, algunas computadoras no pueden correr Windows 95 o Windows 98. Estos vejestorios sencillamente no tienen suficiente atractivo. Pero ¿cuánto atractivo es suficiente? La Tabla 17-1 de atractivos tiene las respuestas.

Tabla 17-1 Las PCs necesitan esta cantidad de atractivo para correr Windows 98

Requerimientos de la PC Recomendados por Microsoft	*Lo que en realidad necesita su PC para correr Windows o Windows 98*	*¿Por qué?*
24MB de memoria (RAM).	de 2MB a 64MB de memoria o más.	Windows 98 se arrastra con solo 24MB; tampoco puede manejar mucha navegación en Internet, especialmente si usted corre otros programas simultánea mente. Utilizar Outlook, Internet Explorer y Microsoft Word requiere unos128MB. Cuando compre una computadora, agregue tanta memoria como le sea posible. Más memoria significa menos congelamiento.
260MB de espacio en disco duro .	Al menos 1GB.	Esos 260MB pueden almacenar las partes de Windows 98 que requieren mayor espacio en disco, pero casi nada más. Si agrega todas las partes de Windows, requerirá más de 400MB. No olvide agregar archivos y otros programas. Algunos programas Windows necesitan más de 100MB de espacio solo para ellos. No tenga miedo de comprar un disco duro de varios gigabytes. Mi laptop tiene 5 gigabytes, y ya se está llenando.

Requerimientos de la PC Recomendados por Microsoft	*Lo que en realidad necesita su PC para correr Windows o Windows 98*	*¿Por qué?*
Un microprocesador 486DX/66.	Una veloz Pentium II con MMX.	En la tienda, compare Windows 98 corriendo a diferentes velocidades de computadoras. Entre más rápida la computa dora, menos tiempo emplea esperando que Windows 98 haga algo emocionante. Considere seriamente una Pentium II con tecnología MMX (MMX permite correr gráficos más rápido).
Una unidad de disco flexible de 31/2 pulgadas.	Al menos una unidad de disco flexible de alta densidad	Aunque pocos programas vienen en disquetes de alta .. densidad necesita esa unidad para reiniciar Windows desde el disco del sistema cuando suceda algún problema.
Tarjeta VGA en color	Tarjeta SuperVGA acelerada, Bus VL para las 486s, Bus AGP para Pentiums.	Ya que Windows 98 despliega muchas casillas en la pantalla, necesita una tarjeta super VGA acelerada de alta resolu ción.
Módem de 14,400 o superior.	56,000 módem, DSL o cable módem (Ver Capítulo 7).	No necesita un módem, pero sin uno no puede accesar servicios en línea que vienen con Windows 98 y Windows 95, enviar correos electrónicos, navegar por Internet Microsoft Internet Explorer (Y ya es tiempo de que se una a la revolución de la Internet).
Unidad de CD-ROM o DVD-ROM.	Igual.	Si, Windows 98 es demasiado grande para caber en disquetes. Esto puede triplicar el tiempo de instalación. Además, la mayoría de los programas vienen en CDs.

(Continúa)

Tabla 17-1 (Continuación)

Requerimientos de la PC Recomendados por Microsoft	*Lo que en realidad necesita su PC para correr Windows o Windows 98*	*¿Por qué?*
Misceláneos.	Un monitor de 17 pulgadas o más grande.	Entre más grande sea el monitor, más grande será su escritorio: Sus ventanas no se ocultarán demasiado.Desafortunadamente, los monitores más grandes son más caros. Por suerte, Windows 98 le permite agregar varios monitores a su computadora, doblando o triplicando su escritrio.
Misceláneos.	Proveedor de Internet.	Igual que necesita pagar el agua a la compañía que presta estos servicios, necesita pagar al proveedor de Internet para tener acceso a la red.
Misceláneos.	Microsoft Mouse, Microsoft IntelliMouse Son baratos y Compatibles	Creo que nadie puede vivir sin uno de estos. o son conconsiderados equipo estándar por casi todos los usuarios.
Misceláneos.	Tarjeta de sonido y parlantes.	Los fanáticos de los juegos los necesitan para escuchar explosiones, los fanáticos de las enciclopedias los necesitan para escuchar lenguajes extranjeros, los usuarios de Microsoft Word los necesitan para escuchar pronunciaciones de palabras y los usuarios de unidades de CD-ROM los necesitan para escuchar su música favorita.

Informar a Windows 98 sobre Hardware Nuevo

Cuando usted prepara un sándwich para el almuerzo, sabe lo que está comiendo. Después de todo, es usted quien escoge los ingredientes, los organiza, los mastica, los traga y limpia las boronas en las comisuras de su boca.

Pero cuando agrega una parte nueva a su computadora, ella está apagada — Windows 98 está dormido. Cuando enciende la computadora y Windows 98 regresa a la vida, puede que no note la parte nueva.

Pero la buena noticia es que, si usted sencillamente solicita a Windows 98 que busque la parte nueva, probablemente la encuentre. De hecho, Windows 98 no solo ubica la parte nueva, sino que también la conoce e inicia una amistosa relación de trabajo utilizando las configuraciones correctas. ¡¡Ah!! La belleza de la conveniencia moderna del Plug and Play.

He aquí como solicitar a Windows 98 que examine lo que usted agregó y la manera de hacer que ponga esas partes a trabajar. Si usted está familiarizado con Windows 95, tiene suerte — los pasos son prácticamente los mismos:

1. **Presione el botón de Inicio de Windows 98 en la esquina inferior izquierda de la pantalla, escoja Configuraciones del menú que aparece y seleccione Panel de Control.**

   El icono de Agregar Nuevo Hardware del Panel de Control, Figura 17-1, maneja el proceso de presentación de Windows 98 con cualquier parte que usted haya agregado recientemente.

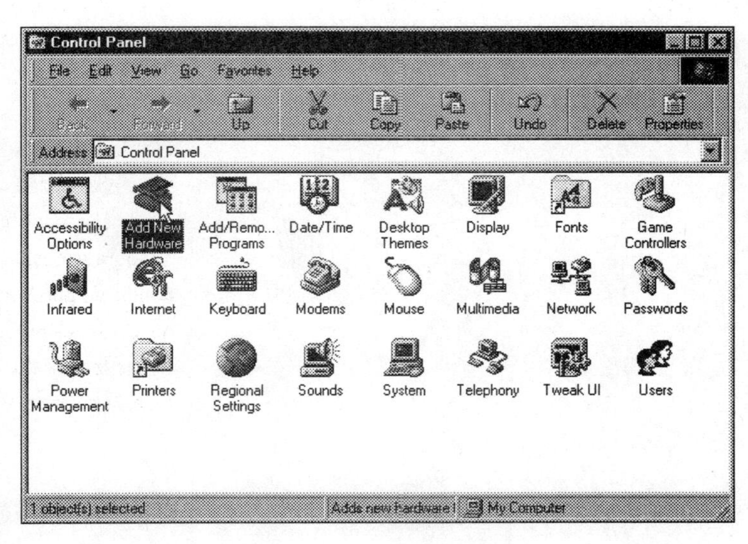

Figura 17-1: El Panel de Control contiene el Programa Agregar Nuevo Hardware, el cual presenta a Windows 98 con las partes nuevas.

2. **Presione dos veces el icono de Agregar Nuevo Hardware del Panel de Control.**

   El Asistente de Windows 98 para Agregar Nuevo Hardware, Figura 17-2, aparece listo para encontrar las partes que usted a colocado dentro de la computadora.

3. **Si ya ha instalado la parte nueva, asegúrese de cerrar todos los programas que estén corriendo y luego presione el botón Continuar del Asistente.**

   Windows lo previene de que la pantalla podría quedar en blanco conforme busca algún aparato nuevo reconocible. No se asuste —esto es normal.

4. **Presione Continuar otra vez.**

   Busque que hacer mientras Windows 98 fisgonea dentro de su PC, buscando algún nuevo dispositivo Plug and Play.

   Si lo encuentra, despliega una lista, como en la Figura 17-3.

5. **De esta lista, presione el nombre de la parte que ha instalado y luego presione el botón Continuar.**

   Luego presione el botón Terminar y siga las instrucciones. ¡Bravo! Usted fue capaz de tomar la ruta rápida. Pero, si Windows no encuentra la parte nueva instalada, prosiga con el Paso 6

6. **Si Windows 98 no encuentra la parte nueva instalada, presione el botón No y luego presione el botón Continuar, el cual despliega una elección.**

   En este momento, usted puede pedir a Windows que busque las partes que no son Plug and Play o puede escoger la parte de una lista.

   Si quiere que Windows haga el trabajo, presione el botón Si. Si no confía en Windows — o su parte nueva viene con un disquete marcado como Controlador — presione No.

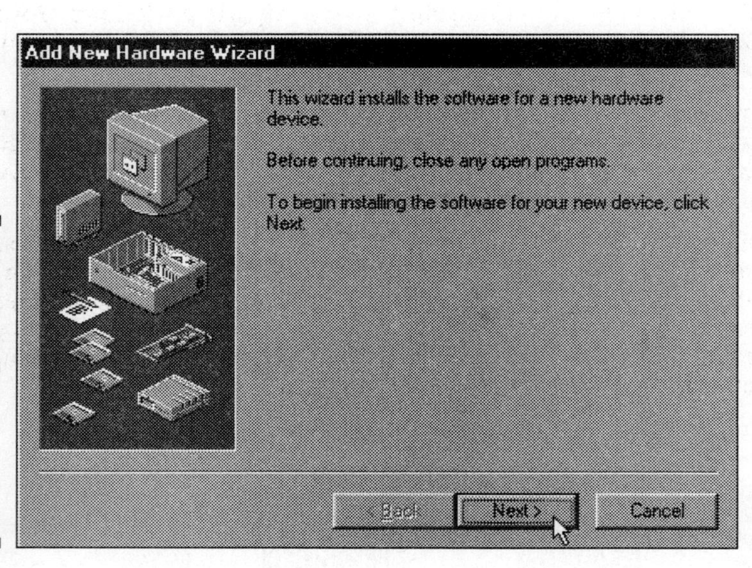

Figura 17-2: El Asistente de Agregar Nuevo Hardware de Windows 98 instala automáticamente la mayoría de las partes.

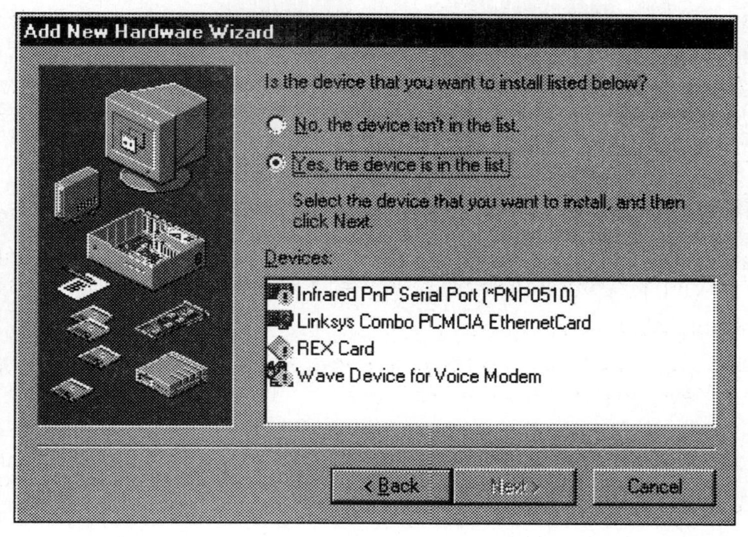

Figura 17-3: Windows 98 enlista cualquier parte Plug and Play nueva que reconozca.

7. **Si presiona Si y Windows encuentra la parte, todo salió bien. Ahora puede detenerse. Pero si presiona No, continúe con el Paso 8.**
8. **Windows enlista varios tipos de partes de computadora: escoja la parte que ha instalado.**

   Usualmente, usted tiene una idea de los que ha instalado: una tarjeta de vídeo (Windows las llama adaptador de vídeo), a un módem nuevo o tal vez una tarjeta de sonido o una unidad CD-ROM. De ser así, presione sobre el nombre de la parte en la casilla y Windows 98 le muestra una lista de fabricantes.

   Presione el nombre del fabricante que hizo su parte y Windows 98 le muestra una lista de modelos hechos por ese fabricante. ¿Ve el modelo suyo? Presiónelo y Windows maneja esta tarea de ahí en adelante.

   Si un disquete marcado como Controlador viene en la caja con su parte nueva, póngalo en la unidad A y presione el botón Tiene Disco. Windows 98 toma el controlador del disquete, lo copia en el disco duro y comienza a comunicarse con la parte nueva. ¡¡¡Eso esperamos!!.

   Si Windows 98 no puede encontrar su nuevo dispositivo o no logra hacerlo trabajar bien, necesita contactar al fabricante de la parte y preguntarle por un "controlador Windows 98". Existe la posibilidad de que lo encuentre disponible para ser descargado en el Sitio Web del fabricante. Copie el controlador en una carpeta y utilice el botón Examinar, para hacer que Windows busque el controlador en esa carpeta en lugar del disquete.

- ¿Agregando un módem nuevo? Entonces Windows 98 quiere saber el código de su país y área, así como cualquier número especial (como 9 para tomar una línea de salida o *70 para desconectar la llamada en espera). Si desea cambiar estas cosas después, presione dos veces el icono del módem en el Panel de Control — eso lo lleva a la misma página, como con el icono de Agregar Nuevo Hardware.
- Windows 98 es muy bueno identificando aparatos varios que la gente instala dentro de la computadora, especialmente si es una parte Plug and Play.

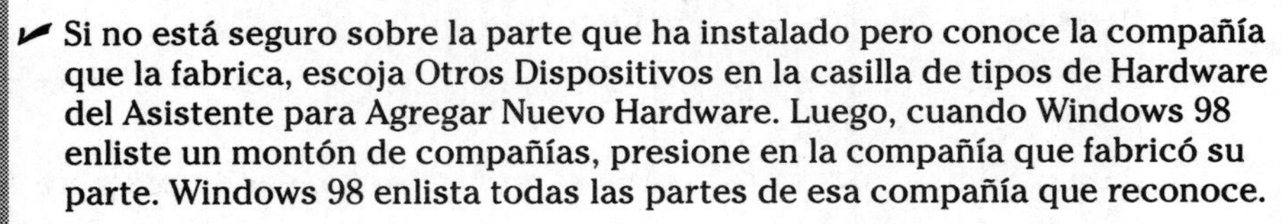

- Si no está seguro sobre la parte que ha instalado pero conoce la compañía que la fabrica, escoja Otros Dispositivos en la casilla de tipos de Hardware del Asistente para Agregar Nuevo Hardware. Luego, cuando Windows 98 enliste un montón de compañías, presione en la compañía que fabricó su parte. Windows 98 enlista todas las partes de esa compañía que reconoce.

- ¿Encontró un controlador actualizado para una parte de la computadora? Vaya a la sección "Afinar Propiedades del Sistema de Windows 98" al final de este capítulo, para los detalles.

Agregar una Impresora Nueva

¡Felicidades! ¿No adora ese olor de su nueva impresora? Si está instalando una impresora nueva en Windows 98, vaya a la sección "Informar a Windows 98 sobre Nuevo Hardware". Windows 98 trata a las impresoras como a cualquier otra pieza de equipo (O usted puede escoger Impresoras en el área de Configuraciones del botón Inicio. O, para una mayor variedad, escoja Impresoras desde el Panel de Control).

"¡Quiero más Colores y Mayor Resolución!"

La mayoría de las tarjetas de vídeo pueden desplegar más de un modo de vídeo. Por ejemplo, algunas le permiten escoger entre variedades de color en la pantalla de 16, 256, Color Superior (16 bit) o Color Real (24 bit). Otras le permiten cambiar resoluciones y llenan la pantalla con más información.

Así como algunas personas prefieren diferentes marcas de crema dental, algunas prefieren distintos modos de vídeo. Para descubrir cuál es el adecuado para usted, trate todos los modos que ofrece su tarjeta y escoja el que a su juicio es el mejor.

Ajustar Color y Resolución en Windows 98

Para cambiar los modos de vídeo en Windows 98, siga estos pasos:

1. **Presione el botón derecho en cualquier parte de su pantalla y escoja Propiedades del menú que aparece.**

   Aparece una casilla de diálogo de Despliegue de Propiedades, como en la Figura 17-4.

2. **Presione la lengüeta de Configuraciones .**

   El menú de configuraciones le permite cambiar el número de colores que la pantalla puede desplegar, así como su resolución.

3. **Para cambiar el número de colores, presione el menú desplegable de Colores.**

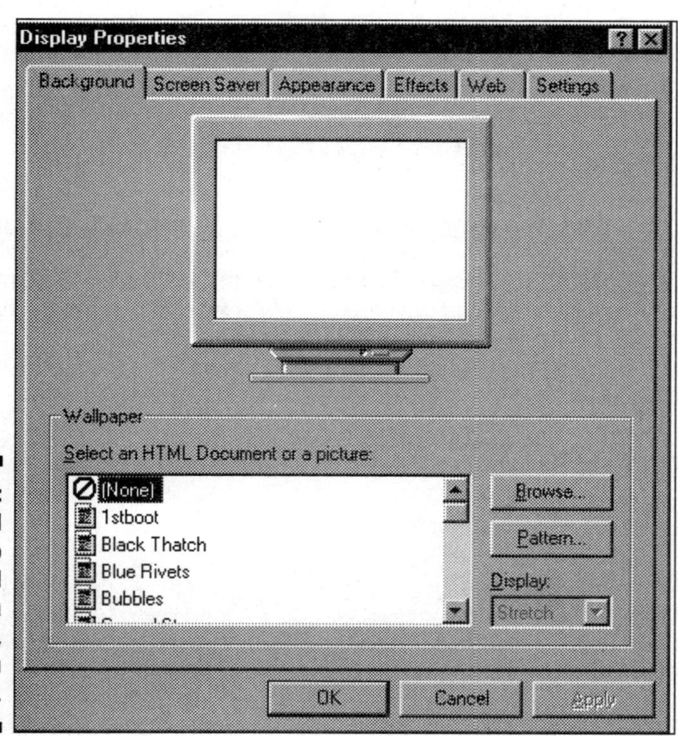

Figura 17-4: Presione el botón derecho en su papel tapiz y escoja Propiedades, para ajustar su pantalla.

4. **Para cambiar la resolución de vídeo, deslice la barra del área de Pantalla de izquierda a derecha.**

   Deslizar la barra a la derecha resulta en más resolución, lo que significa que puede llenar la pantalla con más información haciendo todo más pequeño. Deslizar la barra hacia la izquierda resulta en menos resolución, pero todo lo que está en la pantalla es más grande y más fácil de leer.

   Su tarjeta de vídeo tiene que trabajar extra cuando despliega ya sean muchos colores o mucha resolución de vídeo, así que rara vez le permite desplegar ambos al mismo tiempo. En otras palabras, entre más colores escoja, menos área de escritorio permite Windows 98.

5. **Presione el botón Aplicar para una vista preliminar de la nueva imagen.**

   ¿Le gusta el nuevo número de colores y la resolución? Siga adelante al Paso 6. De lo contrario, vuela al Paso 3 y reajuste sus opciones de colores y resolución.

6. **Presione OK.**

   Cuando esté satisfecho con su elección, presione OK para salvar sus cambios. Si cambió el número de colores, Windows 98 probablemente quiera reiniciar su PC (Por suerte, le permite salvar su trabajo primero).

¿Cuál es la diferencia entre todos estos colores?

Las opciones 16 y 256 no son muy confusas; ellas despliegan todo lo que está en pantalla en 16 o 256 colores. Los usuarios, hoy en día, no se preocupan con la primitiva opción de 16 colores. Los usuarios de Internet casi siempre ven 256 colores; los dueños de sitios Web convierten sus dibujos y gráficos a 256 colores para acelerar los tiempos de descarga.

El Color Superior (16 bit) puede generar 65,536 variedades de color en su pantalla y Color Real (24 bit) se vuelve salvaje con 16,777,216 tonos de color. Las fotos tomadas con cámaras digitales casi siempre se ven mejor con más colores.

Los dueños de Pentiums con tarjetas de vídeo rápidas probablemente disfrutarán el Color Real, los dueños de máquinas más lentas deberían utilizar menos colores.

¿La moraleja? Experimente. Luego escoja el menor número de colores que permitan a su computadora lucir fresca y natural, esto deja a su computadora tan veloz como sea posible.

Enganchar más de un monitor en Windows 98

Los usuarios de Pentium reciben un tratamiento especial en Windows 98. Ya que muchos de ellos tienen tarjetas de vídeo PCI , pueden enlazar más de un monitor. Aquí está el truco: compre una tarjeta de vídeo y monitor nuevos, o rescátelos de alguna computadora vieja.

Inserte la tarjeta de vídeo en una de las ranuras vacantes de la PC, igual que con cualquier otra tarjeta y conecte el cable del monitor en el puerto de vídeo de la tarjeta, lo que dobla el tamaño de su escritorio actual. Puede expandir o deslizar sus ventanas al otro monitor. De hecho, puede agregar hasta 8 monitores y tarjetas, si tiene suficientes ranuras vacantes (y suficiente espacio en su mesa), creando un escritorio muy grande.

Un monitor puede recibir correos electrónicos constantemente, mientras que el otro despliega un programa de televisión. Un tercer monitor podría estar navegando por Internet. Los adinerados fanáticos de los juegos colocan un monitor al frente, dos a los lados y crean un aeroplano con su parabrisas y sus ventanas.

"¡Windows No trabaja Bien!"

Inicie Windows en Modo Seguro, presionando las teclas Ctrl o F8 justo antes de que Windows se cargue en la pantalla (Puede que tenga que tratar esta técnica varias veces para atrapar la magia del momento).

Seleccione Modo Seguro para cargar Windows con la configuración básica sin controladores extra, programa de inicio o gráficos elegantes. Si la computadora funciona, reinicie y llame el menú de Modo Seguro de nuevo. Esta vez, escoja confirmación Paso por Paso. Esto carga un controlador a la vez. Cuando su computadora se congele, observe cuál controlador causa el problema. ¡Listo! Esto no arreglará el problema, pero usted sabrá que fue lo que salió mal.

¿Continúa con problemas? Entonces, presione y sostenga la tecla F8 mientras reinicia la computadora, pero escoja, Registrado (bootlog.txt). Windows reacciona creando un archivo con la lista de todos los controladores que ha cargado, justo hasta el momento en que se congeló. Esto indica si el controlador se cargó y funcionó correctamente o, lo que es más importante, si falló.

Encontrando el controlador causante del problema puede buscar una solución (visite el Capítulo 4 sobre como reparar su PC a través de Internet). O, al menos tendrá algo que decir al técnico en el teléfono, como último recurso.

Utilice el Depurador Windows

Windows 95 y Windows 98 hacen un esfuerzo para ser amistosos, proveyendo un software que juega al doctor cuando las cosas salen mal. Utilizando uno de estos programas depuradores incorporados, algunas veces puede hacer que Windows haga el trabajo sucio de descubrir lo que está mal y repararlo sin cargo adicional. Siga estos pasos para pasar la llave inglesa a manos de Windows:

1. **Presione el botón de Inicio de Windows y escoja Ayuda.**

   Aparece la casilla de dialogo de Ayuda.

2. **Seleccione la lengüeta de Contenidos, presione el tema de depuración y, en Windows 98, presione el icono de depuración.**

   Aparece la información de la Figura 17-5 (En Windows 95, presione dos veces en el tema de depuración y continúe con el Paso 3).

3. **Presione en el problema que le atañe y siga las instrucciones.**

   Por ejemplo, presione la opción Impresión para ver la ventana de la Figura 17-6, la cual ofrece sugerencias para reparar impresoras.

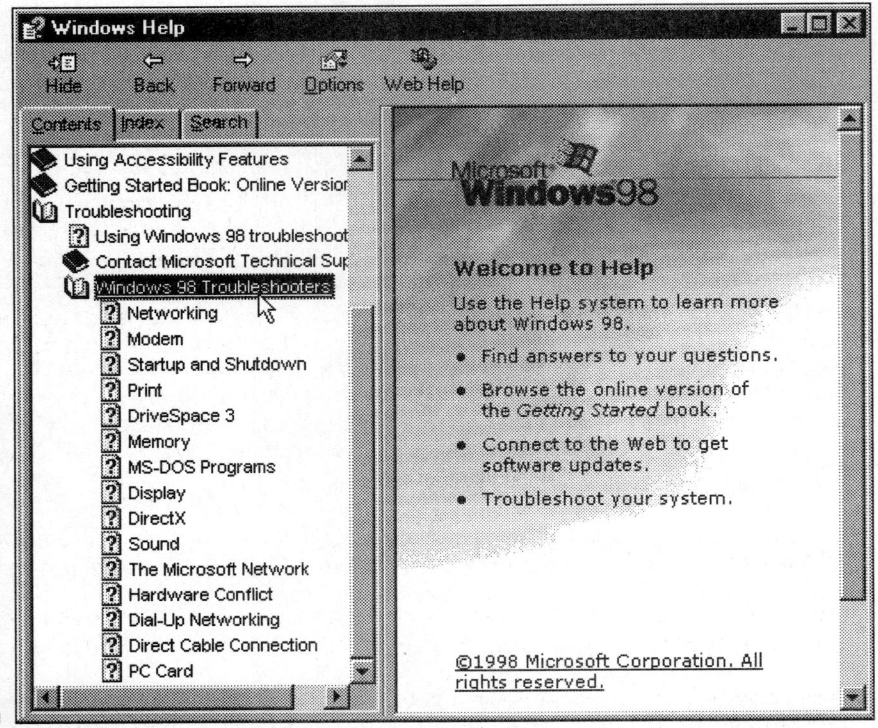

Figura 17-5: Windows algunas veces puede depurar y corregir sus propios problemas.

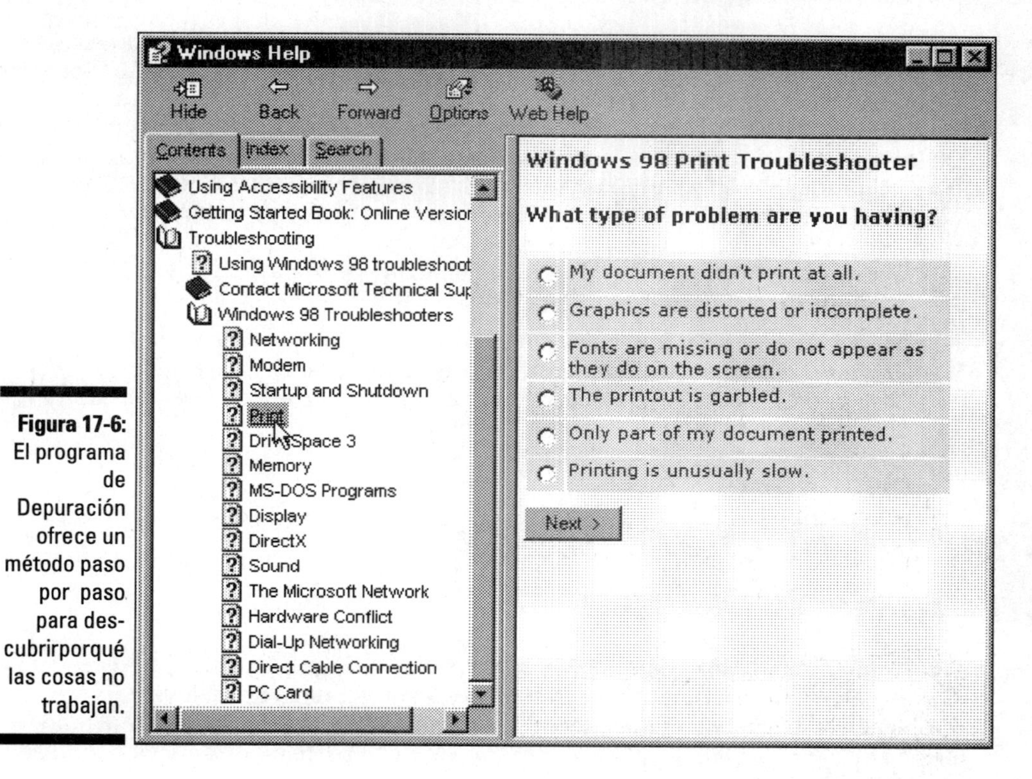

Figura 17-6: El programa de Depuración ofrece un método paso por paso para descubrirporqué las cosas no trabajan.

Windows ofrece un método más avanzado para autodiagnosticar, en el área de Propiedades del Sistema. Presione el botón izquierdo en Mi Computadora y escoja Propiedades del menú que aparece. Luego presione la cejilla del Administrador de Dispositivos para ver una lista de todas las partes de su computadora.

Una X roja o un signo de exclamación amarillo junto al nombre de la parte de la computadora, en la lista del Administrador de Dispositivos, significa que esa parte en particular no está funcionando correctamente.

"¡Mi Controlador es muy Viejo y Tonto para trabajar Correctamente!"

Después de comprar una nueva pieza de hardware — una tarjeta de sonido o de vídeo, por ejemplo — esta no cambiará conforme sea colocada dentro de la computadora.

Pero su controlador si cambiará. Estos, como cualquier otra pieza de software, están sujetos a cambios perpetuos. Conforme pasan los meses, los fabricantes agregan fragmentos de código aquí y allá, haciéndolos más rápidos y menos propensos a discutir con otras piezas de software.

Algunas compañías lanzan un nuevo controlador cada dos meses. Cuando un aparato no funciona bien o entra en conflicto con otras partes su primer paso debe ser actualizar el controlador de ese aparato.

De hecho, esa es usualmente la segunda cosa que escuchará al llamar a soporte técnico del fabricante "¿Está utilizando la última versión del controlador?" (La primera cosa es "En este momento todas nuestras líneas se encuentran ocupadas").

- Todas las versiones de Windows funcionan mejor cuando se utiliza el último controlador para cada aparato.
- Lo mejor es contactar el fabricante de la parte. Algunas veces este le envía por correo el nuevo controlador gratis. Otras veces el fabricante le guía a su sitio Web o BBS. Si conoce la forma de utilizar un módem, puede acceder Internet o BBS y descargar la última versión del controlador.

Afinar las Propiedades del Sistema de Windows 98

A diferencia de sus antecesores, Windows 98 viene con una casilla de herramientas. Cuando algo anda mal, su primer paso debería ser la casilla de diálogo de las Propiedades del Sistema . Ahí encontrará una lista de todo el equipo que Windows 98 piensa que está dentro de su PC y si alguna de estas parte no está funcionando adecuadamente.

Para llegar a la casilla de diálogo de las Propiedades del Sistema, presione el botón derecho en el icono Mi Computadora y escoja Propiedades en el menú que aparece. Desde ahí, puede manipular Windows 98 en una amplia variedad de formas.

Cambiar controladores en Windows 98

Windows 98 trabaja mejor con controladores actualizados, eso es definitivo. Encontrar el actualizado es la parte difícil; después de localizar el controlador, ya sea en Internet o por medio del fabricante, Windows 98 hace la instalación, es un procesa fácil:

1. **Presione el botón derecho en el icono Mi Computadora y escoja Propiedades del menú que aparece.**
2. **Presione la lengüeta del Administrador de Dispositivos.**

   Aparece la casilla de diálogo de la Figura 17-7, desplegando todas las partes conectadas a su computadora.

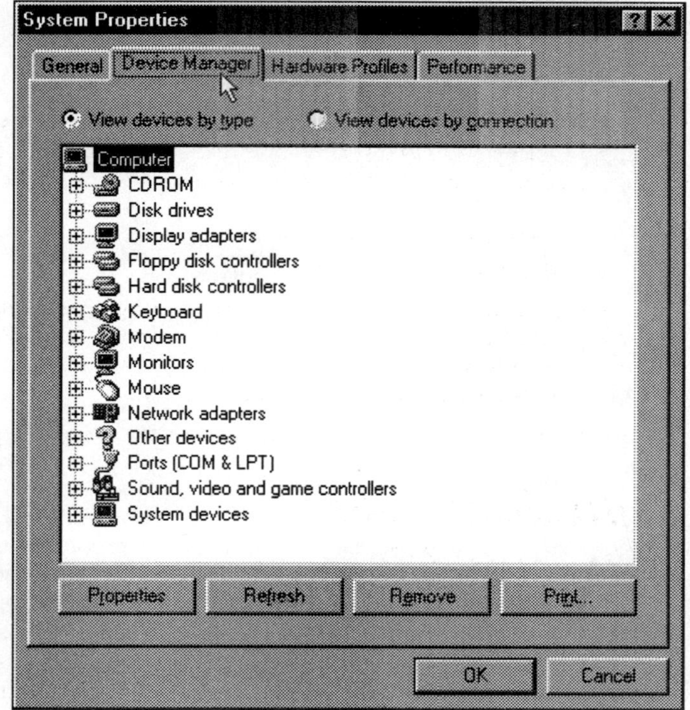

Figura 17-7: El Administrador de Dispositivos despliega todos los dispositivos conectados a su PC.

3. **Presione dos veces en el ítem que necesita un controlador nuevo.**

   Por ejemplo, si ha descargado un controlador de vídeo nuevo, haga doble clic en la lista de los adaptadores de vídeo para ver su controlador actual.

4. **Presione el controlador actual y el botón Propiedades en la parte inferior de la casilla de diálogo.**

   Windows 98 revela información sobre el controlador actual.

5. **Presione la lengüeta del Controlador, el botón de Cambiar Controlador y luego el botón de Tiene Disco de la siguiente ventana.**

6. **Indique a Windows 98 en lugar en que se encuentra el controlador nuevo — en su disco duro o en un disquete.**

   Windows 98 toma el controlador, lo pone en su lugar y empieza a utilizarlo (Puede que tenga que reiniciar la computadora primero).

Cuando se encuentre en la página del Administrador de Dispositivos, presione el botón de Imprimir. Escoja la opción Todos los Dispositivos Y Resumen de Sistema, luego presione OK para enviar un reporte técnico completo de todos los órganos internos de su PC a la impresora. Esa página puede ser un salvavidas más adelante.

Revisar el sistema Windows 98 y calibradores de desempeño

¿Temeroso de que Windows 98 no esté trabajando a su capacidad total? Puede analizar los esfuerzos de su computadora para corroborar si están dando el 100%. Vamos de nuevo al área de Propiedades del Sistema:

1. **Presione el botón derecho en el icono Mi Computadora, escoja Propiedades en el menú que aparece y luego presione la lengüeta Desempeño.**

   Aparece la casilla de diálogo de las Propiedades del Sistema mostrada en la Figura 17-8, desplegando información técnica sobre su computadora.

2. **Presione el botón Sistema de Archivo.**

   Este paso le permite cambiar la forma en que su computadora manipula los archivos.

3. **Presione la lengüeta del Disco Duro.**

   Mantenga la casilla del área de Configuraciones fija en Escritorio, a menos que esté corriendo Windows 98 en una laptop o red. Windows usualmente adivina correctamente el área de Configuraciones; no cambie esto a menos que haya instalado un disco duro más rápido. Entonces siéntase en libertad de llevar la barra de optimización de lectura delantera al máximo.

4. **Mantenga las configuraciones de la unidad de disco flexible tal y como está.**

   De esa manera Windows automáticamente busca unidades de disco flexible recién instaladas cada vez que su computadora arranque.

5. **Si tiene una unidad de CD-ROM, presione la lengüeta del CD-ROM en la parte superior.**

   Ingrese la velocidad de su unidad CD-ROM en la casilla de Optimizar Patrón de Acceso Para; Windows 98 automáticamente coloca el número correcto en la casilla del tamaño caché Complementario.

6. **Mantenga en Disco Removible tal y como está.**

   Windows automáticamente detecta unidades de disco removible, como una unidad de Zip, y ajusta sus configuraciones correspondientemente.

7. **No se moleste con la lengüeta de Depuración.**

   Esta lengüeta es para usuarios más avanzados; los principiantes hacen más daños que arreglos .

8. **Presione OK y luego presione el botón de Gráficos en la casilla de diálogo de las Propiedades del Sistema.**

   Si la pantalla de su computadora ha estado actuando extraño, trate deslizando la perilla de aceleración de Hardware hacia la izquierda.

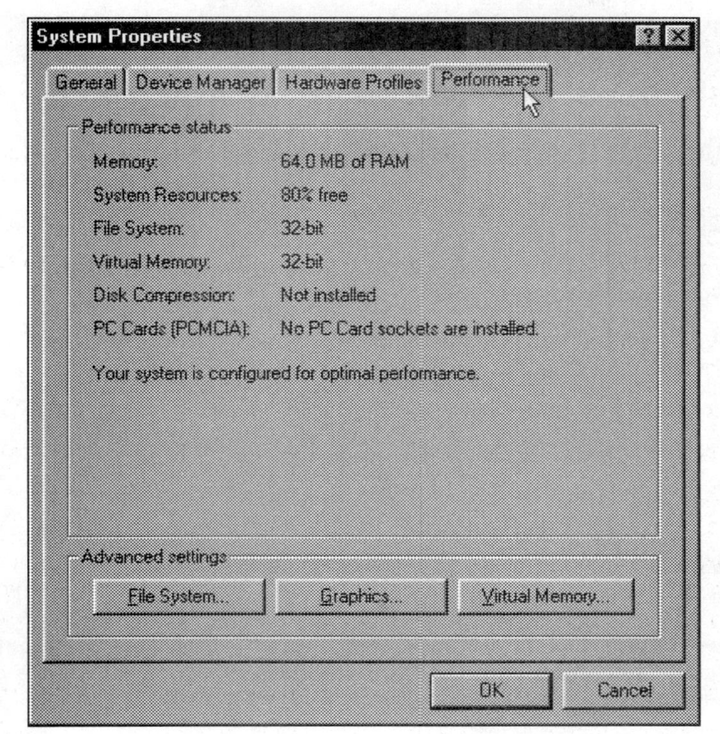

Figura 17-8: Las lengüetas de desempeño le permiten personalizar el software de Windows 98 para su computdora.

9. **Presione OK y luego presione el botón de Cerrar.**

   A menos que tenga una muy buena razón, no presione el botón de Memoria Virtual. Windows 98 usualmente hace un mejor trabajo de malabarismo con su propia memoria que los humanos.

   Con estas opciones usted puede hacer que Windows 98 corra más suavemente y con mayor entusiasmo.

Encontrar estadísticas vitales en el programa Información del Sistema de Windows 98

¿Qué es lo que hay dentro de su computadora exactamente? Esta pregunta se vuelve la más aterradora cuando trata de responderla por teléfono a un técnico Por suerte, Windows 98 se apiadó de sus usuarios con un programa de Información del Sistema. He aquí la gracia salvadora:

1. **Presione el botón de Inicio y escoja Accesorios en el área de Programas.**

2. **Escoja Información de Sistema en el área de Herramientas del Sistema.**

   Aparece una ventana como en la Figura 17-9.

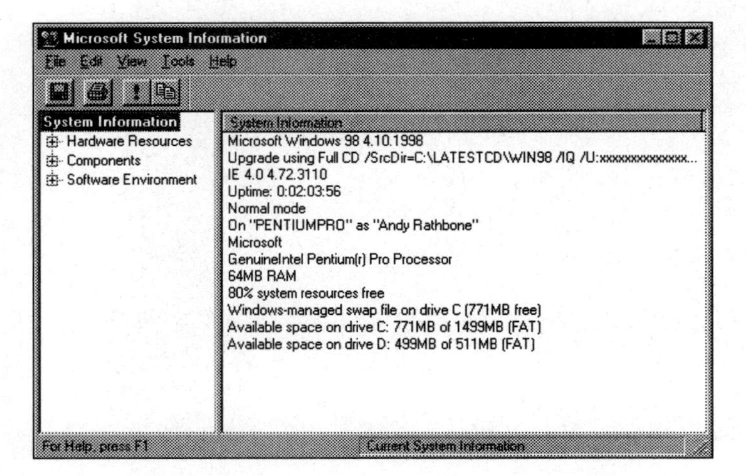

Figura 17-9: La ventana de Información del Sistema despliega información profunda sobre las partes internas de su PC.

Mientras se adentra en esta profunda zona computarizada, encontrará detalles asombrosos de su computadora — tanto de sus componentes internos como de las partes conectadas a ella.

El programa de Información del Sistema viene con otras herramientas útiles, discutidas en las siguientes secciones.

Verificador de Archivos del Sistema

¿Está preocupado de que algunos de los archivos que venían con su copia de Windows se hayan dañado? A Microsoft tampoco le agrada está posibilidad. Para analizar esta situación, utilice el Verificador de Archivos del Sistema.

Cargue el programa de Información del Sistema como se muestra en la Figura 17-9, y escoja Verificador de Archivos del Sistema, en el menú de Herramientas.

Presione el botón de Inicio, Figura 17-10 y Windows examina todos su archivos importantes.

Si encuentra un archivo dañado, le ayuda a remplazarlo con una versión en buen estado, contenida en el CD original de instalación de Windows.

Servicios de Configuración del Sistema

Aunque tal vez esta sea la más complicada, tiene una función muy fácil. El Servicio de Configuración del Sistema le permite escoger entre programas que se cargan automáticamente cada vez que Windows arranca.

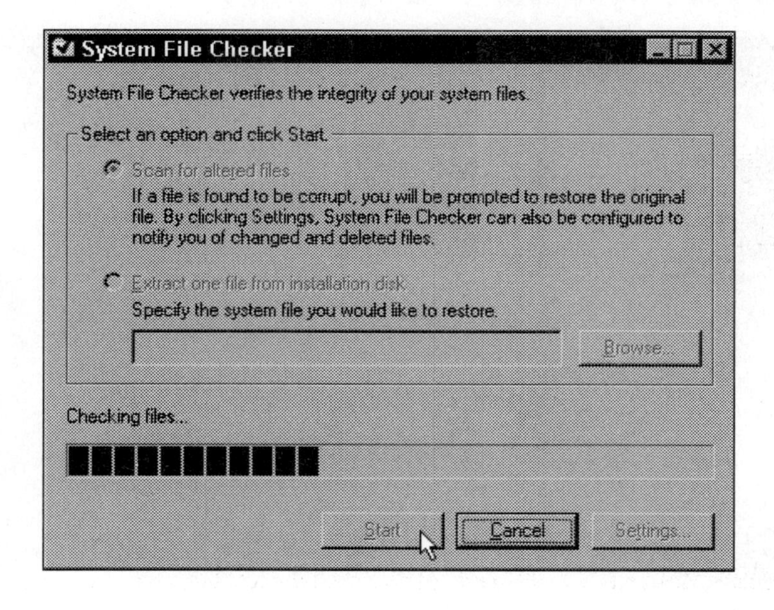

Figura 17-10: El Verificador de Archivos del Sistema prueba los archivos de Windows para determinar si existen anormalidades.

A Windows le gusta cargar programas cada vez que arranca y enlista muchos de estos en el área de arranque del menú de Programas, en el área de Inicio. Presionando cualquiera de los programas de la lista en el área de arranque, puede fácilmente evitar que se carguen.

Los programas más furtivos se cargan a sí mismos sin informarle. Después de ser cargados, empujan sus pequeños iconos en su barra de tareas, abajo, cerca del reloj de Windows.

Para deshacerse de estos intrusos, escoja Servicio de Configuración del Sistema en el menú de Herramientas del programas de Información del Sistema de Microsoft. Cuando aparece el servicio, presione la lengüeta de Arranque, como en la Figura 17-11.

Para evitar que un programa se cargue en el fondo, remueva la marca justo a su nombre. Presione OK, reinicie así el programa deja de cargarse (Algunas veces se rehusa a marcharse. Hasta Windows tiene problemas de autocontrol).

No se deje llevar y no remueva programas que no puede identificar. No querrá remover accidentalmente su antivirus o cualquier otro programa importante aunque irreconocible.

Si observa cualquier programa llamado NetBus o BackOrifice, deshabilítelo de inmediato. Estos son malignas infecciones computarizadas que permiten a otras personas controlar su computadora a través de Internet. Visite www.symantec.com para más información.

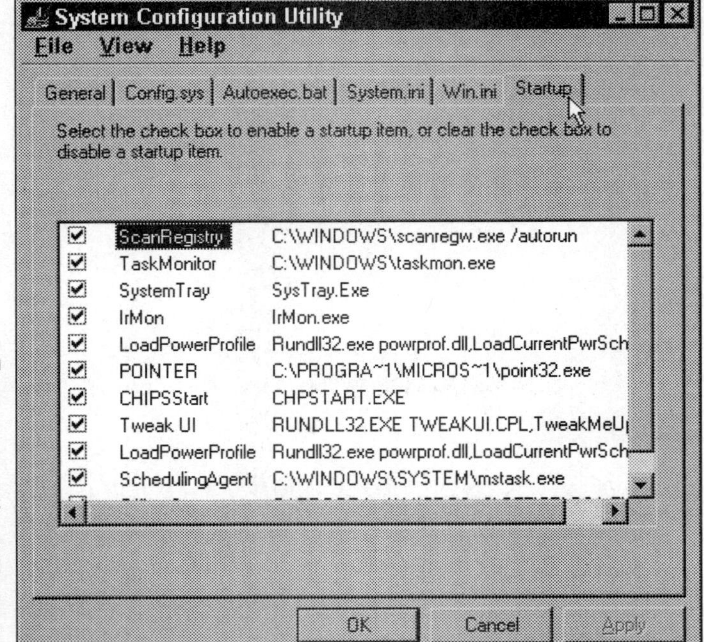

Figura 17-11: El Servicio de Configuraciones del Sistema puede remover programas que inician en el segundo plano de Windows.

Encontrar conflictos entre dispositivos y Windows 98

Cuando dos partes no se llevan bien en Windows 98, usted puede notarlo de varias maneras. Primero, la computadora no trabaja bien. Y segundo — por suerte — Windows 98 señala los dispositivos buscapleitos y hace correcciones. De nuevo, es el Administrador de Dispositivos el que pone orden.

1. **Presione el botón derecho en el icono de Mi Computadora y escoja Propiedades en el menú que aparece.**
2. **Presione la lengüeta del Administrador de Dispositivos.**
3. **Busque un signo de exclamación o una X roja que marcan una parte en particular.**

   Un signo de exclamación usualmente significa que dos partes están disputando un mismo recurso — un IRQ, por ejemplo, como explico en el Capítulo 18.

   Una X roja, como en la Figura 17-12, significa que el dispositivo está deshabilitado.

   Después de encontrar al culpable, presione el botón de Inicio, escoja Ayuda y presione la lengüeta de Contenidos en la parte superior de la ventana. Presione dos veces en Resolución de Problemas para ver la lista de posibles problemas, presione dos veces el área que le está causando problemas.

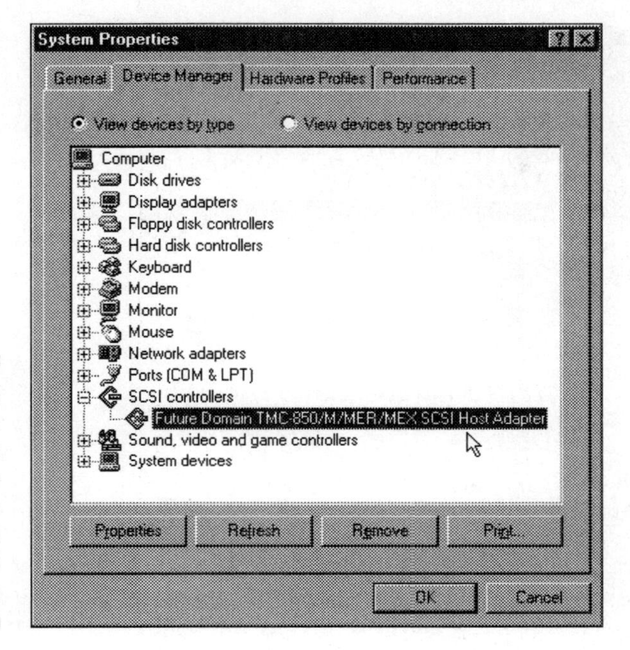

Figura 17-12: Una X sobre una parte significa que no esta correctamente configurada y por lo tanto, está deshabilitada.

El Asistente lo guía a través de los pasos que necesita para eliminar los conflictos de Hardware.

Si el Asistente de Ayuda utiliza lenguaje desconocido, visite el Capítulo 18, el cual cubre temas como IRQ, puertos COM y otras cosas por las que siempre disputan las partes de su PC.

Mantener Windows al Día

Microsoft se mantiene observando a Windows o a sus partes, corrigiendo errores, agregando opciones o parchando hoyos dejados por los malignos y enfermos creadores de los virus, con el fin de plantar fuerzas destructivas dentro de su PC.

Pero ¿cómo se supone que un usuario pueda manejar todo eso?

Microsoft le ofrece la posibilidad de actualizar su computadora con solo presionar un botón de su mouse. Haga clic sobre Inicio y escoja Actualizar Windows. Su explorador Internet corre y busca el sitio Web de Microsoft para Actualizar Windows, como en la Figura 17-13.

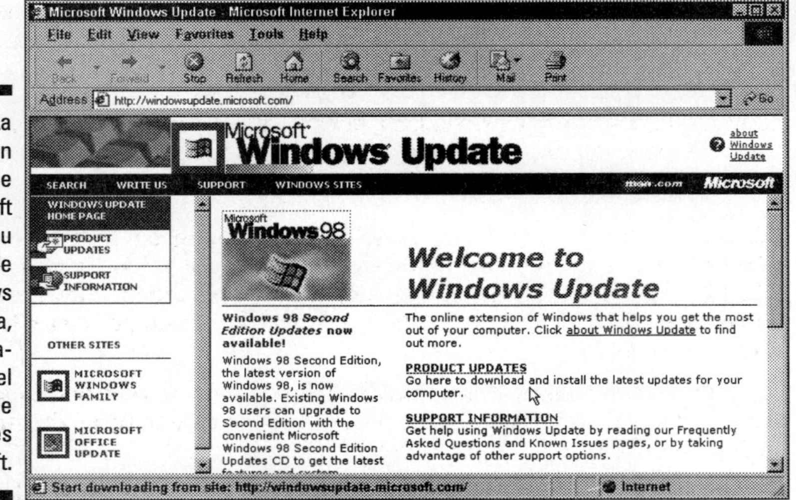

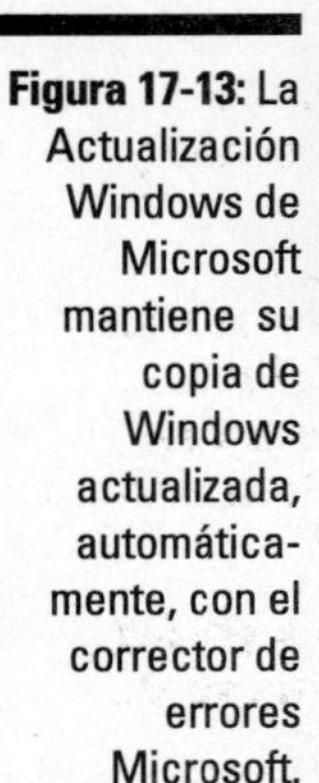
Figura 17-13: La Actualización Windows de Microsoft mantiene su copia de Windows actualizada, automáticamente, con el corrector de errores Microsoft.

Si tiene preguntas sobre el proceso, presione el área de Información de Soporte. Cuando esté listo, presione las palabras Actualización de Productos para empezare el proceso. Microsoft empieza a examinar su computadora y a ver si Windows necesita actualización.

Eventualmente, aparece la página de Selección de Software para Actualizaciones de Productos; Figura 17-14.

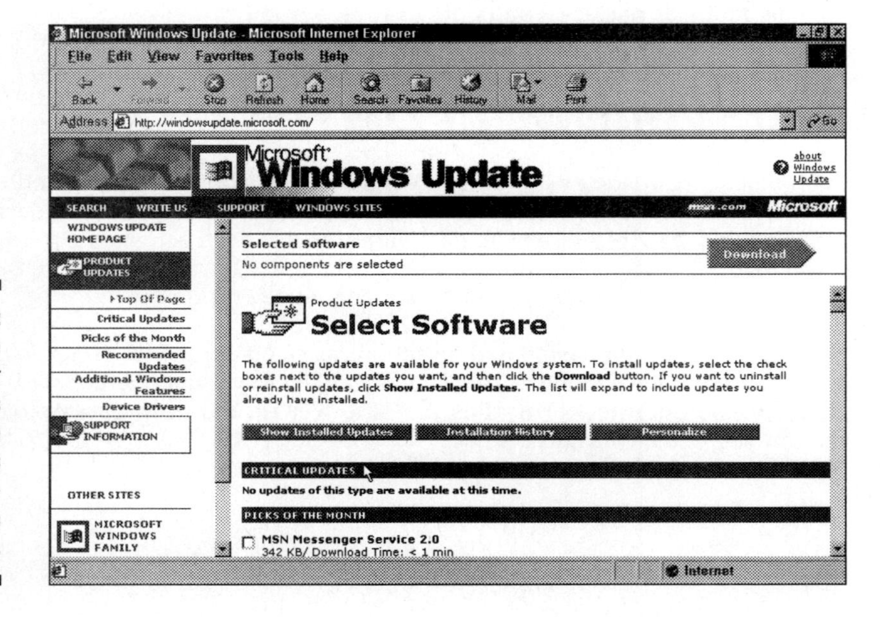

Figura 17-14: Asegúrese de descargar todas las Actualizaciones Críticas; las otras actualizaciones son opcionales.

Presione las casillas de verificación junto a todas las actualizaciones enlistadas en la sección Actualizaciones Críticas. Estas características son opcionales — son formas para que Microsoft corrija las cosas que estropeó. Escoja todas.

Cuando ha escogido todas las Actualizaciones Críticas, presione el botón de Descargar. Windows automáticamente descarga las actualizaciones, las instala y le pide que reinicie su PC para que las actualizaciones surtan efecto.

- Siéntase en libertad de utilizar las Actualizaciones Recomendadas en la sección La Elección del Mes, así como Opciones Windows Adicionales. Preste más atención a las Actualizaciones Recomendadas. Usualmente son actualizaciones de programas que vienen con Windows: como por ejemplo la versión más reciente de Media Player.
- Algunas correcciones son tan precarias que Microsoft lo hace descargarlas por separado. Después de que las ha descargado e instalado y de que su PC ha sido reiniciada, vuelva por el resto.

- ¿Quiere ver cuáles programas y actualizaciones le ha enviado Windows? Presiones los botones azules de Mostrar Historial de Instalación y Mostrar Actualizaciones Instaladas (Figura 17-14), justo encima del signo de Actualizaciones Críticas. Windows le indica todo lo que ha instalado en su PC a través del programa de Actualizaciones.

- Windows ofrece un programa de actualización automático ya que de esta forma, lo descarga y lo instala. Pero no lo utilice. Siempre causa problemas. En cambio, escoja Notificación de Actualización Crítica de Windows. Eso le indica cuando Windows ha realizado una Actualización Crítica. Luego puede ir ahí directamente y descargar el programa, sin darle a Windows la oportunidad de desordenar las cosas.

Capítulo 18

Jugar con las Configuraciones

En este capítulo

- Descubrir los puertos COM
- Resolver los irritantes conflictos IRQ
- Evitar conflictos de DMA y direcciones
- Puentes estirados
- Jugar con los interruptores DIP
- Entender la escena CMOS

Este es, hasta ahora, el capítulo más atemorizante de este libro. Está lleno de palabras psicoanalíticas molestas, como conflictos e interrupciones. Si su computadora funciona normalmente, no necesita molestarse con este capítulo. Además, Windows 95 y Windows 98 usualmente pueden manejar todas estas cosas automáticamente, estos usuarios rara vez necesitan molestarse con este capítulo.

Pero si las cosas empiezan a caminar mal después de instalar una parte nueva o si esta parte simplemente se rehusa a trabajar usted necesita mediar en este asunto de conflicto -e-interrupción.

Verá, algunas partes nuevas trabajan a la perfeción desde su salida de la caja. Su computadora las abraza como a viejos amigos, las invita a cenar y nadie derrama vino sobre el mantel.

Algunas otras partes nuevas, pueden crear disputas territoriales con las partes viejas y todo este asunto se puede poner feo en un segundo. ¿La solución? Necesita cambiar algunas de las configuraciones de su PC, de manera que cada parte pueda tener su propio espacio.

Este capítulo le indica la forma de cambiar las configuraciones de su computadora, así como las configuraciones de las partes más nuevas. Realice algunos ajustes aquí y allá y nadie saldrá herido, especialmente usted.

"¡Mis Puertos COM están Discutiendo!"

Los Capítulos 6 y 7 cubren todo lo que necesita saber sobre conectar un mouse o módem en un puerto serial, también conocido como puerto *COM*. Pero probablemente se lastime en esta sección debido a una excentricidad computarizada: Las partes de computadoras no siempre comparten los puertos seriales.

Si un aparato, como un módem, necesita un puerto serial, debe ser su propio puerto serial. Un mouse o un escáner usualmente también necesitan sus propios puertos seriales. Si usted, inadvertidamente, configuró dos aparatos a un mismo puerto serial, empezarán los puñetazos y ninguna de las partes funcionará.

Los aparatos que se conectan en la parte de atrás de su PC generalmente no causan muchos problemas. Puede conectar un mouse a un puerto, por ejemplo, un módem a otro. Siempre y cuando su mouse y su módem sepan a cuál puerto está conectado cada cual, todo el mundo está feliz (El Capítulo 6 le indica como descubrir el puerto al que está conectada cada parte).

Pero las cosas se ponen difíciles cuando conecta tarjetas dentro de su PC. Por ejemplo, algunas veces conecta una tarjeta para un módem interno dentro de su PC y esta no funciona. No solo eso, sino que también saca de escena a un saludable mouse y escáner.

Eso usualmente pasa porque el módem y el mouse o escáner están conectados al mismo puerto serial. A todos se les ha dicho que utilicen el mismo puerto, pero cuando lo intentan, otras partes están ahí obstaculizando el paso.

Si Windows no puede manejar el problema automáticamente a través de su tecnología Play and Plug durante la instalación, la respuesta es conectar el módem interno a un puerto serial diferente. Usualmente se hace moviendo un interruptor DIP o un puente en la tarjetas del módem — una operación relativamente simple y sin anestesia que se describe más adelante en este capítulo en la sección "Mover Puentes e Interruptores DIP".

¿No sabe a cuál puerto COM asignar su última adquisición? Permita que la Tabla 18-1 sea su guía.

Tabla 18-1 ¿Cuál Puerto COM debo asignar a mi Aparato Nuevo?

Si su PC tiene estos puertos COM.	*Permita a su nuevo aparato usar este:*
No puertos COM.	COM2.
Solo COM1 está instalado pero ya hay algo conectado ahí.	COM2.
Solo COM2 está instalado pero ya hay algo conectado ahí.	COM1.

Si su PC tiene estos puertos COM	*Permita a su nuevo aparato usar este:*
Ambos, COM1 y COM2, están instalados, pero ya hay algo conectado a COM1.	COM4.
Ambos, COM1 y COM2, están instalados, pero ya hay algo conectado a COM2.	COM3.
Ambos, COM1 y COM2, están instalados, pero ya hay algo conectado a ambos.	Compre un interruptor A/B, descrito en la siguiente sección.
No se lo que es un puerto COM ni como usarlo.	Vaya al Capítulo 3.

- Un puerto serial y un puerto COM son la misma cosa: una "puerta de entrada" a través de la cual su computadora pasa información. Si dos partes tratan de pasar información por la misma puerta al mismo tiempo, todo se atasca.
- Las computadoras pueden acceder cuatro puertos seriales, pero hay un problema: puede utilizar solo dos de estos puertos al mismo tiempo. Hay dos puertos seriales en la parte de atrás de muchas computadoras. El puerto más grande es usualmente COM2; el más pequeño es COM1.

- Si asigna una parte a COM1 y una segunda parte a COM2 pero continúan riñendo, trate cambiándolas. Asigne la segunda parte a COM1 y la primera a COM2.
- ¿Cómo se asigna un puerto serial un puerto COM a un aparato? Usualmente revisando el manual del aparato y moviendo los puentes o interruptores DIP correspondientes, como se describe más adelante en la sección "Mover puentes e interruptores DIP".

Después de asignar un puerto COM a su módem, necesita indicar al software de este el puerto COM que está utilizando. Sin embargo, algunos softwares de módems son más listos; unos cuantos programas pueden encontrar el puerto correcto por sí mismos.

- Puede asignar aparatos que se conectan dentro de su PC al puerto COM3 y COM4. Pero, no puede utilizar COM1 y COM3 al mismo tiempo, tampoco COM2 y COM4 funcionan a la vez.
- Algunos módems internos viejos se conectan solo en puertos seriales COM1 y COM2. Si COM1 y COM2 ya están siendo utilizados, libere un puerto con un interruptor A/B, como se describe en el siguiente punto.

¿No tiene suficientes puertos COM? Compre un interruptor A/B para puertos seriales. Es una pequeña caja con un interruptor al frente. Se conecta un cable desde la caja a uno de los puertos COM de su PC. Luego conecta dos aparatos a los dos puertos de la caja — por ejemplo, una impresora serial en el puerto A y un módem externo al puerto B. Para utilizar la impresora, cambie el interruptor de la caja a A. Para usar el módem cambie este interruptor a B. No se preocupe si olvida cambiar el interruptor a A cuando desea imprimir; todo el mundo lo hace.

- Cuando descubra cual parte utiliza cada puerto COM, complete la Tabla 18-2. Puede evitarse problemas al tratar de recordar todo esto cada vez que surja este inconveniente.

- Windows 98 es mucho más abierto, ya que permite a los dispositivos compartir los puertos COM. Usualmente les permite compartir el mismo puerto — siempre y cuando no traten de utilizarlo simultáneamente.

Existe una nueva tecnología en al ambiente, llamada Bus Serial Universal (USB). A diferencia de los anticuados puertos COM, los dispositivos USB congenian bien — más de cien de ellos pueden compartir el mismo puerto USB sin pelea. Aunque la mayoría de las PC de hoy vienen con puertos USB (figura en el Capítulo 3), los dispositivos USB han tenido una lenta aceptación. Pero manténgalos a la vista.

Tabla 18-2 ¿Quién está Usando mis Puertos COM

Puerto	*Dueño (Mouse, Módem, Escáner, Otros)*
COM1	
COM2	
COM3	
COM4	

¿Cómo Resolver Conflictos IRQ ?

Los aparatos de las computadoras discuten sobre los derechos de interrupción.

Las PC, igual que algunos padres, se concentran en una cosa a la vez. Cuando algún padre está cocinando y el niño quiere atención, hala la pierna del pantalón del padre. Los aparatos de las PC funcionan igual. Las computadoras tienen piernas de pantalones llamadas interrupciones.

Una interrupción usualmente conocida como una *IRQ*, es como una pierna de pantalón virtual que el aparato puede halar para llamar la atención de su PC. Cuando mueve su mouse, por ejemplo, es halar el pantalón de la PC — una interrupción — y decirle a la PC que se ha movido. La computadora toma nota y actualiza la posición del mouse en la pantalla.

Igual que un pantalón tiene solo dos piernas, una computadora tiene un número limitado de interrupciones. Y si dos dispositivos - una tarjeta de sonido y un módem por ejemplo — tratan de utilizar la misma interrupción, la PC no sabe a cuál escuchar. Así que usualmente ignora a ambos y continúa cocinando la cena.

La solución es asignar una interrupción diferente — una IRQ diferente — a cada aparato. ¿Suena muy simple, verdad? Pero hay un problema: Cuando trata de asignar una interrupción a una parte nueva, se dará cuenta de que algunos aparatos, como unidades de disco y teclados, han acaparado la mayoría de las interrupciones disponibles, como podrá ver en la horrible Tabla 18-3.

Tabla 18-3 Interrupciones y Quién las Acapara

Interrupción	*Dueño*	*Comentarios*
IRQ 0	Cronómetro del sistema.	Su PC ya acaparó esta.
IRQ 1	Teclado.	Su PC ya acaparó esta (El teclado interrumpe la PC cada vez que presiona una tecla).
IRQ 2	Controlador de interrupción programable.	Todo lo asignado aquí es automáticamente movido a IRQ 9, permitiendo al controlador coordinar solicitudes en IRQs 8–15.
IRQ 3	COM 2, COM 4.	Estos dos puertos comparten esta interrupción (Por eso no puede utilizar ambos puertos COM al mismo tiempo). Aquí terminan los mouse y módems
IRQ 4	COM 1, COM 3.	Estos dos puertos comparten esta interrupción (Por eso no puede utilizar ambos puertos COM al mismo tiempo). Aquí terminan los mouse y módems.

(continúa)

Tabla 18-3 *(continuación)*

Interrupción	*Dueño*	*Comentarios*
IRQ 5	Segundo puerto para impresora.	Este usualmente está vacante, así que puede ser utilizado por trajetas de sonido, controladores de unidades SCSI y otros.
IRQ6	Controlador de unidad de disco flexible.	Su computadora ya acaparó esta.
IRQ 7	Primer puerto para impresora.	Intente con esta si no está utilizando la impresora.
IRQ 8	Reloj de la PC.	Su PC ya acaparó esta.
IRQ 9	Nada.	Vea la entrada IRQ2. Puede usar IRQ2 o IRQ9, pero no ambas.
IRQ 10	Nada.	Lista para ser tomada.
IRQ 11	Nada.	Esta puede estar libre. Aunque las partes rara vez la escojen. Las laptop la usan para ranuras de tarjetas PC.
IRQ 12	PS/2 mouse.	Muchos mouse se conectan directamente a la tarjeta madre, acaparando esta interrupción en el proceso.
IRQ 13	Coprocesador.	Su PC ya acaparó esta.
IRQ 14	Disco Duro.	Su PC ya acaparó esta.
IRQ 15	Nada.	Esta puede estar libre. Aunque las partes rara vez la usan, es usualmente acaparada por los discos duros.

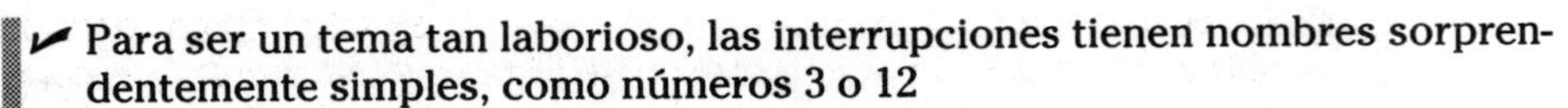
- Para ser un tema tan laborioso, las interrupciones tienen nombres sorprendentemente simples, como números 3 o 12

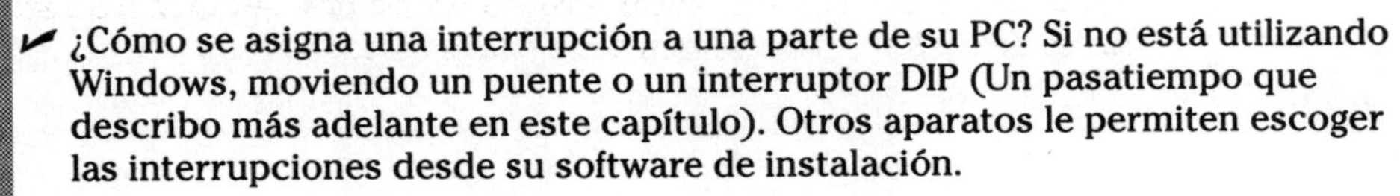
- ¿Cómo se asigna una interrupción a una parte de su PC? Si no está utilizando Windows, moviendo un puente o un interruptor DIP (Un pasatiempo que describo más adelante en este capítulo). Otros aparatos le permiten escoger las interrupciones desde su software de instalación.

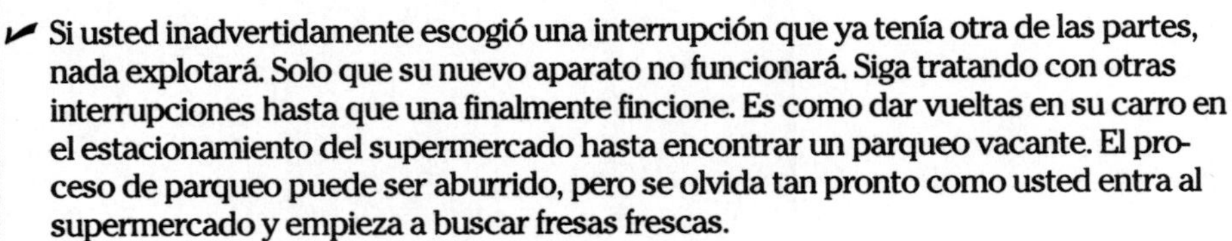
- Si usted inadvertidamente escogió una interrupción que ya tenía otra de las partes, nada explotará. Solo que su nuevo aparato no funcionará. Siga tratando con otras interrupciones hasta que una finalmente fincione. Es como dar vueltas en su carro en el estacionamiento del supermercado hasta encontrar un parqueo vacante. El proceso de parqueo puede ser aburrido, pero se olvida tan pronto como usted entra al supermercado y empieza a buscar fresas frescas.

"¿Quién está Usando las IRQ de mi PC?"

Para saber quién está utilizando las IRQ en su PC, siga estos pasos secretos:

1. **Presione el botón derecho en el icono Mi Computadora y escoja Propiedades.**
2. **Presione la lengüeta del Administrador de Dispositivos y presione dos veces en la palabra Computadora en la parte superior del cuadro.**

   Aparece el cuadro con las Propiedades de la Computadora, el cual enlista las interrupciones de su PC y las partes que las utilizan. Figura 18-1.

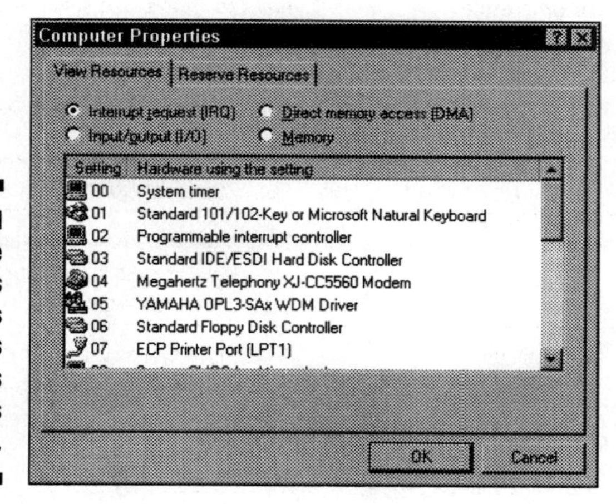

Figura 18-1: El cuadro de Propiedades enlista las interrupciones de la PC y las partes que las utilizan.

- Cuando tenga curiosidad de las interrupciones de su PC, llame la ventana de Propiedades de la Computadora y heche un vistazo de quién usa que.
- De hecho, es bueno ver este cuadro antes de instalar cualquier tarjeta,ya sea de red o de sonido. Estas ocasionalmente querrán que usted les asigne un número IRQ libre.
- ¿Quiere saber todo lo que hay en su PC? Vaya al Capítulo 17 para conocer la forma de utilizar la herramienta de Información del Sistema de Microsoft. O, escoja Propiedades en el botón de Inicio, luego Herramientas del Sistema del área de Accesorios y por último Herramientas del Sistema.

"¿Qué es eso de Porta-IRQ para guiar PCI?"

Cuando abre la ventana de Perfiles de su PC, como se describe en la sección, "¿Quién está utilizando las IRQs de Mi PC?", probablemente detecte las palabras *Porta-IRQ para guiar PCI en el lugar de uno de sus valiosos números* IRQ. ¿Qué significa esto?

Bueno, los dispositivos PCI (las tarjetas descritas en el Capítulo 15) pueden compartir IRQ, donde los antiguos dispositivos ISA no pueden. Entonces, Windows encierra un solo IRQ, lo asigna solo a PCI, y lo guía para satisfacer las necesitades de varias tarjetas PCI Windows también lo usa para Plug and Play. Guiando componentes a usar diferentes IRQ, Windows puede encontrar o crear IRQ vacantes para dispositivos que no usan tecnología Plug and Play

¿El punto? Sus IRQ no son desperdiciados. Su PC los guarda para tarjetas PCI, no para las viejas tarjetas ISA. Esto es algo bueno, a pesar de lo que algunos "útiles" programas de servicios puedan decir.

Dirección y DMA

Algunas partes se vuelven codisiosas. Quieren no solo un IRQ, sino también más cosas raras, como una dirección o *DMA*.

Su computadora asigna una dirección a algunas de sus partes de manera que pueda encontrarla después. No todos los aparatos quieren o necesitan una dirección. Pero algunos recién instalados solicitan su propia dirección y esperan que usted actúe como un erudito en bienes raíces.

Ya que su PC usualmente tiene muchas direciones de repuesto, muchos aparatos simplemente seleccionan una dirección al azar, esperando que nadie más la esté utilizando. Pero si algún otro aparato ya está instalado en esa direción, las dos partes empiezan a pelear y ninguna de las dos funciona.

Lo mismo pasa cuando un aparato recién instalado acapara un canal DMA que otro aparato ya estaba utilizando. Los dos aparatos sencillamente no trabajan.

DMA significa canal de Acceso Directo a Memoria. Pero ¿A quién le importa?

Un canal DMA permite a una parte inyectar información directamente a la memoria de su PC. Por eso es desastrozo si dos partes tratan de inyectar en el mismo lugar.

La solución es cambiar la dirección o DMA de la parte nueva. Usualmente necesita jugar con puentes o interruptores DIP de una tarjeta para logralo.

Pero algunas veces puede cambiar la dirección o el DMA a través del software de instalación del aparato — ni siquiera tendrá que remover la cubierta de su PC.

¿Cuál dirección o DMA debería escoger? Desafortunadamente, lo mejor será el abordaje de prueba y error. Solo pruebe diferentes direcciones o DMA, no toma mucho tiempo en encontrar una que nadie a reclamado.

No puede dañar nada escogiendo inadvertidamente una dirección o DMA ya ocupada. Solo que su aparato no funcionará hasta que no encuentre una dirección o DMA vacantes.

Después de escoger una DMA o dirección, anótela en la primera hoja del manual. Puede que necesite dar esa información a cualquier software que quiera jugar con ese aparato.

Las direcciones de E/S para memoria y las direcciones de E/S para hardware son diferentes. El software (programas de hojas electrónicas, procesadores de palabras, etc.),buscan direcciones en la memoria; el hardware (tarjetas de sonido, escáneres, etc.) busca direcciones de hardware. Los dos tipos de direcciones — memoria y hardware — van por caminos completamente
diferentes.

Windows 95 y Windows 98 le permiten ver quién está usando cada DMA, dándole una pista de los que están disponibles. Para ver cuáles están vacantes, presione el botón derecho en el icono en Mi Computadora, escoja Propiedades y la lengüeta del Adminsitrador de Dispositivos. Ahora, aquí está la parte difícil: Presione dos veces el diminuto icono de computadora de la parte superior de la página. Cuando aparezca la ventana de Propiedades de la Computadora, presione al área DMA (Acceso Directo a Memoria) y aparecerá otra ventana desplegando los DMA actualemente usados.

Mover Puentes e Interruptores DIP

La mayoría de las personas se comunican con la computadora por medio del taclado. Pero algunas veces necesita probar más afondo la personalidad de su PC — especialmente cuando no está utilizando un dispositivo Plug and Play. Para comunicarse con su computadora necesita mover puentes e interruptores DIP. Moviendo estas cositas puede decir a las partes de su PC que se comporten de diferentes maneras.

Puede mover fácilmente los puentes o interruptores DIP de un aparato. Todo lo que necesita es el manual de la parte y una lupa. Estos interruptores son diminutos.

Mover puentes

Un puente es una caja pequeña que se desliza dentro o fuera de pequeños pines. Moviendo las pequeñas cajas a diferentes juegos de pines, instruye a la parte de la computadora para actuar de diferentes maneras.

El manual de la parte le indica con cuáles pines jugar. Los pines mismos tienen pequeñas etiquetas junto a ellos, dándole la oportunidad de encontrar los correctos.

Por ejemplo, ¿ve los números y letras pequeñas junto a los pines de la Figura 18-2? La caja del puente es colocada en los dos pines marcados *J1*. Eso significa que el puente esta ajustado a J1.

Si el manual indica que ajuste el puente a *J2*, saque la pequeña caja de los pines J1 y deslícela a los pines marcados *J2*. Entonces los pines se verán como los de la Figura 18-3.

Rápido y fácil. De hecho, era muy fácil para los diseñadores de PC, así que complicaron el asunto. Algunos puentes no utilizan pares de pines, en cambio, utilizan una sola fila de pines en línea directa, como lo muestra la Figura 18-4.

En la Figura 18-4, el puente está ajustado entre los pines 1 y 2. Si el manual le indica mover el puente a los pines 2 y 3, saque el puente de los pines 1 y 2 y deslícelo en los pines 2 y 3, como en la Figura 18-5.

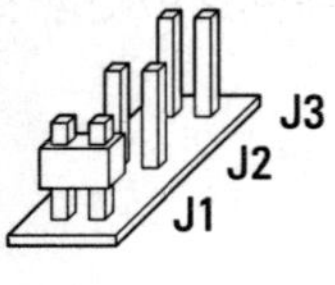

Figura 18-2: Este puente está ajustado a J1.

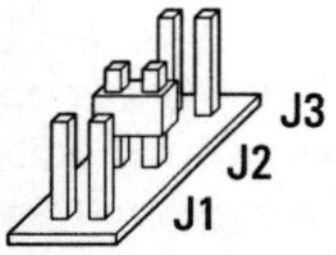

Figura 18-3: Puente ajustado a J2.

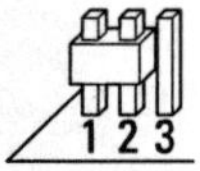

Figura 18-4: Puente ajustado entre los pines 1 y 2.

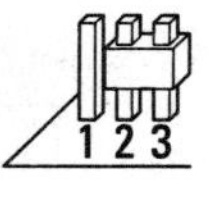

Figura 18-5: Puente ajustado entre los pines 2 y 3.

Moviendo la cajita de pin a pin, puede hacer que el aparato utilice diferentes configuraciones. Es como la palanca de una caja de cambios.

- La parte más difícil de mover puentes es tomar la cajita diminuta para poder moverla. Unas pinzas o alicate de punta fina pueden ayudar.
- ¿Se le cayó la cajita dentro de su PC? la última sección del capítulo 2 ofrece trucos para recuperar artículos perdidos.

Si el manual indica que debe remover un puente, ¡no lo haga! Si lo desliza fuera de los pines, puede perderlo para siempre. En cambio, deje la cajita colgada de un solo pin, como en la Figura 18-6. La computadora pensará que lo ha retirado. Y como el puente sigue ahí, puede serle útil en el futuro.

- Cuando el puente está sobre un par de pines, ese circuito del puente es considerado cerrado. Si la caja es retirada, ese puente es llamado abierto.
- Algunas veces un puente viene con alambres adjuntos. Por ejemplo, los cables del botón de reinicio de su PC probablemente se conecten a pines pegados en su tarjeta madre, como en la Figura 18-7. Puede retirar los alambres igual que los puentes.

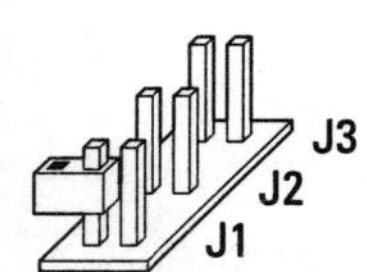

Figura 18-6: Si se le indica retirar un puente, solo déjelo colgando de un solo pin.

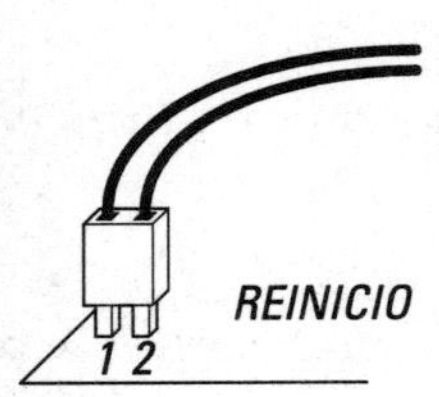

Figura 18-7: Pequeños alambres conectados a este puente.

¿No sabe cuál alambre conectar a cuál pin? Busque los números pequeños en la base de los pines. El alambre rojo siempre se conecta al pin #1.

- Si no tiene el manual, ¿Cómo saber cuál puente se relaciona a cada configuración? No lo sabrá. Tiene tres ociones: Llamar al fabricante de la parte y solicitar un manual, indagar si la tienda tiene un manual por ahí o seguir moviendo los puentes hasta que se tropiece con la combinación correcta.

Mover un interruptor DIP

La primera PC no tenía teclado. Sus dueños andaban de arriba a abajo moviendo docenas de interruptores diminutos en la parte delantera de la cubierta de la computadora. Claro que todo esto tomaba muchísimo tiempo, pero bueno, ellos fueron pioneros.

Los dueños de PCs todavía tienen que mover pequeños puentes pero no tan frecuentemente. ¡Y gracias a Dios! Los pocos interruptores que quedan son de tamaño microscópico. De hecho, son muy pequeños para moverlos con sus dedos. Necesita un sujetapapeles o un lapicero de punta fina para moverlos.

Estos interruptores se llaman interruptores DIP. La Figura 18-8 muestra algunas variedades de interruptores.

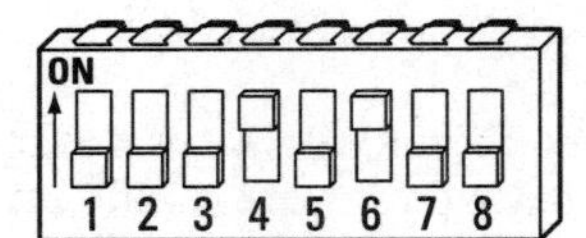

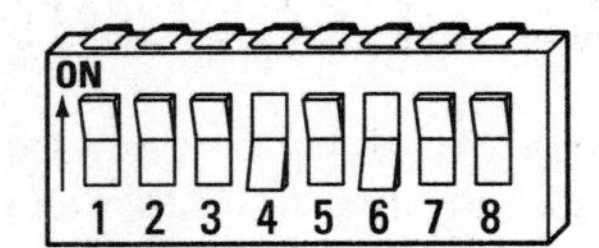

Figura 18-8: El interruptor DIP de la izquierda tiene controles deslizantes; el de la derecha tiene controles de balancín.

¿Ve los números junto a cada interruptor? ¿ve como un lado del interruptor dice ON? Cuando presiona o cambia un interruptor a ON, enciende ese interruptor numerado.

En la Figura 18-8, ambos interruptores DIP muestran los interruptores números 4 y 6 encendidos. Todos los demás están apagados.

- Los interruptores DIP están desapareciendo lentamente, a favor de los puentes. Algunas de las tarjetas y tarjetas madre más recientes le permiten controlar todas las configuraciones utilizando su software. El proceso es igual de molesto, pero por lo menos no necesita una lupa.

  Antes de mover cualquier interruptor DIP, dibuje la forma en la que estaban ajustados. Si algo terrible pasara, usted puede colocarlos en la misma posición en la que estaban.

- El interruptor de la izquierda, en la Figura 18-8, tiene controles deslizantes. Usted desliza el interruptor a la posición de Encendido o Apagdo del que está numerado.
- El interruptor DIP de la derecha, en la Figura 18-8, tiene controles de balancín. Usted presiona el control de ese interruptor numerado a la posición de Encendido o Apagado.

  Siéntase en libertad de cambiar interruptores DIP con la punta de un lapicero, pero no use un lápiz. La punta del lápiz puede quebrarse y atascar el interruptor.

- Algunos fabricantes creyeron que los interruptores etiquetados eran demasiado fáciles para los usuarios. Así que quitaron las letras y dejaron solo unas flechas en los bordes del interruptor. Solo recuerde que la flecha apunta a la posición de Encendido.
- Para confundir más las cosas, algunos fabricantes usan la palabra Abierto en lugar de Apagado y Cerrado en lugar de Encendido.
- Y algunos otros fabricantes usan un 1 para Encendido y un 0 para Apagado.

Nadie necesita saber que el DIP en los Interruptores DIP son las siglas en inglés de Paquete Dual En línea.

Navegando el Océano de CMOS

La memoria CMOS de su computadora (Semiconductor Complementario de Óxido Metálico) es como una calcomanía en la ventana de un carro nuevo. Enlista los accesorios más importantes de la máquina.

Pero, en lugar de enlistar accesorios como aire acondicionado y bolsa de aire en al asiento del conductor, el CMOS (pronunciado SI-mos), mantiene registro de la mayoría de los detalles de la PC: el tamaño de su disco duro, el tamaño de su unidad de disco flexible, cuanta memoria puede comprar, etc.

Una PC vieja y una computadora XT no tienen CMOS. Ellas mantienen registro de lo que hay dentro de la PC observando la forma en que los interruptores DIP y los puentes están ajustados en la tarjeta madre.

Un CMOS provee un sistema mucho más conveniente. Puede actualizarlo digitando la información. Eso es mucho más rápido que adivinar cual interruptor DIP mover después de instalar memoria extra.

El CMOS le indica a su PC como comportarse y es por esto que puede ser peligroso. Si lo configura mal, su PC se comportará incorrectamente. Siempre cambie una sola configuración a la vez, anote el cambio y luego asegúrese de que su PC funcione bien después del cambio.

- El CMOS de su PC recuerda todas las cosas aun cuando la computadora está apagada o desconectada. Una batería pequeña dentro de la PC mantiene la información respaldada en un chip minúsculo.
- Si esa batería expira, la información de su CMOS desparece, dándole a su PC un terrible caso de amnesia. Cuando enciende la PC, esta no recuerda la fecha ni la hora. Las PC construidas antes de 1995 ni siquiera recuerdan que tienen un disco duro (Por cierto, en el Capítulo 10 encontrará información sobre cómo cambiar una batería).
- Puede que necesite actualizar su CMOS cuando cambie la batería de su PC o cuando agregue una unidad de disco nueva (de disco flexible o disco duro) a una computadora vieja.

"¿Cómo cambio Mi CMOS?"

Por supuesto, sería muy fácil si pudiera utilizar el mismo método para actualizar la memoria CMOS en todas las PCs; pero casi todos los fabricantes utilizan un estilo diferente.

Tiene que descubrir el código de acceso secreto que utiliza su CMOS. Aunque las diferentes marcas de PCs usan códigos diferentes, los siguentes párrafos proveen algunos de los más comunes. Intente con todos antes de buscar el manual de la tarjeta madre (El código usualmente es incluido en el manual bajo BIOS).

Cuando reinicie su PC, busque palabras como las siguientes:

```
Press <DEL> If you want to run SETUP or DIAGS
Press <F2> To Enter SETUP
Press <Ctrl><Alt> <Esc> for SETUP
Press <Ctrl><Alt> <Ins> for SETUP
Press <Ctrl><Alt> <S> for SETUP
```

Si ve mensajes como este que menciona SETUP, conforme la computadora vuelve a la vida, siga las instrucciones rápidamente, antes de que el mensaje desaparezca. Si es lo suficientemente rápido, estará adentro: Su PC lleva su lista maestra de partes y configuraciones a la pantalla. Es una aburrida pantalla de texto contra un fondo sólido y es diferente para casi cada PC.

Si nunguno de estos trucos funciona, es tiempo de tomar el manual de su PC o la tarjeta madre. Tal vez la página Web del fabricante también ayude.

¿Ya tiene el CMOS en la pantalla? La siguiente lista cubre cosas que tal vez necesite cambiar:

Aunque la mayoría de las PC nuevas reconocen automáticamente sus componentes y reinician los datos del CMOS correspondientemente, no hace daño tener una copia de las configuraciones de este. Cuando usted ingrese al área de Configuración de su CMOS, encienda su impresora y presione la tecla PrtScrn. Este paso enviará una copia de su pantalla actual a la impresora, facilitándole una copia escrita de las configuraciones.

Hora/Fecha: ya que su CMOS tiene una batería de respaldo constante, este es un lugar conveniente para mantener registro de la hora y fecha actuales. Aquí puede cambiarlas o puede hacerlo simplemente digitando **HORA** o **FECHA en** `C:\>`. Si ha cambiado la batería de su PC, tiene que reingresar la hora y fecha en su CMOS.

Discos Duros: Si tiene suerte, podrá encontrar un número de Tipo para su disco duro en alguna parte del manual. Ponga el número — que usualmente es entre 1 y 47 — en el área del Tipo de su disco duro dentro del CMOS.

¿No puede encontrar un número de Tipo? Bueno, si está utilizando una unidad IDE, trate utilizando el número de Tipo de cualquier unidad que se acerque, pero que no soprepase la capacidad de su disco duro. ¿No está utilizando una unidad IDE ? Windows puede reconocer algunas unidades, y por suerte, la mayoría de los discos duros vienen con software de instalación.

Memoria: Su CMOS ocasionalmente necesita saber cuando se ha agregado más memoria, pero esta tarea es muy sencilla. De hecho, su PC automáticamente cuenta toda la memoria disponible cada vez que la enciende o la reinicia. Si el total de su PC no es igual al total almacenado en su CMOS, su PC se confunde y envía un mensaje de error a la pantalla y pide que se actualice el CMOS a través del proceso de configuración.

Usted solo debe llamar a la configuración de su CMOS y confirmar que Sí, la computadora contó el total de la memoria correctamente — ¡los números no son iguales porque usted instaló más chips de memoria! Algunas veces, el CMOS ya refleja la cuenta nueva de su PC; usted solo tiene que salvar el nuevo total y abandonar la pantalla del CMOS.

Tarjeta madre: Cuando compra una nueva tarjeta madre, usted trata con un CMOS diferente. Revise el manual de la tarjeta madre e ingrese las configuraciones correspondientemente.

Algunas de las tarjetas madre más recientes tienen varias páginas de configuraciones avanzadas que están más allá de la autoridad de este sencillo libro. Sin embargo, asegúrese de encender cualquier memoria caché. Su PC correrá más rápido. Si está buscando velocidad, trate de encender algunas de las ROM de sombra; si se mete en problemas, cambie las configuraciones otra vez. Es importante hacer un cambio a la vez, de manera que pueda identificar al culpable en caso de que su PC se congele después de algún cambio. Solo vuelva a pagar esa ROM de sombra y todo estará bien.

Después de cambiar las configuraciones CMOS, busque el menú que salve sus cambios. Si no le especifica a su CMOS que debe salvar los cambios, todo su trabajo se irá por la borda.

Parte V

Las diez Mejores

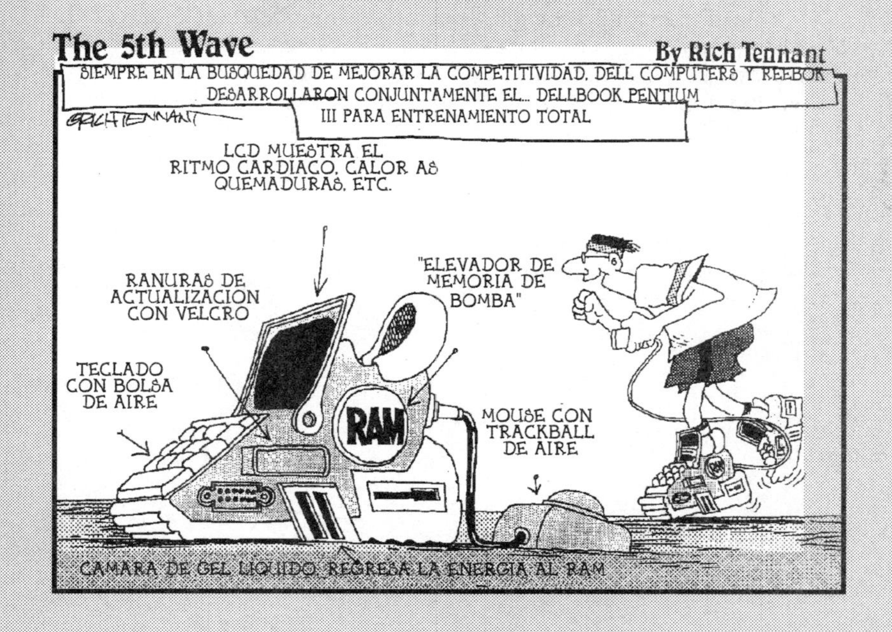

En esta parte . . .

Aquellos de ustedes con agudos ojos, notarán algo de inmediato: Algunas de las listas en esta sección no contienen diez ítemes. La mayoría tiene unos más o unos menos.

Pero, para cuando la mayoría de las personas llegan a esta parte, están demasiado cansadas para contar. De hecho, estas listas no están numeradas. Son solo un puñado de hechos lanzados a una canasta.

Así que cuando lea estas listas, recuerde que lo que importa es la calidad, no la cantidad. Además, ¿le gustaría leer un consejo sobre algún 8255 PPI (U20) inventado, solo porque la lista necesita un décimo elemento?

Capítulo 19

Diez Reparaciones Baratas que Debe Intentar Primero

En este capítulo

- Asegurarse de que la computadora esté conectada.
- Apagar y prender la computadora
- Remover disquetes ante de reiniciar la computadora
- Revisar sobrecalentamientos
- Reiniciar con un disco de sistema
- Reiniciar tarjetas, chips y conectores
- Limpiar los conectores de las tarjetas con un borrador de lápiz
- Instalar una fuente de poder nueva
- Desfragmentar el disco duro

Antes de gastar dinero en la tienda de cómputo, trate estas reparaciones baratas en su computadora. Puede que tenga suerte. Si no, relájese y visite el Capítulo 14, donde encontrará más trucos de sistemas.

Conéctese

Sí, ya sé que suena tonto. Pero a los expertos de la industria se les paga buen dinero para decir que los equipos desconectados son la mayor causa del "mal funcionamiento de los componentes eléctricos". Revise el cable de poder de su PC en dos lugares: puede salirse no solo del enchufe de pared sino también de la parte de atrás de su computadora.

Algunas veces al estirar las piernas para bostezar puede inadvertidamente aflojar el cable de la pared. Reacomodar la computadora en el escritorio casi siempre afloja cables que no están atornillados firmemente a la parte trasera de su PC.

¡Ah sí! ¿La máquina está encendida, verdad? (Por cierto, esa es la causa principal del mal funcionamiento de la impresora).

Apague la Computadora, Espere 30 Segundos y Enciéndala de Nuevo

Algunas veces la computadora se confunde sin razón aparente. Si su computadora cae en el olvido, sin regreso a la vista, trate presionando la barra espaciadora una cuantas veces. Trate presionando ESC o presione y sostenga las Ctrl y Esc. Una de mis laptops se despierta solo si presiono una de las teclas de cursor.

¿Aun no regresa? ¡Entonces es hora de jugar rudo! Los siguientes pasos pueden causar que pierda algún trabajo que no ha sido salvado en un disquete o en el disco duro.

- Trate reiniciando su computadora: Presione las teclas Ctrl, Alt y Del simultáneamente. Algunas veces eso es suficiente para despertar a Windows, después, ofrece una oportunidad para olfatear el programa conflictivo.
- Si la computadora sigue comportándose como un cubo de hielo, diríjase al siguiente nivel: Presione el botón de reinicio.
- Si aun así la computadora continúa contando canicas en algún parque de juegos virtual, apáguela. Luego espere 30 segundos (Esta parte de los 30 segundos es importante). Finalmente, enciéndala y vea si regresa de mejor humor.

Podría sorprenderse de todo lo bueno que pueden lograr unas vacaciones de 30 segundos.

Retire el Disquete y Luego Encienda la Computadora

¿Le ha dado la bienvenida su computadora con un mensaje como este?:

```
Non-System disk or disk error
Replace and press any key when ready
```

Puede que haya recibido ese mensaje porque dejó un disquete en la unidad A, el cual esta confundiendo el proceso de inicio de la computadora.

Retire el disquete y como dice el mensaje "presione cualquier tecla para continuar". Presionando la barra espaciadora logra este truco. Su computadora regresa a la vida.

Revise el Sobrecalentamiento

A nadie le gusta trabajar cuando hace demasiado calor y su computadora no es la excepción. Ella usualmente trabaja desnuda, pero después de algunos meses se viste con una gruesa capa de polvo.

Su primer paso es buscar la salida del abanico en la parte trasera de la PC. ¿Ve todo ese polvo? Límpielo con un trozo de tela con cuidado de que no caiga dentro de la cubierta de la computadora.

Segundo, busque las rejillas de salida del abanico del frente y los lados de la cubierta de la PC. Aunque el abanico de la fuente de poder crea una corriente de aire, este es en realidad succionado por estos pequeños agujeros y a través de las compuertas de su unidad de disco flexible. Si estas rejillas están obstruidas, muy poco aire se mueve por los componentes para enfriarlos.

No quite el polvo soplándolo. Las partículas microscópicas de su saliva en su aliento pueden causar problemas a los componentes internos de su computadora sensibles a la humedad.

Para mejores resultados, compre un recipiente de aire comprimido en la tienda de cómputo, retire la cubierta de su computadora y remueva el polvo de las entrañas cada dos meses, poniendo especial atención a las rejillas y grietas.

Entre más partes y periféricos agregue a su computadora, más caliente se pondrá. Asegúrese de mantener las rejillas y conductos del abanico limpios.

No pegue tarjetas o papelitos al frente a la cubierta de su computadora. Eso puede bloquear los conductos de aire de la PC, que frecuentemente son camuflados como aristas de vanguardia en la parte frontal de la cubierta de su PC. Cuando el aire no puede circular dentro de su computadora, esta se calienta demasiado rápido.

No mantenga su PC presionada contra la pared. Necesita espacio para respirar, de manera que su abanico pueda soplar todo el aire caliente de adentro de su PC hacia afuera.

Reinicie con un Disquete de Sistema

Algunas veces una computadora se rehusa a hacer algo más que despertarse: puede escuchar al abanico dentro, pero la PC no tiene información suficiente de su disco duro como para sacarla de la cama.

Si su PC tiene problemas para cargar Windows (o DOS para los viejitos), saque su disco de sistema.

Los discos de sistemas, como se describe en la Capítulo 2, solo contienen los "bare-bones" básicos requeridos para correr su PC. Algunas veces esto es todo lo que usted necesita para corregir el malestar de su computadora. O por lo menos, proveen ayuda a algún gurú de la computación amigo suyo que revise su sistema caído, quien no podrá hacer nada sin uno de estos discos.

Después de hacer el disco de sistema como se describe en el Capítulo 2, ponga el disquete en la unida A y reinicie la computadora. Windows aparece en la pantalla de forma esquelética, permitiéndole cambiar sus configuraciones hasta que repare al causante del desorden. Cuando usted o su amigo han reparado todo, remueva el disquete de la unidad y reinicie su computadora para que todo vuelva a la normalidad.

Reinicie Tarjetas, Chips y Conectores

Cuando su computadora ha estado corriendo por un rato, se calienta y se expande. Cuando la apaga, esta se enfría y se contrae. Este constante expandir y contraer puede jugarle trucos sutiles a los componentes internos de su computadora. Específicamente, puede hacer que estos componentes se deslicen fuera de sus compartimentos.

Si su computadora actúa extraño, apáguela, retire la cubierta y presione suavemente todas las tarjetas en sus ranuras. Haga lo mismo con los chips de memoria. Eso puede corregir errores de memoria. Mientras está ahí, asegúrese de que todos los cables internos estén bien enchufados a sus conectores.

Este paso elimina algunos problemas inminentes, especialmente los que aparecen después de que la computadora ha estado prendida por un rato.

Limpie los Conectores de la Tarjetas con un Borrador de Lápiz

Si su computadora continúa actuando extraño, aun después de presionar un poco más las tarjetas en sus ranuras, trate lo siguiente:

1. **Apague su PC, desconéctela y remueva la cubierta.**

   Si nunca a hurgado en las partes internas de su computadora, revise la Referencia Rápida, al inicio de este libro, la cual ofrece trucos para remover cubiertas.

2. **Destornille una de las tarjetas y retire cualquier cable.**

En el Capítulo 15 encontrará instrucciones completas. Básicamente, necesita retirar un pequeño tornillo en la parte superior que sostiene la tarjeta en su lugar. Luego destornille o saque los cables conectados a la tarjeta.

3. **Retire la tarjeta de su ranura y limpie sus contactos.**

   Saque la tarjeta totalmente de su ranura, siendo cuidadoso de no dañar algunas de las partes electrónicas colgando de ella. Manipule las tarjetas por sus bordes, con las manos limpias.

   Ahora, ¿ve los conectores de cobre coloreados en la cejilla de la tarjeta que va dentro de la ranura? Tome un borrador de lápiz y cuidadosamente frótelo contra la cejilla hasta que estos se vean resplandecientes.

   Tenga cuidado de no doblar la tarjeta mientas limpia los contactos, ya que podría dañarla.

4. **Coloque la tarjeta y los cables de nuevo en su lugar. Luego repita el proceso con la siguiente tarjeta.**

   Removiendo la corrosión de las tarjetas, permite que su computadora se comunique con ellas más eficientemente.

   Asegúrese de atornillar las tarjetas de nuevo. Ese tornillo provee una conexión eléctrica entre la tarjeta y la computadora.

Instalar una Fuente de Poder Nueva

Cuando las computadoras viejas se niegan a encender y a hacer algo, probablemente se deba a que la fuente de poder expiró.

Las fuentes de poder se han hecho cada vez más confiables en los últimos años. Aun así, asegúrese de remplazar la fuente de poder, la cual cuesta menos de $100, antes de pensar en remplazar la tarjeta madre, la cual siempre cuesta más de $100.

El Capítulo 14 provee instrucciones detalladas de como cambiar una fuente de poder.

Corra los Programas ScanDisk y Desfragmentar

Windows 95 y Windows 98 vienen con una gama de programas diseñados para mantener a Windows corriendo libre de problemas. Cada cierto tiempo — o de inmediato en caso de que Windows empiece a dar problemas — abra Mi Computadora, presione el botón derecho del mouse en el icono del disco duro y escoja Propiedades en el menú que aparece. Desde ahí, presione la lengüeta de Herramientas para llegar a los ítemes.

Presione el botón de Revisar Ahora en la casilla del estado de la revisión de errores y luego corra el programa ScanDisk o programa de revisión de errores, en todas sus unidades (Use la configuración Estándar).

Luego, presione al botón de Desfragmentar Ahora, en la misma lengüeta de Herramientas y corra el programa de Desfragmentación en todos sus discos duros.

Si su computadora deja de correr durante la desfragmentación, probablemente sea porque hay demasiados programas corriendo a la vez. Primero, espere 10 minutos para ver si el programa vuelve a la vida. La cura más fácil es reiniciar Windows y presionar la tecla F8 antes de que Windows aparezca en pantalla. Escoja Modo Seguro del menú y corra el programa de desfragmentación. Cuando termine de desfragmentar todas las unidades, reinicie la computadora normalmente.

Los usuarios de Windows deberían revisar el Capítulo 17, donde encontrarán trucos para el uso de programas incorporados de cómputo — especialmente los instrumentos de precisión incluidos en Windows 98.

Capítulo 20

Las Diez Actualizaciones Más Difíciles

En este capítulo

- Actualizar computadoras anteriores a la 486
- Reparar escáneres e impresoras
- Colocar una tarjeta madre
- Agregar más memoria
- Conectar a la red

Todos queremos ahorrar dinero evitando llevar la computadora al taller. Pero, ¿cómo saber cuáles trabajos de reparación se pueden hacer en la mesa de su comedor y cuáles requieren la experiencia de los técnicos que trabajan en ambientes esterilizados, tomando café en tazas de Batman mientras sostienen aparatos costosos con alambres rizados?

Regrese a este capítulo cada vez que trate de decidir si debe tomar el destornillador o pasar la batuta a alguien más.

Actualizar Computadoras Viejas como la 486

Olvídese de tratar de actualizar su AT, XT 386 o 486. Aun si invierte las sumas requeridas para llevar estas máquinas a condiciones óptimas de funcionamiento, no podrán correr la mayoría de los programas de hoy. Claro, algunas reparaciones descritas en este libro se pueden aplicar. Pero usted pierde mucho dinero tratando de mantener a su vieja máquina funcionando.

De hecho, la mayoría de las 486 deberían ser lanzadas a la pila de donaciones a la caridad este año, ya que han alcanzado este mismo nivel. Windows 98 corre solo en Pentiums o en computadoras 486DX de 66 MHz. Trate de correr Windows 98 en cualquier otra cosa y verá lo difícil que será el proceso de instalación.

Finalmente, una 486 actualizada no viene ni con garantía ni mucho menos programas recientes de computo, lo que significa que no tendrá Windows o ningún otro programa reciente.

Pero, si sencillamente no puede juntar suficiente dinero para una Pentium nueva, aquí hay algunas formas de mantener una 486 funcionando por algún tiempo más:

- Primero, si la 486 no tiene más de 8MB de RAM, compre (MB adicionales para un notable cambio en la velocidad. Agregar otros 16MB probablemente no la hagan super veloz, pero ayudará si usted corre varios programas simultáneamente.

DATOS HISTÓRICOS

- Sin embargo, si compra RAM para una 486, asegúrese de estar comprando el estilo correcto. Esas 486 viejitas frecuentemente utilizan módulos de 30 pines en lugar de los SIMMs de 72 pines de hoy. Para estar seguros, lleve los módulos viejos al taller y anote el número de ranuras que tiene para trabajar.
- Considere un chip de actualización de CPU. Pero recuerde que los fabricantes se han abocado en su mayoría a actualizaciones para Pentium, no 486s. Su mejor posibilidad son las casas de subastas por Internet, como www.ebay.com. Un vistazo rápido reveló 8 actualizaciones de CPU de 486 a Pentium, cuyo costo era de $8 a $40.

- Aun después de actualizar la CPU y la memoria, necesitará más poder para las aplicaciones actuales. Agregue un disco duro grande y una unidad de CD-ROM a su lista. También es mejor actualizar el BIOS o no será capaz de manejar ese disco duro más grande.
- Si dona su 486 y compra una Pentium, primero retire la tarjeta de vídeo y conserve el monitor. Luego, conecte estos ítemes a su nueva Pentium. Recuerde que Windows 98 puede expandir su escritorio con dos o más monitores, dándole más espacio para trabajar.

Reparar Escáneres e Impresoras

Estos sensitivos aparatos tienen muchos tornillos y alambres. Igual que con su televisor, cámara de vídeo o aspiradora, lleve los escáneres e impresoras al taller — especialmente el escáner (Con la impresora, por lo menos puede intentar algunas de la reparaciones del Capítulo 9).

Remplazar la Tarjeta Madre

Conceptualmente, remplazar una tarjeta madre no es muy difícil. Lo que hace es destornillar una parte y atornillar una parte nueva en su lugar. El problema viene con todas las cosas que están adheridas a la tarjeta madre.

Remplazar la tarjeta madre es como cambiar los estantes de un armario. El proyecto suena simple al principio: Solo saque la tabla larga hundida sobre las camisas y cámbiela por una tabla nueva más elegante. Desafortunadamente, tiene que sacar todo lo que está en el armario — todas las camisas, ganchos y todos los libros viejos deben bajarse del estante viejo. Después, cuando unas cuantas tablas se hayan colocado, todo eso que sacó debe volver a entrar al armario. Y si actualizó los estantes, todo eso irá en lugares diferentes.

Además, las tarjetas madre cambian su tamaño, conforme evolucionan con los años. La nueva tarjeta probablemente no calce en la computadora vieja.

Cuando cambie la tarjeta madre de su computadora, simplemente atorníllela con los mismo tornillos con que estaba sostenida la otra. Pero todos los alambres se enchufan a conectores sutilmente diferentes. También tiene que mover interruptores DIP y puentes. Y ¿dónde es que se conecta el cable de los parlantes? ¿y el cable del botón de reinicio?

Luego tiene que poner todas la tarjetas de nuevo en sus ranuras, con todos los cables correctamente conectados en la partes posterior de ellas. Finalmente, tiene que llenar un nuevo CMOS — la lista maestra de inventario de su computadora. Probablemente contenga palabras nuevas actualizadas, como Opción Fast Gate A20.

Remplazar una tarjeta madre no es para los remilgados. A menos que usted tenga demasiada paciencia, deje este trabajo a los profesionales.

Cuando compre un segundo disco duro, asegúrese de que el vendedor le permita regresarlo para rembolso de su dinero en caso de que no sea compatible con su primer disco duro.

Agregar Memoria a una Tarjeta Madre Vieja

Algunas veces un golpe de buena suerte lo recibe cuando abre la cubierta de su computadora y mira la tarjeta madre: Encuentra algunos enchufes vacíos listos para aceptar nuevos chips de memoria. Otras veces usted es decepcionado – los enchufes de memoria están llenos de chips.

Aun puede agregar más memoria, eso no es lo decepcionante. Lo decepcionante es que ahora este plan cuesta más dinero. No puede solo meter más chips de memoria ahí como si nada. Ahora necesita sacar algunos de los chips existentes, lo que causará que pierda alguna memoria durante el proceso, lo que significa que tendrá que comprar una cantidad

extra de memoria para reponer la perdida.

¿La solución? Saque todos los chips de memoria y remplácelos con chips de capacidad superior del mismo tipo y tamaño.

Sí, este proceso actualiza su computadora y Windows corre mucho más rápido. Pero tiene su mano llena de chips extra sin un lugar donde ponerlos. Si tiene suerte, el vendedor de la tienda le permitirá cambiar sus chips viejos por descuentos en la compra de los nuevos. De lo contrario, debe hacer lo que hace todo el mundo: póngalos en una bolsa plástica y guárdelos en una gaveta.

O, véndalos en la casa de subastas por Internet, eBay, en www.ebay.com.

Si el vendedor no le recibe sus chips viejos, pregúntele si puede venderle un convertidor, que es una tarjeta del tamaño de un chip de memoria que se conecta a una ranura de memoria y le permite conectar un par de chips de memoria extra al mismo. Conectando cuatro chips de 4MB en un convertidor, usted crea un chip de 16 MB (Algunos convertidores hasta le permiten utilizar chips viejos en enchufes nuevos y viceversa).

Conectar Computadoras en Red

Actualizar computadoras conectándolas a una red ha causado mucho dolor y consternación todos estos años, especialmente a todos aquellos trabajadores que han sido simultáneamente abandonados sin ayuda cuando el servidor de la red se cae.

Instalar una red no es un trabajo para un novato, por lo que este tema no se toca en este libro. Básicamente, instalar una red involucra colocar tarjetas en cada computadora y luego enlazarlas en formas peculiares con cables. Después de que el hardware es colocado, el software corre en el fondo constantemente, de manera que las computadoras pueden comunicarse entre sí.

Para que tenga idea de si quiere o no enredarse en esto, pase por la librería para que hojee el libro Windows 98 Para Dummies, publicado por IDG Books Worldwide, Inc. (Asegúrese de que sea la "Segunda Edición"). Después de leer algunas secciones, deberá tener idea del nivel de conocimientos de cómputo que esto requiere.

Capítulo 21

Las Diez Actualizaciones Más Fáciles

En este capítulo

- Teclados
- Mouse
- Tarjetas
- Monitores
- Unidades de Disco Flexible
- Fuentes de poder
- Trucos Generales

Algunas de las actualizaciones de carros más efectivas son las más fáciles. Usted puede simplemente colgar un dado del espejo retrovisor, por ejemplo. Se ve bien, es barato y no tiene que leer un complicado manual para descubrir de cual lado se cuelga el dado.

Pocas actualizaciones de computadoras son tan fáciles. Aquí están recopiladas y enlistadas para el placer de actualizar.

Agregar un Teclado

Hasta ahora, la parte de computadora más fácil de actualizar o remplazar es el teclado. Solo cierre Windows, apague la computadora, desconecte el cable del teclado de la parte de atrás de su PC y lleve ese teclado viejo, manchado de café, a la tienda. Compre otro teclado, conéctelo a la parte de atrás de su PC, encienda su computadora y siga digitando. Siendo cuidadoso de mantener el café alejado de este teclado.

Necesita asegurarse de que los enchufes al final de los cables calcen. El número de teclas también debe ser el mismo. Si su teclado viejo era de 101 teclas, el nuevo debe tener por lo menos 101 teclas. Dije "por lo menos" porque muchos de los teclados más nuevos tienen teclas especiales para Windows, llegando hasta el número de 104 teclas o más. El vendedor puede saber a simple vista el tipo de teclado que necesita, así que no se preocupe por contar las teclas.

Esas teclas especiales para Windows en realidad no hacen nada especial. Por ejemplo, presionar la tecla con el icono de Windows solo hace aparecer el menú de Inicio. Presionar el botón de Inicio con el mouse hace exactamente lo mismo. O solo presione y sostenga las teclas Ctrl y Esc. De hecho, la tecla Windows tiende a estorbar, cuando accidentalmente la presiona y surge el menú de Inicio.

Asegúrese de revisar el funcionamiento de esos ergonómicos teclados doblados (Vea si esa elegancia vale el dinero extra). Además, si está acostumbrado a teclados silenciosos, asegúrese de no elegir el que le silbe o le chille todo el día.

Si su PC es particularmente vieja, el vendedor también puede venderle un pequeño convertidor que le permite conectar su teclado nuevo en la PC vieja.

A diferencia de otras actualizaciones, agregar un teclado no requiere jugar con ningún software, herramientas o archivos. Solo conéctelo y juegue. Y lea el Capítulo 5 para información extra acerca de teclados — tal vez pueda reparar el teclado viejo en lugar de comprar uno nuevo.

Agregar un Mouse

Agregar un mouse puede ser algo truculento, pero generalmente es muy simple.

Usted tiene un puerto para mouse en la parte de atrás de su PC (Refiéras al Capítulo 3, donde hay un dibujo del puerto de mouse; usted probablemente tenga el estilo PS/2). Enchufe el mouse al puerto y corra el programa de instalación (Algunos no vienen con programa de instalación. Windows los reconoce y los instala de inmediato). Con una actualización de mouse nunca tiene que abrir la cubierta de su PC y correr el riesgo de dejar salir las serpientes.

Para cambiar un mouse, cierre Windows y apague la PC. Luego desconecte el mouse muerto, llévelo a la tienda y compre otro igual. Conéctelo en el mismo lugar del anterior y eso es todo. Los pasos completos los encontrará en el Capítulo 6.

¿No puede encontrar un mouse con el mismo tamaño de conectores al final de su cola? Pregunte al vendedor por un convertidor. Este se conecta al final de la cola del mouse, permitiéndole ser conectado al enchufe.

Agregar Tarjetas

Agregar tarjetas suena aterrador, ya que tiene que remover la cubierta de la PC. Luego debe descifrar el vocabulario de "adentro de la cubierta", que incluye palabras como ranura, 8-bit, 16-bit, ISA, PCI y AGP.

Pero por lo demás, instalar una tarjeta es muy simple. Físicamente, es como poner una tarjeta de crédito en la ranura del cajero automático. Eso y aflojar un solo tornillito es todo el procedimiento.

La mayoría de la tarjetas están diseñadas para trabajar con una amplia variedad de computadoras de diferentes fabricantes. Primero, abra la cubierta de la PC y revise que tipo de ranura está disponible (Podría tener que revisar el manual de su PC. Si no ayuda, refiérase al Capítulo 3 para una ilustración guía).

Luego escoja el tipo de tarjeta que calza en la ranura. Una PCI es lo más seguro.

A menos que su PC sea demasiado vieja y se configure de forma diferente a la mayoría, la tarjeta recién instalada probablemente funcione bien de inmediato. Windows reconocerá la tarjeta y la configurará para que se lleve bien con el resto de sus partes.

Si Windows tira la toalla, vaya al Capítulo 18 para descifrar lo que quiere decir el manual de la tarjeta cuando indica "ajustar los interruptores DIP 2, 4 y 5 a Encendido" y "ajustar puentes a J2 y J4".

Esto es mucho más fácil de lo que suena.

Remplazar un Monitor

Agregar un monitor es otra de las actualizaciones sencillas, siempre y cuando entienda un punto clave: Los monitores trabajan en pares con tarjetas de vídeo. Estas son las cosas que hay dentro de su PC y ofrecen al monitor un lugar para conectarse.

Su tarjeta de vídeo es responsable de crear una imagen y sacarla a la luz pública. El monitor solo toma esa imagen y la coloca en la pantalla para que usted la muestre a sus amigos. Si busca actualizar su monitor tal vez también quiera actualizar su tarjeta de vídeo. De lo contrario, su nuevo monitor probablemente desplegará la misma imagen que desplagaba el viejo.

- Aun si compra un monitor gigante para su tarjeta de vídeo VGA vieja, no verá más información en su pantalla nueva. Su procesador de palabras seguirá llenando toda la pantalla y su Windows continuará traslapado igual que en el otro monitor.
- ¿La solución? Compre la tarjeta de vídeo al mismo tiempo que su monitor. Así estará seguro de que su monitor puede desplegar la imagen de más alta calidad que pueda generar su tarjeta de vídeo.

- Las personas con computadoras viejas tendrán que comprar una tarjeta nueva junto con el monitor, ya que algunos de estos no se pueden conectar a las tarjetas viejas.

- Los nuevos monitores LCD "pantalla plana" no funcionan con cualquier tarjeta; requieren tarjetas especiales. Asegúrese de que la suya especifique que puede ser utilizada con este tipo de monitores antes de comprarla.
- Puede encontrar más información de monitores y tarjetas de vídeo en el Capítulo 15.

Instalar una Unidad de Disco Flexible o CD-ROM

Las unidades de disco flexible se instalan rapidísimo —a menos que trate de instalar una unidad de alta capacidad más nueva a una IBM PC o XT vieja. Estos vejestorios no pueden soportar la presión y usted tiene que agregar una gama nueva de partes de refuerzo antes de que puedan hacer algo.

En otras PC, las unidades de disco flexible y las unidades de CD-ROM internas simplemente se deslizan hacia adentro, hasta donde se encuentran los cables. Los detalles de estas operaciones están en el Capítulo 12 (para unidades de disco flexible) y Capítulo 13 (Unidades de CD-ROM).

Agregar una Fuente de Poder

Las fuentes de poder vienen en millones de tamaños, pero aun así, agregar una fuente de poder es una actualización muy fácil. ¿Por qué? Porque usted instala todas las fuentes de poder casi de la misma manera.

Solo desatornille la fuente de poder vieja, conservándo los tornillos. Luego desconecte los cables de la fuente de poder (anote donde va cada cable antes de retirarlos).

Para el gurú en PC de la oficina....

Estos trucos pueden ayudarle a mantener su PC corriendo tanto tiempo como sea posible:

Anote la información de su CMOS. Aunque este tema es cubierto en el Capitulo 18, es lo suficientemente importante como para enfatizarlo aquí. El CMOS de su PC es como su secretaria. Este mantiene un registro total de todas las partes instaladas dentro de su computadora. Si algo sucede a su CMOS, su computadora estará tan perdida como un ejecutivo cuya secretaria ha salido de vacaciones por tres semanas.

Llame al CMOS de su PC y copie sus configuraciones en el cuadro del Capítulo 18 mientras la información esta segura. Si algo terrible pasara, estará feliz de haberlo hecho.

No fume cerca de su PC. Se puede decir mucho del dueño de una PC con solo mirar dentro de ella. Los sujetos que reparan computadoras pueden saber rápidamente cuando alguien ha estado fumando cerca de una PC. El abanico de la PC succiona aire constantemente dentro de su cubierta y luego lo elimina para mantener la computadora fresca. Los residuos del humo vuelven los componentes internos pegajosos y esto forma una capa de polvo en las partes sensitivas al calor. Si no puede fumar afuera, limpie la parte interna de su PC regularmente. Retira la cubierta y utilice un recipiente de aire comprimido para soplar la suciedad, como se describe en el Capítulo 2.

Evite comprar partes muy baratas. Estas usualmente están hechas con los materiales más baratos, ensamblados de la forma más barata. Lo barato al final sale más caro.

Algunas de las partes más baratas no son tan compatibles con las otras partes de su PC como las de marcas más caras. Y si algo sale mal con la parte barata, usualmente se descubre que el fabricante cerró o que no ofrece servicio técnico.

No permita que la computadora sea encendida y apagada constantemente. La experiencia más estresante de una PC es cuando es encendida por primera vez y atravesada por un flujo de electricidad.

Para aliviar la tensión, no encienda y apague la computadora repetidamente, como solía hacer con las luces de la sala cuando era niño. Después de apagar su PC, espere 30 segundos antes de volver a encenderla.

Conserve las partes viejas para emergencias. Cuando actualice alguna de las partes de su PC, conserve la parte remplazada en algún lugar. De esta manera, tendrá una forma de probar su computadora cuando algo ande mal. Cambiando diferentes partes una a una, podrá eventualmente determinar cual parte está causando el problema.

Almacen las tarjetas viejas en una bolsa para sándwiches. Si son demasiado grandes y no caben, envuélvalas en el plástico que utiliza para guardar sobrantes de comida. Así evitará que se dañen con electricidad estática. Si tiene un poco más de efectivo, almacene las tarjetas en uno de esos recipientes plásticos Rubbermaid o Tupperware.

Aproveche cualquier monitor y tarjeta de vídeo PCI viejas. Windows 98 le permite usar hasta 8 monitores y tarjetas de vídeo PCI.

Compre algunos programas de servicios. Las palabras programa de servicios huelen a "Nerds". Los programas de servicio no están diseñados para que el usuario se divierta, sino para que la computadora realice trabajos de mantenimiento.

Pero, algunos de estos programas también contienen programas de diagnóstico para descubrir porque su PC se alzó en huelga. Y otros programas pueden examinar la configuración de la memoria de su PC, y aportar sugerencias para mejorar su desempeño. Estos programas usualmente son la única forma de corregir el comportamiento de su PC.

Luego, arrastre la fuente de poder vieja a la tienda y compre una con exactamente el mismo tamaño (¿Comprando por Correo? Necesita llamar a la compañía para encontrar la fuente de poder apropiada). Atornille la nueva fuente de poder y reconecte los cables. ¡Listo! (En el Capítulo 14 hay instrucciones detalladas acerca de este procedimiento).

Mientras anda de compras, considere comprar una fuente de poder con más vatios de potencia, como discutimos en el Capítulo 14.

Nunca intente reparar la fuente de poder vieja o de desmantelarla. Estos aparatos succionan electricidad como una esponja y pueden causarle un serio choque eléctrico si hurga en sus partes internas.

Capítulo 22

Diez Formas de Habilitar una Pentium que envejece

En este capítulo

- Agregue más RAM
- Actualice la CPU
- Compre una tarjeta de gráficos 3D
- Agregue un puerto USB
- Afine Windows

La poderosa Pentium que rugía sobre su escritorio a principios de los 90 ahora gime de desgracia. Simplemente no puede más. No mueve información en trozos del mismo tamaño o tan rápido como los modelos Intel Pentium III e Itanium o los más recientes competidores de AMD. Estas viejas Pentiums no soportaron la tecnología veloz de gráficos, como gráficos MMX o AGP 3D, así que se atascaron con los mejores vídeo juegos de hoy.

Done esos vejestorios a la caridad, dedúzcalo de impuestos y compre un modelo más nuevo. Pero si todavía su cuenta bancaria no se lo permite, este capítulo muestra algunas formas simples para mantener a su modelo viejo en acción por algunos años más.

Sin embargo, tenga cuidado. Los trucos para actualizaciones mostrados aquí solo darán como un año más de vida a su Pentium. No se adentre en una calle sin salida. Realizar todas las actualizaciones enlistadas aquí, probablemente costará más dinero que comprar una PC nueva (y esas computadoras nuevas vienen con software nuevo).

Compre Más RAM

Si su computadora está corriendo con menos de 32MB de RAM, es tiempo de actualizarla. Con 32MB o más podrá al menos permitir que Windows 98 trabaje bien con todos sus programas incorporados. Si la actualiza a 64MB, también podrá correr otros programas al mismo tiempo. ¿Y no es ese el próposito principal de Windows? (El Capítulo 11 cubre instalaciones de memoria).

No hay necesidad de actualizar a más de 128MB. Los conjuntos de chips de muchas de estas tarjetas madre tienen una límitación de memoria que no tomará mucha ventaja de su actualización.

Cambie el CPU

Aunque remplazar el CPU suena terrible, es sorprendentemente simple. Hale una palanca y el chip del CPU vieja caerá. Compre el CPU de una buena marca y asegúrese de que tenga tecnología MMX para gráficos más rápidos. Debe alinear los pines de los chips nuevos en los enchufes de los pines viejos y colocar al nuevo miembro adentro. Baje la palanca y su computadora inmediatamente empieza a correr más rápido y con la más reciente tecnología en multimedia.

Estos mágicos chip para el remplazo de un CPU cuestan solo entre $100 y $250, dependiendo de su poder. Obtenga más cobertura de este tema en los Capítulo 3 y 10.

Intel no es la única compañía realizando actualizaciones de CPUs. De hecho, son los más caros. Revise el sitio Web de Evergreen Technologies (`www.evertech.com`) y Kingston (`www.kingston.com`), para información de cómo los CPUs aportan más poder a su PC Pentium.

Compre una tarjeta Aceleradora de Gráficos 2D y 3D

Otra forma rápida de agregar enería a Windows es comprando una tarjeta aceleradora de gráficos 3D y 2D. Utilizando la más reciente tecnología, esta pequeña y rápida tarjeta de vídeo vuelve a trazar ítemes en su nueva posición en la pantalla, conforme usted los mueve por esta pantalla. Además, hacen esto tan rápido que sus ojos lo registran como movimiento leve de gráficos.

Los gráficos acelerados no suenan como algo emocionante. Pero cuando usted ve la diferencia que esto hace en la pantalla, se sorprenderá de todo lo que recibe de más de una tarjeta acelerada. Los fánaticos de los juegos computarizados reciben el mayor puntaje con estas tarjetas aceleradoras de gráficos.

No compre tarjetas de vídeo si la caja dice que requiere ranuras AGP. La mayoría de las Pentiums viejitas no tienen estas ranuras especiales en sus tarjetas madre (Refiérase al Capítulo 3 para trucos de ranuras AGP y cómo identificarlas).

Agregar un Puerto USB

Estas viejas Pentiums probablemente no vengan con el puerto Bus Serial Universal (USB). Los dispositivos USB empezaron a salir al mercado hace algunos años y hasta ahora es que empiezan a llenar los estantes de las tiendas.

Hoy en día, los mouse, módems, impresoras, teclados, parlantes, escáneres, etc., toman ventaja de los puertos USB — si usted tiene uno. Para agregar compatibilidad USB a su Pentium vieja, actualice a Windows 98 y compre una tarjeta de actualización USB, como los modelos de $30 de Entrega (`www.entrega.com`).

Afinar Windows

Si quiere estar a la moda, Windows viene con varios paneles de interruptores que ayudan a afinar su desempeño, ocultos en varios lugares del programa.

Por ejemplo, presione el botón derecho en el icono de Mi Computadora, escoja Propiedades del menú que aparece y presione la lengüeta de Desempeño. Aparece una ventana de Propiedades del Sistema, desplegando información técnica sobre su computadora. Aquí, usted puede optimizar Windows 98 para que corra en una laptop o PC. Cambie la forma en que Windows 98 maneja los archivos, acelere la forma en que su computadora lee los discos compactos y pellizque otros aspectos del desempeño.

Puede encontrar muchos otros aspectos de sistema, ocultos en el menú de Herramientas del Sistema, al cual puede llamar a través del botón de Inicio (Presione el botón de Inicio, Escoja Programas y luego Accesorios para encontar el área de Herramientas del Sistema). En esta área, Windows 98 esconde un puñado de programas para respaldar su PC, borrar archivos innecesarios de su disco duro, escanear sus discos para encontrar errores y realizar otras tareas valiosas.

Finalmente, asegúrese de desfragmentar el disco duro de su Pentium regularmente, tema cubierto en el Capítulo 19. Si encuentra problemas con Windows, visite el Capítulo 17 para una descripción completa de las configuraciones y herramientas de Windows.

Capítulo 23

Diez cosas Desconcertantes Que Su PC Podría Decir al Encenderla

En este capítulo

- Montones de pequeños y confusos mensajes
- que aparecen en su pantalla
- cuando enciende su computadora por primera vez,
- así como trucos
- de lo que se supone que usted debe hacer para corregirlos

Cuando usted enciende por primera vez su computadora y esta se despierta, corre por ahí buscando todas sus partes. Si encuentra algo incorrecto, se lo hace saber. Desafortunadamente, no se lo dice en Español. En cambio, su computadora envía algunas observaciones complicadas sobre su mecanismo interno y luego deja de trabajar.

Este capítulo ofrece algunas traducciones para algunos de los mensajes de inicio más extraños que podría ver congelados en su pantalla.

"Cuando mi Computadora Arranca Emite Palabras Raras"

Aquí estamos hablando de mensajes de error a nivel básico — de la clase que emite su computadora como Bienvenida cuando la enciende por primera vez.

Este tipo de mensajes de error son almacenados en el BIOS de su computadora, el chip de nivel básico que sirve como sistema nervioso de su computadora (Revise el Capítulo 10 para más información de BIOS).

Las diferentes marcas de chips BIOS emiten distintos tipos de mensajes de error. Sin embargo, la Tabla 23-1 muestra algunas palabras claves que todos los chips BIOS utilizan cuando encuentran algún problema en su PC.

Tabla 23-1 Mensajes de Arranque Comunes y Cómo eliminarlos

Estas palabras clave	*Usualmente significan esto*
Intérprete de Comando incorrecto.	Su PC busca un archivo llamado COMMAND.COM, que debería estar en su directorio raíz. Copie el archivo del dis quete del sistema de nuevo en el directorio raíz, como se describe en el capítulo 2.
CMOS, Configuración.	Cuando su PC menciona CMOS, necesita cambiar algunas de sus configuraciones. Vaya al Capítulo 18 para más datos.
Falla en búsqueda de disquete.	Debe haber un cable suelto o el CMOS de su PC tiene una configuración incorrecta. Revise el cable y vaya al Capítulo 18 para más información de configuraciones CMOS.
Falla de unidad	Revise el Capítulo 13 y asegúrese de que los cables del disco duro estén bien conectados. ¿La unidad recibe poder de la fuente de poder? También revise el Capítulo 18 para segurarse de que la unidad esté correctamente enlistada en el CMOS de la PC.
Información de Configuración Inválida; por favor corra el programa de Configuración.	Mientras arrancaba, su PC probablemente notó que se retiró o agregó una pieza de hardware; ya que el inventario de piezas no es igual a su lista, la PC quiere correr el programa de Configuración para confirmar lo que pasó (Capítulo 18).
Memoria y Falla.	Cuando se combinan en el mismo mensaje, estas palabras significan que algo anda mal con uno o más chips de memoria. Primero, reinicie sus chips de memoria (Capítulo11); si esto no ayuda, haga que los prueben profesionalmente (Capítulo 11). Puede que tenga que cambiar la tarjeta madre (Capítulo 10).

Estas palabras clave	*Usualmente significan esto*
No hay disco de sistema o error de disco.	Retire el disquete de la unidad A y presione la barra espaciadora. Si este mensaje se refiere a su disco duro, necesita una copia de COMMAND .COM del disquete del sistema en el disco duro, como se describe en el Capítulo 2.
Paridad.	Su memoria está fallando. Lea el Capítulo 11 y trate de presionar más los chips en sus enchufes.
Tabla de partición	Su disco duro está fallando. Lo mejor es que compre un Servicio de instalación de Disco Duro, como se describe en los Capítulos 13 y 18 y deje que el Servicio corrija el problema.
Sector no encontrado o error irrecuperable.	Estas palabras significan que un disco empieza a fallar. El ScanDisk de Windows o programas como el Norton Utilities o PC Tools, pueden ayudar a recuperar información antes de que se pierda.
Reloj	Los problemas con relojes significan que su tarjeta madre está defectuosa.

Si la PC emite un mensaje de error particularmente confuso, revise el Capítulo 4 donde encontrará formas para diagnosticar su problema a través de Internet. El Capítulo 25 enlista otros códigos de error.

"¿Qué Significan estos Pequeños Números?"

Algunas de la computadoras IBM genuinas y pocos clones viejos solo despliegan unos números de códigos en la pantalla cuando tienen problemas para levantarse. Ellos no se molestan en incluir más detalles de lo que les pasa y de lo que quieren hacer al respecto. La Tabla 23-2 explica lo que significan algunos de estos místicos números y además, le indica cuál capítulo ofrece información para corregir el problema.

Una nota sobre la tabla: ¿Ve que los códigos tienen la letra X, como en *1XX?* La X significa cualquier número. El código 1XX puede significar cualquier número de tres dígitos, empezando con el número 1, como 122, 189 o algo similar.

Tabla 23-2 Códigos Numéricos y lo que Significan

Este código	*Significa que esto está fallando*	*Comentarios*
02X	Fuente de poder.	Puede que tenga que cambiar su fuente de poder (Capítulo14).
1XX	Tarjeta madre.	Estos números usualmente significan problemas muy caros. Busque otros de los síntomas de su PC en los Capítulos 24, 25 y 4
2XX	Memoria.	Trate presionando los chips de memoria en los enchufes (Capítulo 11). Si esto no ayuda, probablemente tenga que probar los chips profesionalmente.
3XX	Teclado.	¿Hay algún libro sobre el teclado, presionando alguna tecla? Otra posible solución es apagar la PC, desconectar el teclado sacudir el polvo y tratar reiniciando la PC. Refiérase al Capítulo 5.
4XX	Monitor Monocromático o adaptador.	Solo las XT tienen este problema. Su tarjeta de vídeo

		monocromática está fallando (Capítulos 8 y 15).
5XX	Monitor en Color o adaptador.	Solo las XT tienen este problema. Su tarjeta de vídeo CGA está fallando (Capítulos 8 y 15).
Este código	***Significa que esto está fallando***	***Comentarios***
6XX	Unidad de disco flexible o adaptador.	¿Podría haber un disquete dañado en la unidad? ¿Está su CMOS configurado para el tipo correcto de disco? Capítulo 12 y 18.
7XX	Coprocesador matemático.	¿Está su coprocesador matemático? ¿Sabe el CMOS de su PC que el chip está ahí? Capítulos 10 y 18.
9XX	Puerto de impresora.	Su tarjeta multifunción puede estar fallando. Ver Capítulos 3 y 15.
10XX	Segundo puerto de impresora.	Su tarjeta multifunción puede estar fallando. Ver Capítulos 3 y 15.
11XX	Puerto serial.	Su tarjeta multifunción puede estar fallando. Ver Capítulos 3 y 15.
12XX	Segundo puerto serial.	Su tarjeta multifunción puede estar fallando. Ver Capítulos 3 y 15.
13XX	Tarjeta de juegos.	Su tarjeta multifunción puede estar fallando. Ver Capítulos 3 y 15.
17XX	Disco duro o controlador.	Mejor revise el Capítulo 13: Asegúrese de que los cables de su disco duro estén bien conectados y de que los puentes estén correcta- mente configurados. Ver el Capítulo 18. También asegúrese de que la tar-

Capítulo 24

Diez Advertencias Sonoras Comunes y su Significado

En este capítulo

- Lista de pequeños beeps
- que llenan el ambiente
- cuando enciende la PC por primera vez
- y lo que, ¡Santo Dios!,
- se supone que usted debe hacer al respecto

Cualquier persona que ha visto televisión en los últimos diez años ha visto computadoras que pueden conversar con sus dueños. También su pequeña computadora de escritorio puede hablar. En lugar de pronunciar las vocales y consonantes comunes, su PC hace lo mejor que puede: emite sonidos llamados beeps.

Contando cuidadosamente todos los beeps, usted podrá entender lo que su computadora trata de decir. Aunque su PC no es cantante de ópera, puede darle una pista que lo que anda mal, aun si no puede ver ningún mensaje de error en su monitor.

¿Qué es este Asunto de Beep BIOS?

Algunas veces su computadora se congela mientras está siendo arrancada o encendida. Pero si encuentra algo incorrecto antes de probar la tarjeta de vídeo, la computadora no puede emitir un mensaje de error en la pantalla. Así que emite beeps para decir que algo anda mal.

Desafortunadamente, no existe un "estándar de beeps". Todos los fabricantes de PC saben que sus computadoras deben emitir sonidos cuando algo esté mal, pero ya que no hay ninguna regla por seguir, los fabricantes asignan diferentes códigos de beeps a distintos problemas.

Los códigos secretos de beeps están almacenados en el chip BIOS de su PC (descrito en el Capítulo 10). Entendiendo el BIOS que utiliza su computadora, usted puede conocer el código de beep que utiliza su computadora.

Observe cuidadosamente la pantalla cuando enciende la PC por primera vez . Busque algunas palabras sobre Derechos de Autor BIOS — eso legaliza las cosas que usted usualmente ignora.

¿Puede ver el nombre de una compañía? Probablemente sea AMI — la abreviación de American Megatrends — o Phoenix. Estas dos compañías son las mayores fabricantes de BIOS. No se confunda con los Derechos de Autor BIOS de la tarjeta de vídeo que pudieran aparecer en la primera línea; usted busca la información BIOS real de su PC. ¿No sabe cuál BIOS utiliza? El Capítulo 10 tiene más información.

Cuando su PC emite algunos beeps y luego deja de funcionar, cuente el número de beeps que escucha. Puede apagar la PC, esperar 30 segundos y encenderla de nuevo. Cuando esté seguro de haber contado bien los beeps, busque en la tabla de este capítulo que corresponde a su marca de BIOS. La tabla traduce diferentes códigos de beeps para usted.

- Si su PC se queda en la etapa de los beeps y usted ha intentado todas las reparaciones enlistadas en el Capítulo 19, usualmente es porque algo anda terriblemente mal.
- Muchos de los errores significan que hay un chip malo en la tarjeta madre de su PC. A menudo, es más fácil cambiar toda la tarjeta madre que identificar el chip del problema, retirarlo y soldar uno bueno en su lugar.
- Aun así, si tiene amigos expertos en computadoras, pídales que le ayuden. Si explica el problema específico — un chip de reloj malo, por ejemplo — ellos podrán saber si hay algo que puedan hacer o si su tarjeta madre es una pérdida total.

Beeps de BIOS AMI

Normalmente, las computadoras que utilizan el BIOS AMI no se molestan con los beeps. Si no encuentran la energía necesaria para arrancar, emiten un mensaje de error en la pantalla. Para entender lo que la computadora trata de decir, busque el mensaje en el Capítulo 23.

Pero si algo anda mal con la tarjeta de vídeo o si la PC esta tan confundida que ni siquiera puede poner letras en la pantalla, no le queda otro recurso que utilizar beeps. La Tabla 24-1 explica lo que los beeps del BIOS AMI intentan desesperadamente decirle.

No tome estos códigos de beeps como una verdad absoluta. Aunque proveen una pista de porqué su PC está fallando, no siempre señalan al verdadero culpable.

Tabla 24-1 Beeps de BIOS AMI y lo que Significan

Número de Beeps	*Lo que significa*
No beep.	Se supone que debe escuchar un beep. Si no escucha nada, su PC sufre de una fuente de poder dañada, una tarjeta madre dañada o un parlante que no funciona.
1 beep.	Normalmente, las PC emiten un beep para auto asegurarse de que todo funciona bien. Pero si no aparece nada en la pantalla, mejor revise su monitor (Capítulo 8) y su tarjeta de vídeo (Capítulo 15). Si estas dos partes funcionan bien, este beep puede significar que su tarjeta madre tiene un chip dañado. Este trabajo es para los de batas blancas. Probablemente usted no puede repararlo.
2 beeps.	Su PC se queja de su memoria. Asegúrese de que los chips estén bien colocados en sus enchufes (Capítulo 11). Si esto no corrige el problema, probablemente tenga que sacar los chips y llevarlos al taller para revisión. Si los chips están bien, usted podría necesitar una tarjeta madre nueva. De nuevo, este problema está más allá de su control.
3 beeps.	Igual al mensaje de 2 beeps.
4 beeps.	Casi siempre es igual al mensaje de 2 beeps.
5 beeps.	Su tarjeta madre está fallando. Trate reiniciando todos los chips, especialmente el de la CPU (Capítulo 10). Si esto no funciona, tal vez tenga que comprar una tarjeta madre.
6 beeps.	El chip de la tarjeta madre que controla el teclado está fallando. Trate reiniciando el chip (si logra encontrarlo) o trate con otro teclado.
7 beeps.	Básicamente, es igual al mensaje de 5 beeps.
8 beeps.	Su tarjeta de vídeo puede estar mal instalada. Mejor revise el Capítulo 15; porque tal vez tenga que cambiarla.
9 beeps.	Su BIOS (Capítulo 10) está fallando; probablemente deba cambiarlo.

(continúa)

Tabla 24-1 (continuación)

Número de Beeps	*Lo que significan*
10 beeps.	Su tarjeta madre (Capítulo 10) está fallando; si el problema persiste, tendrá que cambiarla.
11 beeps.	La memoria caché de su tarjeta madre tienen problemas. Mejor lleve este problema al taller.

Beeps de BIOS IBM Genuinos

Si usted tiene una computadora IBM Original, de las que dicen IBM en la cubierta, la Tabla 24-2, enlista algunos de los códigos de beeps que podría escuchar.

No tome estos códigos de beeps como una verdad absoluta. Aunque proveen una pista de porque su PC está fallando, no siempre señalan al verdadero culpable.

Tabla 24-2 Código de Beeps para IBM Originales

Estos Beeps	*Significan esto*
No beep.	Se supone que debe escuchar un beep. Si no escucha nada, su PC sufre de una fuente de poder dañada, una tarjeta madre dañada o un parlante que no funciona.
Un beep constante.	Su fuente de poder (Capítulo 14) no está funcionando bien.
Beeps cortos repetidos.	Su fuente de poder (Capítulo 14) no está funcionando bien
Un beep largo, un beep corto.	Su tarjeta madre (Capítulo 10) no fun ciona bien.
Un beep largo, dos cortos	Su tarjeta de vídeo (Capítulos 8 y 15 beeps 15) o sus cables, están fallando.
Un beep largo, tres	Su tarjeta EGA (Capítulo 8 y 15) o beeps cortos. sus cables están fallando.

Beeps de BIOS Phoenix

Si ve la palabra Phoenix en la pantalla cuando reinicia o enciende la PC, es porque su sistema utiliza BIOS Phoenix.

¿Y? Bueno, Phoenix transformó el concepto de código de beeps en un arte fino. Escúchelos atentamente: La computadora emite tres juegos de beeps, con una pausa entre cada juego.

Por ejemplo, si escucha BEEP BEEP, pausa, BEEP BEEP BEEP, otra pausa y BEEP BEEP BEEP BEEP, eso se traduce en dos beeps, tres beeps y cuatro beeps. Todo eso nos lleva a este código: 2 – 3 – 4. Necesita buscar 2 – 3 – 4 en la Tabla 24-3, para averiguar por qué protesta su BIOS Phoenix esta vez.

No tome estos códigos de beeps como una verdad absoluta. Aunque proveen una pista de por qué su PC está fallando, no siempre señalan al verdadero culpable.

Tabla 24-3 Códigos de Beep Phoenix

Estos Beeps	*Usualmente significan esto*
1–1–3	Su tarjeta madre no puede leer su CMOS (Capítulo 18) o está protestando (Capítulo 10).
1–1–4	Su BIOS probablemente necesite ser cambiado (Capítulo 10).
1–2–1	Un chip del reloj de su tarjeta madre está fallando; tal vez tenga que cambiar su tarjeta madre (Capítulo 10).
1–2–2	La tarjeta madre está dañada (Capítulo 10).
1–2–3	Su tarjeta madre (Capítulo 10) o la memoria (Capítulo 11) están dañadas.
1–3–1	Su tarjeta madre (Capítulo 10) o la memoria (Capítulo 11) están dañadas.
1–3–3	Su tarjeta madre (Capítulo 10) o la memoria (Capítulo 11) están dañadas.
1–3–4	Su tarjeta madre probablemente esté dañada (Capítulo 10).
1–4–1	Su tarjeta madre probablemente esté dañada (Capítulo 10).
1–4–2	Alguna memoria está dañada (Capítulo 11).
2–?–?	Cualquier serie de beeps que empiece con dos significa que alguna memoria está dañada (Capítulo 11). Mejor lleve los chips al taller para probarlos profesionalmente.

(continúa)

Tabla 24-3 (continuación)

Estos Beeps	*Usualmente significan esto*
3 – 1 – 1 vez	Uno de los chips de su tarjeta madre está fallando; tal tenga que cambiarla.
3 – 1 – 2	Uno de los chips de su tarjeta madre está fallando; tal vez tenga que cambiarla.
3 – 1 – 3	Uno de los chips de su tarjeta madre está fallando; tal vez tenga que cambiarla.
3 – 1 – 4	Uno de los chips de su tarjeta madre está fallando; tal vez tenga que cambiarla.
3 – 2 – 4	Su teclado (o el chip de la tarjeta madre que lo con trola) está fallando (Capítulo 5).
3 – 3 – 4	Su PC no encuentra la tarjeta de vídeo. (Refiérase Capítulo 15).
3 – 4 – 1	Su tarjeta de vídeo está fallando (Capítulo 15).
3 – 4 – 2	Su tarjeta de vídeo está fallando (Capítulo 15).
3 – 4 – 3	Su tarjeta de vídeo está fallando (Capítulo 15).
4 – 2 – 1	Su tarjeta madre tiene un chip dañado; tal vez tenga que cambiarla.
4 – 2 – 2	Primero, revise su teclado (Capítulo 5); si esto no cor rige el problema, su tarjeta madre puede estar dañada.
4 – 2 – 3	Primero, revise su teclado (Capítulo 5); si esto no cor rige el problema, su tarjeta madre puede estar dañada.
4 – 2 – 4	Una de la tarjetas (Capítulo 15) está confundiendo a su PC. Trate retirando las tarjetas una a una para detectar al culpable.
4 – 3 – 1	Su tarjeta madre probablemente está dañada..
4 – 3 – 2	Su tarjeta madre probablemente está dañada.
4 – 3 – 3	Uno de los chips del reloj expiró. Tal vez tenga que cambiar la tarjeta madre.
4 – 3 – 4	Trate llamando a su CMOS (Capítulo 18) y revisando la fecha y hora. Si esto no corrige el problema, trate cam biando la batería de su PC (Capítulo 10). ¿Sigue fallando? Trate con una fuente de poder nueva antes de comprar una tarjeta madre nueva.

Estos Beeps	*Usualmente significan esto*
4 – 4 – 1	Su puerto serial está fallando; trate reiniciando (o cambiando) su tarjeta multifunción (Capítulo 15).
4 – 4 – 2	Su puerto paralelo está fallando; trate reiniciando (o cambiando) su tarjeta multifunción (Capítulo 15).
4 – 4 – 3	Su coprocesador matemático está fallando. Corra el programa que viene con el coprocesador para ver si en realidad es su amigo o solo pretende serlo.

Capítulo 25

Diez Mensajes de Error Comunes (Y Cómo Evitarlos)

En este capítulo

- Mensajes de error únicos
- que parecieran surgir
- cuando trata de terminar
- un trabajo
- y apagar la bendita computadora

Las computadoras vienen con muchos mensajes de error. En este capítulo están los diez mensajes de error más populares — bueno, los más impopulares. También encontrará trucos para evitarlos.

¿Confundido por un mensaje de error recurrente? Visite el Capítulo 4 y encontrará la sección sobre como utilizar Internet para diagnosticar su computadora. La sección de gurpo de noticias muestra como identificar y purgar los mensajes de error más ruines.

Inserte un Disquete con COMMAND.COM en la Unidad A. Presione Cualquier Tecla para Continuar

Si no ha llegado a Windows, este mensaje usualmente significa que su computadora no puede encontrar las piezas del DOS que le dan la vida. Inserte un disquete en la unidad A y presione Enter. O, si su computadora usualmente reinicia su disco duro, retire cualquier disquete que pueda estar en la unidad A y presione Enter (¿No sabe como hacer un disquete del sistema? Vuelva al Capítulo 2).

Medio Inválido o Pista 0: Operación de Formateado terminó en Forma Anómala

Cuando su computadora esconde sus archivos más importantes en un disquete de sistema, los guarda en algunos asientos delanteros llamados Pista 0. Si estos asientos están dañados — están llenos de chicles o algo aun peor— la computadora no puede tomar sus cosas importantes guardadas ahí.

Eso es lo que sucede cuando aparece este mensaje. Bote el disquete y trate con otro. Si este mensaje aparece cuando trata de formatear su disco duro, Usted tiene serios problemas. Visite los Capítulos 12 y 13 para algunas posibles reparaciones.

Sector No Encontrado

DOS tiene problemas encontrando información en su disquete. Trate corriendo ScanDisk, el cual describo en al Capítulo 19. Si no ha hecho respaldo de su disco — ya sea disco duro o disquete — hágalo tan pronto como sea posible. Su disco duro (Capítulo 13) puede estar expirando o necesitando ser reformateado.

Acceso Denegado

Probablemente intenta escribir (o borrar) algo de un disquete protegido contra escritura. Si está seguro que desea alterar el disquete, desactive la protección contra escritura. Si está trabajando con un disquete 3½-pulgadas, deslice la lengüeta de una de las esquinas del disquete para cubrir el agujero (en un disquete de 5¼-pulgadas, retire el pedacito de cinta del borde del disquete).

También puede recibir este mensaje si trata de borrar un archivo protegido del disco duro. O talvéz Usted está intentando leer o escribir en un archivo que es utilizado o manipulado otro programa en Windows.

Error de Memoria Dividida

Este error no le deja otra opción que reiniciar la computadora. Esta se encentra bien, pero el software hizo algo que confundió a todos: trató de dividir entre cero.

Trate reinstalando el software su disco duro del disquete original. Si esto no funciona, trate con el la línea de soporte técnico de fabricante del software para que le envíen una copia del programa. en buen estado Además, Asegúrese de tener los controladores más actualizados, como se discutió en el Capítulo 17.

La Unidad no está Lista.¿Abortar, Reintentar, Ignorar, Cancelar?

La computadora protesta porque probablemente intenta encontrar un archivo en una unidad, pero ni siquiera puede encontrar un disquete o disco compacto en ella. Si Usted colocó un disquete o CD ahí, el cerrojo de la unidad está cerrado. O el disquete o CD están al revés. Asegúrese de que el disquete o CD estén en la unidad correcta y presione R de Reintentar. (Conceda unos segundos a la unidad para reconocer el disquete, especialmente con los CDs).

A:\No es Accesible. El Dispositivo No está Listo.

Windows usualmente lanza este mensaje cuando apagó la computadora mientras desplegaba los contenidos de un disquete. Luego, si usted retira el disquete y reinicia Windows, ella trata de releer la información del disquete para desplegarla en la pantalla de nuevo. Cuando no encuentra el disquete, Windows protesta.

¿La moraleja? No deje los contenidos de un disquete desplegados en la pantalla cuando apaga la computadora.

"Mi computadora despliega C:> en la pantalla, no Windows!"

Cuando Windows se rehusa a aparecer en escena, es porque se ha quebrado una pierna —y no de buena manera. Si recientemente instaló algún software, el recién llegado puede haber dañado algunos de los archivos de Windows. O, si trató de instalar Windows, el proceso de instalación no salió bien. Para reparar todo, corra el programa de Configuración de Windows de nuevo el que instala Windows en su computadora. Cuando Windows pregunte, durante el proceso de instalación, escoja la opción Verificar para que Windows revise todos los archivos y reponga alguno que no encuentre o que esté dañado.

Pista 0 Dañada —Disco Inutilizable

Si recibe este mensaje cuando utiliza una computadora vieja, probablemente usted intenta formatear uno de esos disquetes de 1.22MB de alta densidad en una unidad de 360K. Eso no se puede hacer.

Si recibe este mensaje cuando no está utilizando una unidad de 360K, posiblemente el disquete está malo.

Finalmente, si este mensaje se refiere a su disco duro, estas son muy malas noticias. Visite el Capítulo 19 para una posible reparación y luego el Capítulo 13 para más detalles y trucos.

Espacio en Disco Insuficiente

Cuando vea este mensaje, su disco —disco duro o disquete— no tiene suficiente espacio para almacenar los archivos que recién llegan. Claro que puede colocar un disquete nuevo o comprar otro disco duro, como se describe en el Capítulo 13.

Memoria Insuficiente

Su computadora no tiene suficiente memoria para correr un programa en particular. O tal vez la memoria que tienen no ha sido configurada correctamente.

Si está utilizando DOS o tratando de correr un juego en DOS, coloque el disco del sistema (descrito en el Capítulo 2), en la unidad A y reinicie su PC. Cuando su computadora vuelve a empezar desde el disquete de reinicio, aparece "limpia" de cualquier cosa que le robara memoria en la fuente disponible. Sin embargo, no trate de correr Windows después de utilizar este truco.

Si sus programas de Windows se quejan de "memoria insuficiente", tiene dos opciones: Primero, trate cerrando todos los programas de manera que toda la memoria esté disponible para el programa actual. Segundo, compre más memoria e instálela, como se describe en el Capítulo 11.

Comando o Nombre de Archivo Incorrecto

Probablemente digitó algo en C:\>, y su computadora no logra adivinar lo que usted intenta hacer. Pude que haya deletreado mal alguna palabra o digitado el nombre de un programa que su computadora no encuentra.

Si este mensaje aparece cuando su computadora es encendida, una de las líneas en su archivo AUTOEXEC.BAT está confundiendo a su computadora (Este archivo que suena tan extraño se describe en el Capítulo 16).

Nombre de Archivo Incorrecto

Si ve este mensaje cuando enciende la computadora, probablemente significa que su computadora no pudo encontrar uno de los controladores enlistados en el CONFIG.SYS. Visite el Capítulo 16 y luego revise su archivo CONFIG.SYS para saber lo que está pasando. De lo contrario, su computadora le está informando que no pudo encontrar un archivo. Revise la información sobre Rutas en el Capítulo 16.

Error de Paridad

Cualquier mensaje que contenga las desagradables palabras Error de Paridad puede aparecer en casi cualquier computadora en cualquier momento. Windows enmarca las palabras en un fondo azul muy agradable, su abuelo, el DOS, solo lanza las palabras a la pantalla. De cualquier manera, la solución es la misma: reinicie su computadora.

Los errores de paridad usualmente significan que su memoria no está funcionando bien, lo que a su ver significa que debe volver al Capítulo 11

Capítulo 26

Diez años de Antigüedades de Cómputo . . . Y Qué Hacer con Ellas

En este capítulo

- IBM PC Original
- IBM XT
- IBM AT
- IBM PCjr
- IBM PS/2
- 386, 486 y primeras Pentiums
- Los problemas del año 2000 (Y2K)

Este capítulo es para las personas con computadoras adquiridas en ventas de garaje — o para quienes están considerando vender su PC en una venta de garaje.

Aquí encontrarán, los modelos de todas las computadoras desde su nacimiento en 1981. Revise la cubierta de su computadora o la factura para averiguar el modelo, búsquelo aquí y decida quién la recibirá en Navidad.

IBM PC Original (1981)

La PC que inició toda esta locura más de una década atrás no vale mucho hoy en día, aun para los coleccionista de antigüedades. El Modelo T de la Ford aun recibe exclamaciones de respeto en los desfiles de los Domingos, pero la IBM PC original probablemente cueste menos que una **lonchera.**

Identificar Características: La IBM PC original, mostrada en la Figura 26-1 tiene unidades de disco flexible muy grandes, que son de casi 4 pulgadas de alto. No tiene botón de reinicio y tiene las letras IBM en la parte del frente. Es pesada — y tal vez también esté empolvada. La IBM PC original tiene espacio para no más de cinco tarjetas. Tiene una CPU de 8088.

¿Por qué debería importarle?: Esta computadora está demasiado lejos de poder ser actualizada. Muchas de las partes de repuesto no están disponibles.

Actualización: Alguien hizo una lámpara con ella.

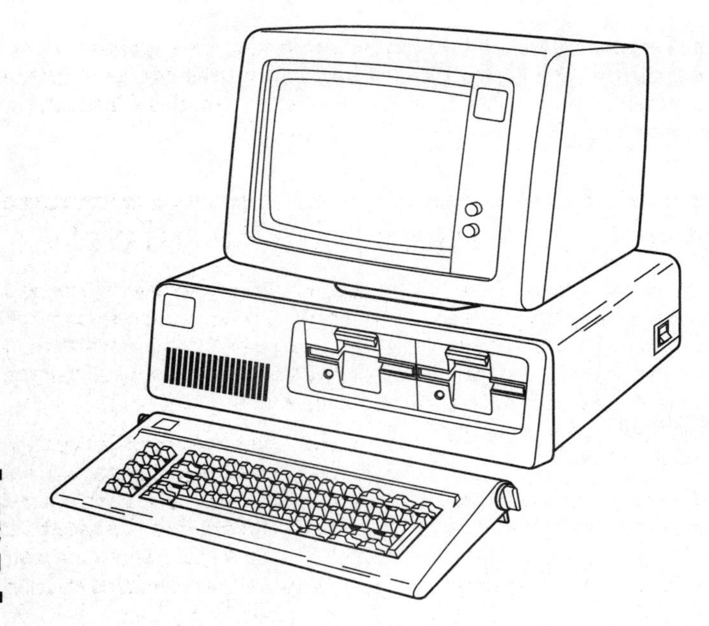

Figura 26-1: La IBM PC Original

IBM XT (Principio de los 80)

IBM abandonó la IBM PC original por el modelo XT, el cual introdujo el disco duro. En lugar de almacenar todos sus programas y archivos en disquetes, las personas ahora podían copiar la información en discos duros enormes, dentro de la PC. Bueno, los discos duros eran enormes en aquellos días, almacenando 10MB de información el equivalente a siete disquetes de 3½-pulgadas.

Identificar Características: Tiene una CPU de 8086 o 8088 y ranuras para 8 tarjetas de 8 bits. Pero no nos volvamos tan técnicos. No se moleste en actualizar los modelos XT.

¿Por qué debería importarle?: No se moleste en intentar vender una XT.

Actualización: ¿Está pensando en construir una computadora nueva de partes viejas? Ni siquiera puede rescatar la cubierta de una XT —es de tamaño inadecuado. Haga de esta computadora una lámpara para uno de los extremos de su sofá.

Ya que las XT no tiene ranuras de 16 bit, no pueden manejar las tarjetas de sonido o de vídeo más recientes y sofisticadas, así como muchos otros aparatos modernos. Además, algunas de estas XT viejas no les gusta tener una tarjeta en la ranura más cercana a la fuente de poder.

IBM AT (A Mediados de los 80)

La IBM AT es la sustituta de la XT. El modelo AT finalmente agregó un poco de atractivo al escritorio. De hecho, todas las computadoras copiaron este modelo. Las computadoras de hoy en día algunas veces son llamadas Clase AT, para separarlas de las anémicas XT y PC a las que sustituyeron.

Nueva Vida a través de NewDeal

Esas AT viejas o computadoras más recientes no han muerto todavía . Ya que no pueden correr Windows, una compañía llamada NewDeal escribió su propia interfaz gráfica. El programa tiene la interfaz gráfica "apunte y presione" de Windows, pero corre en una 286 con 640K de memoria, una tarjeta de gráficos CGA y al menos 9MB de espacio en disco duro.

¿Qué es lo que recibe? Un sistema que corre varios programa a la vez, intercambia información con la mayoría de las aplicaciones para PC, soporta la mayoría de las impresoras hasta 24 bits de colores, se une en red a otras PC y examina Internet.

Agregue un procesador de palabras, una hoja electrónica, un programa de gráficos y un editor de páginas Web para hacer que su vieja PC corra como Windows, pero sin las demandas de los caballos de fuerza computarizados de Microsoft.

La siguiente figura, por ejemplo, muestra el programa NewBanker de NewDeal, un programa de contabilidad y confección de cheques. NewBanker corre con una interfaz similar a Windows en una computadora 286 con solo 640K de RAM. Antes de desechar esa vieja PC, visite NewDeal. Este puede ser el tónico que su computadora ha estado esperando.

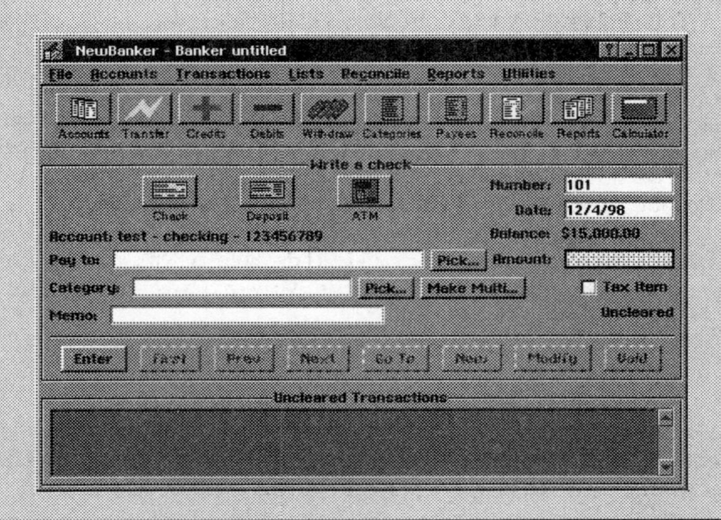

Identificar Características: La IBM AT es hasta cinco veces más rápida que la XT; la CPU Intel 286 de esta máquina fijó el estándar para las computadoras que vendrían. Además, tiene ranuras de 16 bits para tarjetas de 16 bits más poderosas.

¿Por qué debería importarle?: Esta computadora puede hacer muchas de la cosas que hacen las computadoras modernas más poderosas, con una gran excepción: No puede correr Windows o ningún otro software Windows. Ni siquiera puede correr juegos decentes.

Actualización: Hay esperanza. No necesita que Windows corra una computadora. En cambio, revise la gama de productos NewDeal en www.newdealinc.com.

PCjr

Hace muchos años, IBM trató de hacer una computadora de tamaño casero, para el mercado familiar, pero nadie lo compró. Según rumores varios miles de PCjrs están en una bodega en alguna parte del este. Las PCjr no fueron construidas con los mismos estándares de una PC real. Deje cualquier PCjr (incluyendo la suya) en los estantes del Ejército de Salvación.

PS/2 (1987)

Identificar Características: IBM, se molestó de que varias compañías estuvieran haciendo dinero con sus diseños, así que decidieron cambiarlo. IBM agregó algo llamado Arquitectura de Microcanal (también conocida como MCA).

¿Por qué debería importarle?: Cuidado, porque estas son diferentes a las computadoras normales. Y lo que es más importante, utilizan versiones de tarjetas de MCA especiales, como tarjetas de vídeo o módems internos.

Actualización: No hay forma.

IBM sacó una más rápida: No todas las PS/2s utilizan la MCA. La única forma de que usted pueda saberlo es hojeando el manual: ¿Dice MCA o ISA?

386, 486 y las primeras Pentium Finales de los 80 hasta hoy)

Hasta hace algunos años, estas computadoras funcionaban bien. Ahora, con Windows 98, ya quedaron rezagadas. La clase de computadoras 386 incluye la 486 (1989) y todas las Pentiums. Aunque a las clases 386 y 486 no les queda mucho de vida, las Pentiums están mejor equipadas para una actualización.

Los diseñadores de chips finalmente acertaron con el chip 386 utilizado para estos CPUs. De hecho, ese CPU permitió toda una clase nueva de computadoras, algunas veces llamadas la Clase 386. Este grupo incluye los chips 386, 486 y todos los Pentium, aun hasta el día de hoy.

Identificar Características: Si su PC puede correr cualquier versión de Windows, es porque posee este tipo de chip.

¿Por qué debería importarle?: Primero, las malas noticias. Actualizar una 386 o 486 a nivel de Windows costará más dinero que una computadora nueva y nunca alcanzarán los caballos de fuerza. ¿Las buenas noticias? Si está corto de dinero, el capítulo 20 ofrece consejos de lo que puede lograr invirtiendo unos cien dólares en una 486.

Actualización: ¿Tiene una Pentium? ¡No hay problema! Estas máquinas son las más fáciles de actualizar y puede manejar casi cualquier cosa que les ponga. Las actualizaciones más comunes incluyen discos duros más grandes, más memoria y tarjetas de vídeo más rápidas. Lo último es conectarles chip de CPU más rápidos (Capítulo 10), que es una de las mejores maneras de incitar las Pentium a trabajar más rápido.

Problemas Y2K

El año 2000 ha pasado. ¿Lo ha logrado su computadora? En caso de que se perdiera de esto, se suponía que las computadoras se paralizarían al llegar el año 2000. Eso es porque los expertos solían programar los años con solo dos dígitos. En lenguaje de máquina, los programadores escribieron el año 1986 como 86.

Los modelos más recientes no tuvieron mucho problema reconociendo el año 2000. Aunque algunos modelos viejos tuvieron problemas conocidos como "Y2K" (Ese es el código secreto para el año 2000, ya que la K significa "miles" en el sistema métrico).

El problema estaba en los chips BIOS de esos modelos, los cuales almacenan la información CMOS. El Capítulo 10 describe como cambiar el chip BIOS con un modelo actualizado, lo que debería sintonizar el horario de su computadora con el resto del mundo moderno.

Si tiene problemas para encontrar una actualización de su BIOS, revise la Actualización del Año 2000 de Evergreen (www.evertech.com). Conecte la tarjeta y automáticamente corregirá su BIOS para que maneje el cambio de año 2000 — si su computadora es compatible.

Hay más. Windows 3.1 no es compatible con Y2K, así que podría tener problemas si continúa utilizando este sistema operativo. Si su computadora no puede manejar Windows 95, visite NewDeal, descrito antes en este capítulo.